Por um feminismo afro-latino-americano

Lélia Gonzalez

Por um feminismo afro-latino-americano

Ensaios, intervenções e diálogos

Organização:
Flavia Rios e Márcia Lima

8ª reimpressão

Copyright © 2020 by herdeiro de Lélia Gonzalez
Copyright desta edição © 2020 by Editora Schwarcz S.A.

Grafia atualizada segundo o Acordo Ortográfico da Língua Portuguesa de 1990, que entrou em vigor no Brasil em 2009.

Capa
Elisa von Randow

Ilustração de capa
Linoca Souza

Tradução
Barbara Cruz
Carlos Alberto Medeiros
Catalina G. Zambrano
Tunã Nascimento

Revisão
Carmen T. S. Costa
Clara Diament

Dados Internacionais de Catalogação na Publicação (CIP)
(Câmara Brasileira do Livro, SP, Brasil)

Gonzalez, Lélia
  Por um feminismo afro-latino-americano : ensaios, intervenções e diálogos / organização de Flavia Rios e Márcia Lima. — 1ª ed. — Rio de Janeiro : Zahar, 2020.

  Bibliografia
  ISBN 978-85-378-1889-3

  1. Antropologia – Discursos, ensaios e conferências 2. Ciências sociais – Brasil 3. Diversidade cultural 4. Feminismo – Brasil – História 5. Mulheres negras – Identidade racial 6. Mulheres negras – Atividade política 7. Racismo – Brasil I. Rios, Flavia. II. Lima, Márcia. III. Título.

20-44338   CDD: 305.42

Índice para catálogo sistemático:
1. Feminismo : Sociologia 305.42

Aline Graziele Benitez — Bibliotecária — CRB-1/3129

Todos os direitos desta edição reservados à
EDITORA SCHWARCZ S.A.
Praça Floriano, 19, sala 3001 — Cinelândia
20031-050 — Rio de Janeiro — RJ
Telefone: (21) 3993-7510
www.companhiadasletras.com.br
www.zahar.com.br
facebook.com/editorazahar
instagram.com/editorazahar
twitter.com/editorazahar

Sumário

Introdução 9

PARTE I **Ensaios**

Cultura, etnicidade e trabalho: Efeitos linguísticos e políticos da exploração da mulher 25

A juventude negra brasileira e a questão do desemprego 45

A mulher negra na sociedade brasileira: Uma abordagem político-econômica 49

O apoio brasileiro à causa da Namíbia: Dificuldades e possibilidades 65

Racismo e sexismo na cultura brasileira 75

Mulher negra 94

O Movimento Negro Unificado: Um novo estágio na mobilização política negra 112

A categoria político-cultural de amefricanidade 127

Por um feminismo afro-latino-americano 139

Nanny: Pilar da amefricanidade 151

A mulher negra no Brasil 158

PARTE II **Intervenções**

Mulher negra: Um retrato 173

Alô, alô, Velho Guerreiro! Aquele abraço! 179

A questão negra no Brasil 183

Pesquisa: Mulher negra 191

Mulher negra, essa quilombola 197

Democracia racial? Nada disso! 201

De Palmares às escolas de samba, tamos aí 204

Taí Clementina, eterna menina 207

A esperança branca 211

Beleza negra, ou: Ora-yê-yê-ô! 214

E a trabalhadora negra, cumé que fica? 217

Racismo por omissão 220

Homenagem a Luiz Gama e Abdias do Nascimento 222

História de vida e louvor (Uma homenagem a Zezé Motta) 228

Para as minorias, tudo como dantes... 230

A cidadania e a questão étnica 232

Odara Dudu: Beleza negra 242

Discurso na Constituinte 244

O terror nosso de cada dia 263

As amefricanas do Brasil e sua militância 265

A importância da organização da mulher negra no processo de transformação social 267

Uma viagem à Martinica I 271

Uma viagem à Martinica II 275

PARTE III **Diálogos**

Duas mulheres comprometidas em mudar o mundo   281

Entrevista a *Patrulhas ideológicas*   286

A lei facilita a violência   298

Entrevista ao jornal *Mulherio*: Lélia Gonzalez, candidata a deputada federal pelo PT/RJ   300

O racismo no Brasil é profundamente disfarçado   302

Mito feminino na revolução malê   306

A democracia racial: Uma militância   310

Entrevista ao *Pasquim*   313

Entrevista ao *Jornal do MNU*   325

Apêndice: A propósito de Lacan   337

Notas   351
Bibliografia   358
Fontes   364
Nota biográfica   369
Uma cronologia de Lélia Gonzalez   371
Sobre as organizadoras   375

Introdução

FLAVIA RIOS E MÁRCIA LIMA

AS LEITORAS E OS LEITORES TÊM em mãos uma coletânea inédita da obra de Lélia Gonzalez. Há muito se esperava um trabalho que conseguisse concentrar em um só volume a produção escrita de uma vida inteira da intelectual negra mais expressiva do Brasil no século xx. Neste livro reunimos, em ordem cronológica, a maior parte dos ensaios, intervenções e diálogos realizados pela autora no período que compreende duas décadas — de 1975 à primeira metade dos anos 1990 — e que marca também os anseios democráticos da nação brasileira e de outros países da América Latina e do Caribe, além das reivindicações por igualdade racial nos Estados Unidos e das lutas por independência dos países africanos.

Esses escritos foram recolhidos de várias fontes: dos livros raros que já não mais circulam em livrarias ou quase nunca são encontrados em sebos, sejam físicos ou virtuais, até os artigos publicados nos periódicos da chamada imprensa alternativa, um verdadeiro celeiro para as ideias progressistas, contraculturais e democráticas que invadiram as bancas brasileiras nos tempos incertos e sombrios da ditadura militar.

Nos Ensaios de Lélia Gonzalez encontramos suas formulações mais aprofundadas. Neles, é possível entrever suas leituras, referências bibliográficas e a quem a autora se opõe no debate intelectual. É onde expõe de forma mais robusta e erudita a sua formação intelectual. Nesses escritos, seu vasto conhecimento humanista não cede lugar para uma escrita truncada, hermética e, portanto, restrita a poucos leitores. Lélia tem uma elaboração textual fina, às vezes repleta de ironias, por vezes mesclada de ortografia formal com a língua falada, um misto de coloquialismo e erudição. Em seus trabalhos é possível encontrar simultaneamente citações de referências clássicas da filosofia e das ciências sociais convivendo com o linguajar popular, do latim ao banto, passando pelo que ela chama de "pretuguês", uma espécie de africanização ou crioulização do idioma falado no Brasil. Referências à filosofia ocidental — que marcou a sua formação acadêmica — juntam-se a ditos populares, às elaborações dos mestres das escolas de samba, dos conhecimentos produzidos por mulheres trabalhadoras em sua prática cotidiana, numa combinação organizada para gerar polifonia, possibilitando a escuta de múltiplas vozes em diálogo. Assim, no conteúdo e na forma, os ensaios de Lélia Gonzalez dizem sobre a originalidade de seu pensamento. Nesta primeira parte do livro, além dos seus textos publicados, arrolamos artigos inéditos apresentados por ela em congressos internacionais e em importantes universidades estrangeiras.

Em jornais da chamada grande imprensa também encontramos artigos críticos da autora, assim como em periódicos do movimento negro e feminista. Esses materiais são chamados de Intervenções nesta coletânea — justamente por serem escritos de tomada de posição: artigos curtos, discursos e participações em debates, dos quais ela se servia para reagir a polêmicas e controvérsias na mídia e na vida política brasileira. Impacta, na leitura de seus textos e discursos transcritos, exatamente a atualidade das posições tomadas por ela mais de três décadas atrás: críticas à persistência do racismo e do sexismo na cultura brasileira; a defesa de candidaturas negras e de mulheres desde que ancoradas em representação substantiva e de valores, e não apenas descritiva, movida exclusivamente por cor ou gênero; e a importância da autonomia dos movimentos em relação aos partidos políticos, mas sem deixar de lado a relevância da atuação política institucionalizada em conselhos, em organizações partidárias, no parlamento. Ademais, a autora apresenta posições firmes hoje talvez comuns entre intelectuais e ativistas experientes na história política e na cultura brasileira, mas que à época causaram certa perplexidade, já que vários processos ainda não tinham se desenhado de forma definitiva na nossa jovem democracia. E, por falar em democracia, um dos pontos altos desta seção é o discurso de Lélia Gonzalez na Constituinte. Um texto inédito que mostra o papel concreto da intelectual e ativista negra na construção do pacto constitucional — baliza primordial para nossa convivência política até os dias de hoje.

Reunimos também um conjunto de entrevistas que foram aqui oportunamente chamadas de Diálogos, por serem de fato conversas entre a intelectual e os jornalistas interessados em conhecer com profundidade sua trajetória e suas ideias. Aliás, essas entrevistas são verdadeiros depoimentos, ótima oportunidade para quem tem interesse em conhecer aspectos biográficos da autora — uma espécie de autoanálise articulada às intepretações que ela faz do Brasil.

Por fim, como um Apêndice, a coletânea traz um texto raríssimo chamado "A propósito de Lacan" — um estudo analítico muito útil para compreender o interesse de Lélia pela psicanálise. Anos mais tarde, essa imersão ganhará contornos mais originais e criativos em suas reflexões sobre cultura e política no Brasil e na América Latina.

Visto por essa perspectiva ampla, *Por um feminismo afro-latino-americano*, título dado a este livro, além da função metonímica — ao tomar um artigo pelo conjunto da obra — busca dar vazão ao esforço da pensadora brasileira em refletir sobre as formas de dominação e resistência da região, escapando das fronteiras hemisféricas, linguísticas e nacionais. Visando proporcionar maior conhecimento do pensamento da autora, pela primeira vez o público brasileiro terá acesso a alguns de seus trabalhos nunca traduzidos para a língua portuguesa: "The Brazilian Support to the Namibian Cause: Difficulties and Possibilities" ["O apoio brasileiro à causa da Namíbia: Dificuldades e possibilidades"], escrito para o Simpósio Regional da América Latina e Caribe em apoio à independência da Namíbia e posteriormente publicado na revista *Afrodiáspora*, em 1983; "The Unified Black Movement: A New Stage in Black Political Mobilization" ["O Movimento Negro Unificado: Um novo estágio na mobilização política negra"], publicado nos Estados Unidos em 1985; e "The Black Woman in Brazil" ["A mulher negra no Brasil"], publicação póstuma realizada pelo intelectual cubano Carlos Moore em sua coletânea sobre a presença negra nas Américas, de 1995. No seu conjunto, a obra de Lélia Gonzalez não faz uso apenas da literatura brasileira, buscando refletir com e a partir dos pensadores e das pensadoras de países africanos, dos Estados Unidos, da Europa, da América Latina e do Caribe.

Em diálogo profícuo com a produção do seu país, a autora faz uma crítica radical aos chamados intérpretes do Brasil, reagindo ao arianismo de Oliveira Vianna e ao elogio da mestiçagem de Gilberto Freyre, ou mesmo às tintas patriarcais das formulações de Caio Prado Jr. em seu famoso *A formação do Brasil contemporâneo*. Ela também acompanha de forma atenta e crítica a escola paulista de sociologia, analisando os trabalhos dos estudiosos que investiram no entendimento das relações raciais brasileiras, liderados por Florestan Fernandes, e as interpretações que visavam dar uma explicação para a especificidade do capitalismo que se estabelecia no Brasil e na América Latina, tendo como referência a produção intelectual de Fernando Henrique Cardoso.

Ainda no campo da sociologia é digna de nota sua interlocução com o que havia de mais vibrante no pensamento sobre nação e relações raciais elaborado por Guerreiro Ramos, no Rio de Janeiro. Sem deixar de mencionar a relevante escola baiana que teve em Thales de Azevedo um dos seus maiores expoentes, justamente por seus estudos sobre a capital soteropolitana, tão visitada por Lélia em suas viagens pelo Brasil. Da produção que vinha sendo realizada pelas pesquisadoras do IBGE (Instituto Brasileiro de Geografia e Estatística), Gonzalez discutia em primeira mão e citava os manuscritos de Lucia de Oliveira, Rosa Porcaro e Teresa Cristina Araújo Costa. No campo antropológico, ela lia avidamente tanto as formulações culturalistas de Arthur Ramos como as reflexões estruturalistas formuladas por Roberto DaMatta — este de particular interesse da autora justamente por suas análises do componente ritualístico, pela dimensão das representações sociais e pela hipótese de inversão das hierarquias sócio-ocupacionais em contextos em que as regras são temporariamente suspensas, como nas festas e no Carnaval.

Da Europa vieram três influências muito importantes para o pensamento de Lélia Gonzalez: o feminismo em sua versão do segundo pós-guerra, principalmente através das letras de Simone de Beauvoir, em seu aclamado *O segundo sexo*; o marxismo — especialmente da escola francesa — que lhe é fundamental para pensar as classes na estrutura social, assim como o conceito de ideologia e consciência, tão caros à geração intelectual brasileira sob a ditadura militar; e por fim a psicanálise, que é incorporada às suas reflexões, sobretudo no que diz respeito ao aspecto cultural da dominação e da subversão, em particular por meio da linguagem.

Em diferentes momentos de sua vida, Lélia Gonzalez foi à África. Seu diálogo com o continente também não tem caminho único. É possível referir-se diretamente à influência do anticolonialismo, cuja fonte africana emana da produção de Amilcar Cabral, um dos principais teóricos da independência via luta armada para fazer frente ao colonialismo europeu e fundador do Partido Africano para a Independência da Guiné e Cabo Verde (PAIGC). A esse respeito note-se sua predileção pelos escritos revolucionários de Cabral, cujos textos foram reunidos em forma de discursos na coletânea de língua inglesa *Return to the Source*, publicada em Nova York em 1973. Outra referência destacada é o autor senegalês Cheikh Anta Diop, pelo qual se encantou e em cujas pesquisas viu a possibilidade de aprofundar seus conhecimentos sobre as civilizações africanas. Lélia demonstrava grande interesse em publicá-lo em língua portuguesa — algo que não conseguiu realizar em vida. Mas de certa maneira o fez de forma oral, contribuindo para disseminar o legado de Diop nos minicursos que realizava com jovens ansiosos por conhecer mais sobre a história da África antes da colonização. Não podemos deixar de mencionar também a produção da eminente antropóloga de origem africana Filomina Chioma Steady, cujos estudos sobre gênero na África Ocidental estiveram na mira da pensadora brasileira, especialmente seu famoso livro *The Black Woman Cross-Culturally*, de 1981.

Da América Latina e do Caribe, Lélia Gonzalez estabelece um diálogo e recebe influências interessantes do pensamento feminista dos países americanos. Nas décadas em que desenvolve sua produção intelectual, participa de vários eventos internacionais. Para um congresso feminista latino-americano ocorrido na Bolívia em 1988, por exemplo, escreveu o famoso artigo que ora dá título a este livro — trabalho esse publicado originalmente em espanhol. Nele, encontramos referências não só às intelectuais latino-americanas como aos próprios movimentos sociais de mulheres campesinas, indígenas e negras, que a autora cunhou amefricanas em seu célebre artigo "A categoria político-cultural de amefricanidade", também publicado no centenário da abolição da escravatura no Brasil.

Do Caribe e dos Estados Unidos vêm as ideias pan-africanistas com que a autora teve contato. Boa parte de suas aquisições intelectuais foi mediada pelo pensador brasileiro Abdias do Nascimento. Mas seria precipitado legar apenas a ele sua fonte principal do pan-africanismo; é preciso, antes, revelar seu apreço pela obra mundialmente conhecida de Walter Rodney, historiador e ativista guianense, autor do clássico *Como a Europa subdesenvolveu a África* — trabalho que teria impacto não apenas nos escritos de Gonzalez mas também nos dos demais intelectuais e ativistas da diáspora, especialmente da América Latina, Estados Unidos, Caribe e Europa, sem contar os das jovens nações africanas.

Dos intelectuais caribenhos, sobretudo os francófonos, vieram reflexões importantes para Gonzalez desenvolver seu pensamento sobre o colonialismo e as formas de resistência a ele. Nesse sentido, dignas de destaque são as ideias formuladas pelos pensadores da negritude, principalmente Aimé Césaire, da Martinica, criador do movimento e da palavra *négritude*. Da Martinica, aliás, onde esteve em 1990 para um grande intercurso cultural e intelectual, do qual também participou o bloco afro Ilê Aiyê, veio talvez a principal referência caribenha para o pensamento da autora: Frantz Fanon. É dele uma pergunta fundamental que sempre esteve entre as preocupações da pensadora brasileira: como se dão as formas de subjetivação da dominação? Em termos nativos: os negros são racistas ou internalizam o racismo?

Múltipla, Lélia Gonzalez foi de fato uma intelectual pública. Com perguntas complexas, referências diversas e com o olhar para as transformações mundiais — mas muito preocupada também com os acontecimentos nacionais —, sem dúvida alguma podemos chamá-la de intelectual engajada, no sentido forte do termo. Esse engajamento, por vezes, encapsulou seus trabalhos em certos temas. Com efeito, embora seja conhecida por tematizar a mulher negra no conjunto de sua obra, outros assuntos merecem destaque em seus escritos por sua centralidade e recorrência, quais sejam: a democracia racial, o feminismo, o movimento negro, a questão nacional, a cultura brasileira, a democracia, o racismo, o sexismo, as resistências sociais, culturais e políticas, a organização coletiva e a crítica ao eurocentrismo.

Para desenvolver esses temas, ela se valeu de um eclético arcabouço teórico: da história à filosofia, passando pela psicanálise, antropologia e sociologia. Com essa formação complexa e mobilizando conceitos de áreas diversas, buscou a interpretação não apenas da sociedade brasileira, mas também da América Latina. Em muitos de seus textos, o tema da mulher negra é gatilho para se pensar as formas de dominação e as ideologias políticas que replicam representações coloniais, que produzem e reforçam desigualdades no cotidiano. Na compreensão de Gonzalez, ideologias nacionais como democracia racial e miscigenação se reproduziriam por meio de discursos que naturalizariam a experiência da escravidão e seus efeitos deletérios sobre a sociedade capitalista. Nesse sentido, a autora reagia às formulações do pensamento social brasileiro que viam o mestiço como ponto positivo de nossa nacionalidade. Na contramão, ela explicava: "Na verdade, o grande contingente de brasileiros mestiços resultou de estupro, de violentação, de manipulação sexual da escrava. Por isso existem os preconceitos e os mitos relativos à mulher negra: de que ela é 'mulher fácil', de que é 'boa de cama' (mito da mulata) etc. e tal".*

No que toca às ideologias nacionais, Gonzalez comungava juntamente com outros intelectuais negros — a exemplo de Abdias do Nascimento, Joel Rufino, Beatriz Nascimento — e brancos antirracistas — como Florestan Fernandes e Octavio Ianni — a ideia de que a superação do mito da democracia racial era a condição necessária não apenas para o combate ao racismo, mas também para o estabelecimento da verdadeira democracia (política) no país.

Com relação aos estudos das resistências, a autora brasileira se interessava não apenas pelas lutas políticas do seu tempo, mas também buscava conhecer, através de literatura secundária, os quilombos, as revoltas, as rebeliões e os motins dos negros escravizados. Dois historiadores contemporâneos de sua predileção são recorrentemente citados por ela em seus trabalhos: Clóvis Moura e Décio Freitas. Em especial *Rebeliões da senzala*, do primeiro autor, e do segundo, *Palmares: a guerra dos escravos*. Sublinhe-se que a leitura sistemática dessas obras não era acompanhada da concordância completa com as ideias nelas contidas. Uma das críticas mais agudas de Lélia se refere à possibilidade não apenas da resistência, mas também da subversão realizada por pessoas escravizadas nas casas-grandes — o não silenciamento das formas de insurgência negras na esfera do cotidiano se tornou uma das suas marcas distintivas em contraste à intelectualidade de sua geração.

Na atualidade, Lélia Gonzalez é referência para diversos movimentos sociais, sobretudo antirracistas e feministas. Para as novas gerações, ela é vista como um ícone do feminismo negro brasileiro, sendo cada vez mais influente na América Latina e nos Estados Unidos, e recém-descoberta pelo feminismo europeu, especialmente o francês. Dessa produção renovada sobre o seu pensamento, três abordagens merecem destaque: a decolonial, a interseccional e a psicanalítica.

A primeira delas destaca em particular sua crítica ao viés eurocêntrico das ciências sociais e do feminismo ocidental. Essa perspectiva crítica à colonialidade epistêmica faz o pensamento da autora dialogar com as chamadas intelectuais que se baseiam nas epistemologias do sul global, a exemplo de Françoise Vergès e Angela Gilliam. Essa linha de análise também garantiu

---

* "Democracia racial? Nada disso", pp. 201-3.

uma interlocução mais orgânica com a produção latino-americana, tornando seu pensamento profícuo em estabelecer diálogos com autoras contemporâneas de diferentes países latino-americanos que pensam a descolonização do feminismo, a exemplo da colombiana Mara Viveros Vigoya e a dominicana Ochy Curiel, entre outras.

A segunda linha de pesquisa revisita sua obra sob a perspectiva interseccional, envolvendo as dimensões da dominação sexual, de classe e de raça articuladas nas formas de opressão e hierarquização racial, bem como na formação de identidade de afirmação coletiva. Esse tipo de abordagem a aproxima ainda mais de autoras como Angela Davis, Patricia Hill Collins e mesmo Kimberlé Crenshaw — esta última responsável por cunhar o termo interseccionalidade. Nessa linha investigativa, o tema da mulher negra ganha centralidade e as reflexões sobre o feminismo negro passam a ter maior densidade e representatividade na América do Sul, deslocando o debate exclusivamente marcado pela produção desenvolvida pelas feministas negras estadunidenses.

Por fim, em suas travessias pela psicanálise — acompanhada principalmente de Jacques Lacan e Sigmund Freud —, Gonzalez percorreu esse campo de conhecimento ao lado de dois discípulos lacanianos que ajudaram a difundir o estudo da psicanálise no Rio de Janeiro: M. D. Magno e Betty Milan. Na esteira desses últimos, elaborou à sua maneira uma reflexão sobre a cultura, criando canais de comunicação entre a psicanálise e as ciências sociais, alinhavando explicações interdisciplinares sem desprezar o que cada área disciplinar é capaz de revelar para a compreensão da realidade.

Não sem razão de ser, os estudos que vêm despontando sobre o pensamento de Lélia Gonzalez têm notado com sagacidade o uso que ela faz do arcabouço conceitual psicanalítico, seja para expor a "neurose cultural brasileira", seja para perscrutar o tema da internalização da dominação — em suas formas, significados e práticas. Longe de querer estabelecer reflexões que individualizem o racismo ou que se concentrem na situação específica de cada indivíduo racializado, ela se volta para os efeitos perturbadores do racismo na sociedade, cujos impactos podem ser vistos e sentidos tanto entre os sujeitos dominados quanto por quem exerce a dominação. Da psicanálise lacaniana, lembram analistas da autora, vem a preocupação recorrente com o não dito, o interdito e a dimensão subversiva da linguagem no cotidiano, realizada sobretudo por mulheres no mundo do cuidado, ou seja, na esfera da reprodução social.

As três abordagens interpretativas se mostram bastante inovadoras e consistentes com o conjunto da obra de Lélia Gonzalez. Além disso, reforçam o vigor da sua produção tanto no que diz respeito ao enraizamento de seu pensamento às questões próprias do país como a sua capacidade de dialogar com as linhagens críticas moldadas na contemporaneidade, por sua franca interlocução internacional e sua convicção de que as fronteiras nacionais não passam de ficção social e política forjada pelo mundo colonial e capitalista.

Todas essas interlocuções acadêmicas que revelam o vigor do pensamento da autora não ofuscam o grande brilho que ela alcançou com a expansão e difusão do feminismo negro no Brasil e nos demais países americanos. Por essa razão, merece atenção à parte — ainda que breve — o pensamento de Lélia Gonzalez para a constituição do feminismo negro brasileiro atual.

Este livro chega ao público brasileiro apenas no final da segunda década do século XXI. Embora tardio, ele surge num momento muito peculiar do feminismo negro no país, quando está em curso um processo de valorização e reconhecimento da trajetória e da produção intelectual de ativistas negras brasileiras. Esse processo vem de longe e resulta de acúmulos, lutas e engajamentos que ocorreram em múltiplos campos nos quais o trabalho intelectual e a atuação política de Lélia Gonzalez foram fundamentais.

No campo da política — tanto em termos de representação como de participação —, o forte protagonismo das mulheres negras tem se fortalecido com o crescimento da atuação de uma nova geração de feministas negras que acionam diferentes recursos e ferramentas nas suas formas de mobilização. Não à toa, se multiplicam no país os coletivos e eventos que homenageiam Lélia Gonzalez, assim como iniciativas para a divulgação das suas obras. Destacam-se o Memorial Lélia Gonzalez, coordenado por Ana Maria Felippe, que por anos ajudou a difusão do pensamento da autora, e o projeto Lélia Gonzalez: Feminismo Negro no Palco da História, coordenado por Schuma Schumaher e Antonia Ceva (2014), cujos resultados são uma fotobiografia com textos de Sueli Carneiro e o vídeo documentário com título homônimo ao livro. A esses esforços somam-se o empenho da equipe da Cultne, um acervo em audiovisual afro-brasileiro que disponibilizou imagens e vídeos de Lélia Gonzalez na internet e, por fim, o trabalho realizado pela União dos Coletivos Pan-Africanistas, que organizou parte expressiva da produção da autora no volume intitulado *Primavera para rosas negras*, de 2018.

No campo acadêmico, a ampliação do ingresso de estudantes negros e negras nas instituições de ensino superior propiciada pelas políticas de acesso fortaleceu e revigorou o debate sobre raça e gênero. Um novo perfil de alunos passou a ocupar os bancos e a cena das universidades, produzindo muito mais do que uma diversidade social e racial do corpo discente. As agendas de pesquisas estão sendo redefinidas pelas inquietações políticas e pelas trajetórias desse público jovem e negro oriundo de escolas públicas, e o advento e a ampliação das redes sociais vêm propiciando um espaço no debate público que tem sido ocupado por jovens feministas negras orientadas por pautas que envolvem não apenas raça, classe e gênero, mas também sexualidade, território, política e outras dimensões organizadoras das desigualdades sociais. É nesse movimento que a obra de Lélia Gonzalez, que sempre foi norte e referência para as gerações mais velhas, tem sido fortemente retomada pelo feminismo negro contemporâneo.

As contribuições teóricas e analíticas da autora estiveram em consonância com a produção de intelectuais negras de outros países. Contudo, ela trazia sua marca própria ao pensar e construir categorias a partir da experiência afro-latino-americana. Suas reflexões sobre escravidão, emprego doméstico, mercado de trabalho eram — e continuam sendo — elementos presentes no debate internacional do pensamento feminista negro. A socióloga Patricia Hill Collins, em seu livro *Pensamento feminista negro*, publicado no Brasil em 2019, elenca um conjunto de características distintivas desse pensamento nos Estados Unidos. Seu texto nos inspira a pensar e a identificar, na produção intelectual de Lélia Gonzalez, os elementos definidores da formação do pensamento feminista negro brasileiro.

Podemos começar pelo próprio termo "feminismo negro". Por que falarmos de um pensamento feminista negro brasileiro, e não apenas feminista? Ou por que nos definirmos como feministas negras e não somente como ativistas negras, ou do movimento de mulheres negras? Muitos depoimentos, relatos e debates sobre essa distinção já foram feitos pelas próprias ativistas. O que é importante é marcar o papel de Lélia Gonzalez na assunção da expressão "feminismo negro". A realização da Conferência da ONU no México, ocasião em que os anos de 1976 a 1985 foram declarados como a Década da Mulher, tornou-se um marco importante para o fortalecimento do ativismo feminista no Brasil, especialmente pela emergência da rede de mobilizações coletivas. É quando surgem os primeiros coletivos autônomos de mulheres negras no Brasil, nos quais Lélia tem uma atuação marcante. Boa parte dos seus textos sobre as mulheres negras foi produzida nesse período.

O segundo aspecto distintivo do pensamento feminista negro presente na obra e na trajetória de Lélia Gonzalez é a articulação entre pensamento e ação. A autora destaca em seus textos a importância de pensar o feminismo na teoria e na prática. Segundo ela, esse movimento que inovou na agenda de lutas teve conquistas importantes e produziu um debate público essencial ao politizar o mundo privado. Justamente por isso, esse movimento não poderia ser cego às questões raciais. Era necessário, portanto, que as mulheres negras enquanto coletividade marcassem suas experiências fazendo emergir questões relacionadas aos dilemas de raça e classe e às questões históricas e culturais, assim como aos diferentes papéis e representações sociais das mulheres a partir da sua condição racial na sociedade brasileira.

Um terceiro aspecto, complementar ao anterior, diz respeito à desconstrução de uma perspectiva essencializadora dessas experiências. Lélia pontuava a necessidade da construção de um viés interpretativo a partir do olhar e da experiência das mulheres negras e suas vivências sem naturalizá-las. Em suas análises acerca das representações sobre mãe preta e mucama, doméstica e mulata, destacava-se a questão dos estereótipos em torno da mulher negra que limitavam seu lugar na sociedade. De mucama a mulata profissional, de mãe preta a doméstica, para as mulheres negras a linha entre a esfera doméstica e o mundo do trabalho permanecia imprecisa. E ainda permanece, pois trata-se de uma pauta importante na agenda do feminismo negro contemporâneo. Dessa forma, Lélia Gonzalez inaugurou outro eixo fundamental do pensar feminista: abordar, enfrentar e desconstruir representações essencialistas sobre as mulheres negras.

O quarto elemento marcante de seu pensamento é a sua construção interseccional, que vem chamando a atenção de suas leitoras e leitores atuais. Essa construção é fruto da atuação política de Lélia nas esferas do movimento negro e do movimento feminista, mas também resultado de uma abertura intelectual incomum para os dias de hoje. Ela se nutria de fontes muito diversas tanto na produção nacional quanto internacional, não ficando presa a um campo disciplinar, o que lhe permitiu conexões e interpretações que contribuíram para que sua análise seja hoje nomeada como interseccional.

Partindo de uma inquietação que norteava sua perspectiva sobre o feminismo negro, a autora mergulhou nas pesquisas sobre a situação econômica da mulher negra. A parceria com Carlos Hasenbalg propiciou-lhe acompanhar em primeira mão a produção pioneira dos estudos sobre desigualdades raciais utilizando dados estatísticos. As desigualdades raciais e de gênero no mercado de trabalho foram um tema abordado por ela em muitos dos seus textos, mas não por acaso. O mercado de trabalho sempre foi um tema caro ao debate feminista, e por isso Lélia Gonzalez se dedicou a incluir a questão racial. Assim, segundo ela, poderíamos identificar de que mulheres no mercado de trabalho esses estudos tratavam.

Por fim, com todo esse acúmulo a autora nos brinda com sua originalidade na construção não só de novas categorias, mas na redefinição conceitual do pensamento e prática feministas. A amefricanidade como uma categoria político-cultural, que, a seu ver, ultrapassa as barreiras territoriais, linguísticas e ideológicas, permite construir um entendimento mais profundo de toda a América, contestando a apropriação do termo para definir apenas os estadunidenses. De acordo com nossa autora, há um processo histórico altamente dinâmico presente na amefricanidade que nos aproxima de outras categorias político-culturais e processos políticos internacionais. A dinâmica de que ela trata — adaptação, resistência, reinterpretação e criação de novas formas — é a marca do seu próprio pensamento. Enquanto redefinição conceitual, a construção de um pensamento feminista afro-latino-americano, que ela propõe, é fruto da combinação do caráter multirracial e pluricultural das sociedades da região, elaborada na amefricanidade, introduzindo a perspectiva de gênero. A situação das mulheres amefricanas resulta de processos históricos e contemporâneos de opressões interseccionais.

Sem querer ofuscar a ação e a reflexão de tantas mulheres negras que precederam Lélia Gonzalez ao longo de toda a história de luta e resistência deste país, é inegável o seu protagonismo no que hoje intitulamos feminismo negro. Seu pensamento e ação política nos guiaram para algo que muitas ativistas e feministas negras têm colocado no debate público contemporâneo: o lugar emancipatório da mulher negra.

Introdução

PARA A REALIZAÇÃO DESTA COLETÂNEA, foi fundamental a colaboração de várias pessoas a quem somos profundamente gratas. Para localização, sistematização e organização de grande parte dos escritos de Lélia Gonzalez, contamos com a pesquisa cuidadosa de Pamela Camargo. Um agradecimento todo especial deve ser dado também ao professor Alex Ratts, pesquisador e especialista na obra de Lélia Gonzalez. Agradecemos imensamente a James Woodard, Antonio Sérgio Guimarães, Nadya Guimarães, Graziella Moraes Dias da Silva e Camille Giraut por nos ajudarem a localizar textos em bibliotecas estrangeiras. Agradecemos também a Paulo Henrique Fernandes Silveira, Matheus Gato de Jesus, Marco Antonio Coutinho Jorge e, especialmente, Renata Humaire, esta última pela transcrição e generosidade em ceder o discurso inédito de Lélia Gonzalez na Constituinte. Não poderíamos deixar de agradecer aos editores Ricardo Teperman e Juliana Freire, bem como a Carolina Falcão e à equipe técnica da Zahar/Companhia das Letras, pelo zelo na produção deste livro. Por fim, somos imensamente gratas a Rubens Rufino, por não medir esforços para garantir a publicação do pensamento de sua mãe.

PARTE I

Ensaios

Cultura, etnicidade e trabalho: Efeitos linguísticos e políticos da exploração da mulher

Introdução

Algumas considerações preliminares são necessárias, na medida em que, para maior inteligibilidade deste trabalho, é importante um enfoque (embora esquemático) do funcionamento do modo de produção capitalista em determinadas formações socioeconômicas como a brasileira.

Orientam nossa reflexão as teses desenvolvidas por José Nun quando analisa os conceitos de "superpopulação relativa", "exército industrial de reserva" e "massa marginal", em termos de América Latina.[1]

De acordo com a lógica interna determinante de sua expansão, constata-se que, em sua fase monopolista, o capitalismo industrial obstrui o crescimento equilibrado das forças produtivas nas regiões subdesenvolvidas. A problemática do desenvolvimento desigual e combinado nos remete a fatores que, funcionando como limites internos e externos, acabam por emperrar a dinâmica do sistema. A formação de uma massa marginal, de um lado, assim como a dependência neocolonial e a manutenção de formas produtivas anteriores, de outro, vão constituir os fatores acima citados. Está evidente que eles acabam por se articular, na medida em que são os elementos caracterizadores de uma problemática.

Sabemos que o processo de acumulação primitiva permite a emergência dos dois principais elementos da estrutura do capitalismo: o trabalhador livre e o capital.[2] Ocorre que, em termos de Brasil, esse processo foi grandemente afetado na medida em que não ocorreram transformações estruturais no setor agrário (que permitiriam o crescimento industrial). Por outro lado, com relação ao capital, a nossa inserção dependente do mercado mundial (produção de alimentos e de matéria-prima) determinou que a pilhagem, de início, e o comércio exterior, depois, assumissem o papel de grandes fontes produtoras de lucro, manipuladas a partir das metrópoles. Além disso, há que situar os beneficiários locais dessa situação, que se apropriam de grande parte do excedente, desviando-a da inversão industrial (consumo puro e simples, especulações financeiras, negócios imobiliários etc.).

Quanto ao elemento "trabalhador livre", também aqui se constatam fatores deformadores do seu processo de formação, uma vez que uma série de vínculos, característicos de formas produtivas anteriores, ainda se mantém em grande parte no setor rural. Esse tipo de perpetuação impede ou distorce o funcionamento do que, rigorosamente falando, se constituiria num *mercado de trabalho*. Vale notar que, apesar de não participar das relações produtivas do capitalismo industrial, a mão de obra prisioneira desses vínculos não deixa de estar submetida à hegemonia. Em outros termos: a presença atual, em diferentes expressões, do capital comercial relacionado a formas pré-capitalistas de exploração da mão de obra articula-se (em graus de maior ou menor complexidade) com o setor hegemônico da economia e de maneira proveitosa para este último.

A coexistência de três processos de acumulação qualitativamente distintos (capital comercial, capital industrial competitivo e capital industrial monopolista) nos aponta para diferentes efeitos quanto à força de trabalho. Aquela que se encontra sob a dominação do capital comercial ainda apresenta formas diversas de fixação (à terra, ao instrumento de trabalho, ao fundo de consumo, à própria exploração) que a diferenciam estruturalmente das demais, posto que somente com o capitalismo industrial surge o trabalhador livre. Uma segunda diferença nos remete à distinção entre as duas espécies de capital:

a) **monopolista:** alta taxa de rendimentos; predeterminação, a médio prazo, dos custos; menor incidência relativa da mão de obra sobre os custos etc. Implica, em termos de força de trabalho, a integração estável do trabalhador na empresa (salários maiores, cumprimento das leis sociais, capacidade de negociação com organizações trabalhistas etc.);

b) **competitivo** (satelitizado pelo anterior ou com seu campo de atuação reduzido): demanda instável; margem de lucro pequena ou flutuante; créditos restringidos; baixa produtividade; grande contingente de mão de obra. Implica uma tendência para a redução dos salários a baixos níveis, o não cumprimento das leis sociais e a neutralização da ação sindical.

Pelo exposto, constata-se a coexistência de dois mercados de trabalho diferentes, o que determina altíssima dispersão dos salários.*

A presença dos três processos de acumulação, sob a hegemonia do capital industrial monopolista, demonstra, por outro lado, que o desenvolvimento desigual e dependente mescla e integra momentos históricos diversos. É nesse momento de sua análise que Nun[3] retorna à questão da funcionalidade da superpopulação relativa afirmando que, no nosso caso, grande parte dela se torna supérflua e passa a constituir uma "massa marginal" em face do processo de acumulação hegemônico, representado pelas grandes empresas monopolistas. As questões relativas ao desemprego e ao subemprego incidem exatamente sobre essa população. No desenvolver deste trabalho, verificaremos de que maneira o gênero e a etnicidade são manipulados de modo que, no caso brasileiro, os mais baixos níveis de participação na força de trabalho, "coincidentemente", pertencem exatamente às mulheres e à população negra.

Vejamos, agora, qual a composição desses contingentes que, em face do mercado de trabalho do capital monopolista, se constituem como massa marginal:

a) parte da mão de obra ocupada pelo capital industrial competitivo;

b) maioria dos trabalhadores que buscam refúgio em atividades terciárias de baixa remuneração;

c) maioria dos desocupados;

d) totalidade da força de trabalho que, de maneira mediata ou imediata, está submetida ao capital comercial.

Vale ressaltar que o restante dos elementos constitutivos dos grupos a, b e c atua como exército industrial de reserva no sistema hegemônico, do mesmo modo que uma parte correspondente aos grupos b, c e d desempenha o mesmo papel no mercado de trabalho do capital industrial competitivo. Todavia, a baixa capacidade de absorção desse setor acaba por colocar a questão da funcionalidade da população restante, reintroduzindo, em nível mais

---

* As diferenças salariais no Brasil são de tal ordem e a distribuição de renda é tão desproporcional que, de um lado, somos o país que paga um dos mais baixos "salários" mínimos do mundo; de outro, menos de 2% da população brasileira paga imposto "de renda".

baixo, a categoria da massa marginal.[4] Esta última poderá ser utilizada tanto em sentido restrito quanto em sentido amplo, dependendo do critério de referência a que se relacione: mercado de trabalho do capital industrial puro e simples, no primeiro caso, e mercado de trabalho do capital monopolista, no segundo. Todavia, se desejamos investigar a estratificação interna da força de trabalho em seu conjunto, o emprego do conceito em sentido amplo se torna muito mais fácil.

A partir do momento em que se coloca a questão da marginalidade funcional ("exército industrial de reserva") e do não funcional ("massa marginal") como tipos distintos dentro da superpopulação relativa, é na instância econômica que a análise se desenvolve. Todavia, se quisermos tratar do problema da participação, a passagem para uma outra esfera — a das práticas sociais — se torna necessária a fim de se evitar o risco de cair no economicismo. E isso implicaria uma indagação mais ampla, que se dirigiria àquelas instâncias que, junto com a economia, limitam objetivamente os diversos comportamentos possíveis dos atores. Referimo-nos às instâncias política e ideológica, às quais retornaremos na segunda parte deste trabalho. Consequentemente, algumas observações se fazem necessárias.

A *primeira* se refere à distinção entre integração social (relações harmônicas ou conflituosas entre os atores) e integração dos sistemas (relações harmônicas ou conflituosas entre as partes de um sistema social). A não distinção remete a maioria dos analistas a se centrarem na questão da integração social e a desenvolverem temáticas dualistas do tipo adaptação/alienação, norma/poder, consenso/conflito etc., o que os impede de perceber o fenômeno como um indício das contradições estruturais do sistema. Vejamos a passagem em que Nun nos esclarece sobre o problema:

> Um desenvolvimento capitalista desigual e dependente, que combina diversos processos de acumulação, gera uma superpopulação relativa com referência à forma de produção hegemônica, e que atua, em parte, como um exército industrial de reserva e, em parte, como uma massa marginal. *O que importa é que a não funcionalidade desta última está indicando um baixo grau virtual de integração dos sistemas, um desajustamento a solucionar, cuja resolução organiza modos de integração social compatíveis com a manutenção da matriz de relações vigente.*[5]

O debate em torno do "dualismo estrutural" (sociológico e econômico) das formações periféricas, por exemplo, não se apercebe de que, num sistema cujas partes apresentam contradições estruturais que o ameaçam, a manutenção do equilíbrio consiste exatamente em minimizar a interdependência dessas partes, em fragmentar de certo modo o conjunto. Assim, a não funcionalidade da massa marginal acaba por se converter em "afuncionalidade", o que favorece os diferentes níveis de autonomia dos subsistemas em que se acha contida.

Se nos detemos um pouco na tentativa de caracterização do tipo de equilíbrio que se estabelece, verificamos que nada tem de estático, uma vez que ele se dá num campo de tensão constante em que as mais desconcentradas pressões exigem a multiplicação de alianças e compromissos frequentemente instáveis. Que se pense, como no caso brasileiro, na combinação parcial dos três sistemas produtivos sob a hegemonia do capital monopolista; como o econômico é o determinante em última instância,[6] o índice de dominação manifesto será diferente em cada um deles. Ora, a manutenção do equilíbrio, mediante a autonomização relativa de cada setor, denota possuir um caráter complicado e instável, uma vez que a interação dos diferentes índices de dominação não pode deixar de ocorrer. Se, de um lado, a instância ideológica predomina no nível das relações pré-capitalistas, de outro, no caso do capitalismo competitivo, prevalece a instância econômica; mas em termos de capitalismo monopolista, o nível político intervém, de maneira crescente, em todas as esferas. Em outras palavras, se o liberalismo econômico (capitalismo competitivo) corrói o paternalismo ideológico (capital comercial), ambos são empregados pela lógica planificadora (capitalismo monopolista), que, por sua vez, sofre-lhes a influência. Numa tal aflição, surge o Estado como o mediador necessário que impede a desarticulação sistemática através da coerção aberta.*

A inteligibilidade dessa lógica da incoerência reequaciona certas análises em termos de dualismo sociológico (sociedade tradicional/sociedade moderna coexistindo num mesmo país). Se o sistema, enquanto um todo, exige a redução da interdependência de suas partes, é claro que se a autonomia relativa de uma delas for ameaçada o sistema também será. Em termos concretos,

---

* Recordemo-nos aqui do populismo que caracterizou a ação do Estado brasileiro e de como suas contradições acabaram por desembocar no golpe de 1964 e na ascensão do setor militar ao poder. Em ambos os casos, temos a característica comum do autoritarismo.

que se atente para o que Nun denomina "realismo sociológico" da burguesia paulista durante o governo Goulart: as campanhas de alfabetização do Nordeste se tornaram ameaçadoras na medida em que se traduziam em custos econômicos e riscos políticos.[7] Por outro lado, é nesse tipo de contexto que se inscreve o mito da democracia racial brasileira.

Pelo exposto, verifica-se o caráter heurístico do conceito de massa marginal, uma vez que, evidenciando problemas na integração dos sistemas, nos permite compreender que esses problemas determinam padrões específicos de integração social.

Nun distingue três tipos básicos de implicação marginal no processo produtivo:

1. **Tipo A**: abrange os diferentes modos de fixação da mão de obra e se divide em quatro categorias principais:

a) **rural "por conta própria"** (comunidades indígenas, minifúndios de subsistência, pequenos mineiros etc.);

b) **rural "sob patrão"** (colonos semisservis de fazendas tradicionais, comunidades "dependentes" ou "cativas", trabalhadores "vinculados" por métodos coercitivos etc.);

c) **urbano "por conta própria"** (pequenos artesãos pré-capitalistas);

d) **urbano "sob patrão"** (trabalhadores, sobretudo em serviços domésticos, adstritos a um fundo de consumo e que não recebem salário em dinheiro).

2. **Tipo B**: constituído por mão de obra livre que fracassa, total ou parcialmente, na tentativa de se incorporar de forma estável no mercado de trabalho. A diferença fundamental, nesse caso, permite distinguir as variedades rural e urbano das formas compreendidas no tipo: o desemprego aberto, a ocupação "refúgio" em serviços puros, o trabalho ocasional, o trabalho intermitente e o trabalho por temporada.

3. **Tipo C**: inclui assalariados dos setores menos modernizados que se caracterizam por condições muito rigorosas de trabalho, escassa aplicação da legislação social e remuneração em torno do nível de sobrevivência. Na medida em que aqui também se impõem as variedades rural e urbano, vale notar que enquanto nessa última as manifestações tendem a se localizar em empresas de baixa produtividade, o mesmo não ocorre necessariamente no campo.

Os tipos apresentados possuem como critério de referência outros dois tipos não "marginais": o produtor rural direto e a mão de obra assalariada absorvida estavelmente pelos setores modernizados do campo e da cidade. A partir dessas duas categorias enquanto limites superiores, Nun propõe uma reintegração da tipologia apresentada de acordo com um duplo esquema de graduação que separaria dois eixos:

Acesso à terra: desde o minifundiário de subsistência até o produtor tipo "farmer", passando pelas formas híbridas de atividade assalariada temporária;

Constituição do trabalhador "livre": desde a mão de obra "fixada" até a força de trabalho incorporada aos setores mais modernos, passando pelas categorias incluídas nos tipos B e C.

Questões de teoria

Diferentes posicionamentos teóricos vêm buscando explicar a situação da *população de cor* (negros e mulatos) em nosso país, na medida em que tal situação se traduz numa participação mínima nos processos político, econômico e cultural. Apesar da seriedade dos teóricos brasileiros, percebe-se que muitos deles não conseguem escapar às astúcias da razão ocidental. Aqui e ali podemos constatar em seus discursos os efeitos do neocolonialismo cultural; desde a transposição mecânica de interpretações de realidades diferentes às mais sofisticadas articulações "conceituais" que se perdem no abstracionismo. Seu "distanciamento científico" quanto ao seu "objeto" (isto é, o negro e o mulato) revela, na realidade, a necessidade de tirar de cena um dado concreto fundamental: *enquanto brasileiros, não podemos negar nossa ascendência negra/ indígena, isto é, nossa condição de povo de cor*. Alienação? Recalcamento? O fato é que, em termos teóricos, tal obstáculo epistemológico produz discursos parciais nos dois sentidos.* Vejamos a seguir as tendências dominantes na análise das relações raciais no Brasil, sem que, no entanto, nos prolonguemos em sua caracterização, pois não é esse o nosso objetivo neste trabalho.

---

* É importante não esquecer que "enquanto instrumento de legitimação da racionalidade da ordem existente, a ciência, através de sua inserção nos aparelhos ideológicos do Estado, pode contribuir para a consolidação da ordem vigente" (Rouanet, 1978, p. 40).

A sociologia acadêmica tem se posicionado no sentido de — das mais diferentes maneiras — apreciar a integração e assimilação do negro como algo a ocorrer graças às exigências lógicas de industrialismo e, consequentemente, da modernização. Assim, a análise do processo abolicionista pelos teóricos dessa tendência justifica a situação atual de marginalização do negro como efeito do "despreparo do ex-escravo para assumir os papéis de homem livre, principalmente na esfera do trabalho".[8] A repentina passagem do regime servil para o de trabalho livre fez do "bom escravo um mau cidadão".[9] Cultura da pobreza, anomia social, família desestruturada, enquanto efeitos atuais desse salto, explicariam as desigualdades raciais vigentes.[10] Tal interpretação, além de deslocar para o negro as razões de sua mobilidade social, não considera o fato de que a *grande maioria* da população de cor (90%) já se encontrava *livre* e economicamente ativa antes de 1888.[11] Por outro lado, ela como que libera o segmento branco e suas instituições, atribuindo-lhes menor responsabilidade quanto à situação atual do negro.

A segunda tendência de peso a ser considerada é representada pelo marxismo ortodoxo. Aqui, a categoria "raça" acaba por se diluir numa temática econômica (economicista, melhor dizendo), uma vez que a discriminação não passa de um instrumento manipulado pelo capitalista que visa, mediante a exploração das minorias raciais, dividir o operariado. A solução seria a aliança entre trabalhadores de diferentes raças. No entanto, bastaria, para comprovar a fragilidade de tal posicionamento, o caso extremo de clivagem entre o operariado *afrikcaaner** e o operariado negro da África do Sul. Por outro lado, em termos de realidade brasileira, há que considerar que a maioria da população, praticamente, não alcançou a situação de força de trabalho relacionada ao capitalismo industrial competitivo. Se nos reportarmos aos tipos básicos de Nun,[12] no que diz respeito à massa marginal constataremos que a população negra no Brasil estaria situada nos tipos A e B (desemprego aberto, ocupação "refúgio" em serviços puros, trabalho ocasional ou biscate, ocupação intermitente e trabalho por temporada).

---

* O termo "afrikcaaner", ou "afrikaners", se refere ao grupo étnico da África do Sul formado por descendentes de europeus, particularmente os colonizadores holandeses que se estabeleceram no país no século XVII. (N. O.)

A terceira abordagem afirma que os grupos racialmente subordinados são as minorias que internalizam o processo de colonização. O privilégio racial é um dos pontos-chave dessa posição, uma vez que ele evidencia como, em todos os níveis, o grupo branco foi o beneficiário da exploração dos grupos raciais. Os aspectos culturais e políticos das relações raciais demonstram como o branco afirmou sua supremacia às expensas e em presença do negro. Ou seja, "além da exploração econômica, o grupo branco dominante extrai uma *mais-valia* psicológica, cultural e ideológica do colonizador".[13] Que se pense, no caso brasileiro, nos efeitos da ideologia do branqueamento articulada com o mito da democracia racial. Cabe ressaltar como tais efeitos se concretizam nos comportamentos imediatos do negro "que se põe em seu lugar", do "preto de alma branca". O exemplo mais evidente do representante do grupo racialmente dominado que internalizou e reproduziu a linguagem do grupo dominante, no nosso caso, é o discurso de Oliveira Vianna. Esse "mulato, cientista social e político influente na década de 1920"[14] é um grande ideólogo do branqueamento da população brasileira. Defendendo a política que estimulava a imigração europeia, afirmava que, desse modo, era possível diminuir o "índice de nigrescência de nossa gente, arianizando nosso povo e caminhando para um refinamento cada vez mais apurado da raça, num processo de classificação".[15] Temos aí, num nível muito mais sofisticado de articulação, a representação do papel desempenhado por feitores e capitães do mato no passado. A ideologia do branqueamento se constitui como pano de fundo dos discursos que exaltam o processo da miscigenação como expressão mais acabada de nossa "democracia racial".*

A nosso ver, não podemos deixar de levar em consideração as duas últimas posições, uma vez que, devidamente dialetizadas, nos permitem uma análise mais objetiva das relações raciais no Brasil. Foi o que até agora tentamos demonstrar.

---

* Gilberto Freyre, ideólogo oficial das relações raciais no Brasil, chega a apontar para a formação de uma metarraça brasileira, escamoteando, desse modo, a questão geral da discriminação e, em particular, a exploração sexual da mulher negra.

As relações raciais no Brasil após a abolição

No Brasil, o racismo — enquanto construção ideológica e um conjunto de práticas — passou por um processo de perpetuação e reforço após a abolição da escravatura, na medida em que beneficiou e beneficia determinados interesses.

> Nas sociedades de classes, a ideologia é uma representação do real, mas *necessariamente falseado*, porque é necessariamente orientada e tendenciosa — e é tendenciosa porque seu objetivo não é dar aos homens o *conhecimento objetivo* do sistema social em que vivem, mas, ao contrário, mantê-los em seu "lugar" no sistema de exploração da classe.[16]

Vale ressaltar que a eficácia do discurso ideológico é dada pela sua internalização por parte dos atores (tanto os beneficiários quantos os prejudicados), que o reproduzem em sua consciência e em seu comportamento imediatos.

Importante colocar nesse momento a proposição de Hasenbalg, apoiada na distinção estabelecida por Poulantzas,[17] sobre os dois aspectos da reprodução ampliada das classes sociais: de um lado, o aspecto principal — o da reprodução dos lugares das classes — e, de outro, o aspecto subordinado, o da reprodução dos atores e sua distribuição entre esses lugares:

> A raça, como atributo socialmente elaborado, está relacionada principalmente ao aspecto subordinado da reprodução das classes sociais, isto é, a reprodução (formação-qualificação-submissão) e a distribuição dos agentes. Portanto, as minorias raciais não estão fora da estrutura de classes das sociedades multirraciais em que as relações de produção capitalistas — ou outras relações de produção, no caso — são as dominantes. Outrossim, o racismo, como articulação ideológica incorporada em e realizada através de um conjunto de práticas materiais de discriminação, é o determinante primário da posição dos não brancos dentro das relações de produção e distribuição. Como se verá se o racismo (bem como o sexismo) torna-se parte da estrutura objetiva das relações ideológicas e políticas do capitalismo, então a reprodução de uma divisão racial (ou sexual) do trabalho pode ser explicada sem apelar para preconceito e elementos subjetivos.[18]

Relembremos que, no caso brasileiro, pode-se caracterizar a coexistência de três processos distintos de acumulação, sob a hegemonia daquele referente ao capitalismo monopolista. Um dos legados concretos da escravidão diz respeito à distribuição geográfica da população negra, isto é, à sua localização periférica em relação às regiões e setores hegemônicos. Em outras palavras, a maior concentração da população negra ocorre exatamente no chamado Brasil subdesenvolvido, nas regiões em que predominam as formas pré-capitalistas de produção com sua autonomia relativa. Seria possível, a partir dessa constatação, afirmar que o racismo não passaria de um arcaísmo cuja persistência histórica, mais dia menos dia, acabaria por se esfacelar diante das exigências da sociedade capitalista moderna. Mas, como já vimos na introdução, os problemas relacionados à integração dos sistemas impõem padrões específicos de integração social.[19] É nesse sentido que o racismo — enquanto articulação ideológica e conjunto de práticas — denota sua eficácia estrutural na medida em que estabelece uma divisão racial do trabalho e é compartilhado por todas as formações socioeconômicas capitalistas e multirraciais contemporâneas. Em termos de manutenção do equilíbrio do sistema como um todo, ele é um dos critérios de maior importância na articulação dos mecanismos de recrutamento para as posições na estrutura de classes e no sistema da estratificação social. Desnecessário dizer que a população negra, em termos de capitalismo monopolista, é que vai constituir, em sua grande maioria, a massa marginal crescente. Em termos de capitalismo industrial competitivo (satelitizado pelo setor hegemônico), ela se configura como exército industrial de reserva.

Nesse momento, se poderia colocar a questão típica do economicismo: tanto brancos quanto negros pobres sofrem os efeitos da exploração capitalista. Mas, na verdade, a opressão racial nos faz constatar que mesmo os brancos sem propriedade dos meios de produção são beneficiários do seu exercício. Claro está que, enquanto o capitalista branco se beneficia diretamente da exploração ou superexploração do negro, a maioria dos brancos recebe seus dividendos do racismo, a partir de sua vantagem competitiva no preenchimento das posições que, na estrutura de classes, implicam as recompensas materiais e simbólicas mais desejadas. Isso significa, em outros termos, que, se pessoas possuidoras dos mesmos recursos (origem de classe e educação, por exemplo), excetuando sua afiliação racial, entram no campo da competição, o resultado desta última será desfavorável aos não brancos.

Em termos históricos, sabemos que o regime escravista teve sua ação mais ampla e profunda nas regiões brasileiras onde a plantation e as atividades mineradoras se desenvolveram. E foi nessas regiões que se iniciaram os processos simultâneos da mestiçagem e da emergência de uma *população de cor* livre. Ora, na medida em que a população escrava sofreu deslocamentos geográficos que obedeciam às exigências da produção econômica (ciclos do açúcar, da mineração etc.), a população de cor livre permaneceu nas regiões de origem e reverteu para as atividades de subsistência ou mesmo de desvinculação econômica e social. Na verdade, não só essa população de cor livre, assim como os poucos escravos libertados em 1888 nessas regiões vieram a constituir a grande massa marginalizada no momento de emergência do capitalismo, posto que foram "fixados" a formas de produção pré-capitalistas (como parceiros, lavradores, moradores/assalariados rurais, trabalhadores de mineração etc.).

Sabemos também que a região Sudeste foi a última a exigir deslocamentos da massa escrava e que o regime escravista ali se instalou tardiamente. Com isso, verificamos que os processos de mestiçagem e de emergência de uma população de cor livre foram muito limitados, assim como a proporção menor do elemento negro ou de cor na constituição da totalidade da população da região. Por outro lado, foi a partir da cultura cafeeira que se desenvolveria o processo de acumulação primitiva necessário à estruturação do capitalismo. Consequentemente, a questão da mão de obra livre foi colocada. O movimento abolicionista se situou exatamente a partir das exigências do novo estado de coisas. Todavia, é importante ressaltar que o 13 de maio libertou apenas 10% da população de cor do Brasil, uma vez que os outros 90% já viviam em estado de liberdade e praticamente concentrados no "restante do país".[20] Temos, portanto, uma polarização em termos de distribuição racial, que deverá ser devidamente reforçada e reinterpretada em termos do modo de produção que se estabelecerá hegemonicamente. Note-se que a existência de um Brasil subdesenvolvido, que concentra a maior parte da população de cor, de um lado, e de um Brasil desenvolvido, que concentra a maior parte da população branca, de outro, não é algo que esteja desarticulado de toda uma política oficial* que, de meados do século XIX

---

* Recordemos a queima dos documentos relativos à escravidão, sob a justificativa de apagar sua mancha.

até 1930, estimulou o processo de imigração europeia, destinada a solucionar o problema da mão de obra do Sudeste.* E é exatamente a partir de 1930 que a população negra dessa região começa a participar efetivamente da vida econômica e social, o que a situará em condições melhores do que aquela do resto do país, apesar da manutenção dos critérios de subordinação hierárquica em relação ao grupo branco. Até então, como bem diz Florestan Fernandes, fora completamente marginalizada do processo competitivo quanto ao mercado de trabalho, posto que substituída pela mão de obra imigrante. É no período que se estende de 1930 a 1950 que teremos o processo de urbanização e proletarização do negro do Sudeste.[21]

Do ponto de vista do acesso à educação, verificamos que a população de cor, apesar da elevação do nível de escolaridade da população brasileira em geral, no período 1950-73 continua a não ter acesso aos níveis mais elevados do sistema educacional (segundo grau** e universidade). Em sua grande maioria, ela permanece nas diferentes fases do primeiro grau.*** Se relacionamos esse aspecto ao acesso aos níveis ocupacionais diversos, constataremos não só que a população de cor se situa majoritariamente nos níveis mais baixos mas também que ela se beneficia muito menos dos retornos da educação — em termos de vantagens ocupacionais — do que o grupo branco. Em outras palavras, se compararmos a relação nível educacional/nível de renda entre os dois grupos raciais, constataremos que é bastante acentuado o diferencial de renda entre brancos e negros, mesmo possuindo igual nível educacional. No grupo branco, a relação entre educação e renda é praticamente linear, enquanto no grupo negro o incremento educacional não é acompanhado por um aumento proporcional de renda.[22] A discriminação ocupacional é a explicação mais plausível, a partir do momento em que, concretamente, temos quase que cotidianamente notícias de não aceitação de pessoas de cor em determinadas atividades profissionais. A existência da Lei Afonso Arinos é uma prova cabal da existência dos processos de discriminação em nosso país, uma vez que, quando aplicada,

---

* Em termos de relação percentual, os imigrantes passaram a constituir maioria enquanto força de trabalho e, ao mesmo tempo, minoria em relação à população total de São Paulo, por exemplo.
** Atual ensino médio. (N. O.)
*** Atual ensino fundamental. (N. O.)

ironicamente se constata que ela funciona muito mais contra do que na defesa das pessoas de cor.*

Tais condições nos remetem ao mito da democracia racial enquanto modo de representação/discurso que encobre a trágica realidade vivida pelo negro no Brasil. Na medida em que somos todos iguais "perante a lei" e que o negro é "um cidadão igual aos outros", graças à Lei Áurea nosso país é o grande complexo da harmonia inter-racial a ser seguido por aqueles em que a discriminação racial é declarada. Com isso, o grupo racial dominante justifica sua indiferença e sua ignorância em relação ao grupo negro. Se o negro não ascendeu socialmente e não participa com maior efetividade nos processos políticos, sociais, econômicos e culturais, o único culpado é ele próprio. Dadas as suas características de "preguiça", "irresponsabilidade", "alcoolismo", "infantilidade" etc. ele só pode desempenhar, naturalmente, os papéis sociais mais inferiores. O interessante a se ressaltar, nessas formas racionalizadas da dominação/opressão racial, é que até as correntes ditas progressistas também refletem, no seu economicismo reducionista, o mesmo processo de interpretação etnocêntrica. Ou seja, apesar de sua denúncia em face das injustiças socioeconômicas que caracterizam as sociedades capitalistas, não se apercebem como reprodutoras de uma injustiça racial paralela que tem por objetivo exatamente sua reprodução/perpetuação. A pergunta que se coloca é: até que ponto essas correntes, ao reduzirem a questão do negro a uma questão socioeconômica, não estariam evitando assumir o seu papel de agentes do racismo disfarçado que cimenta nossas relações sociais? Nesse sentido, seu discurso difere muito pouco do das correntes conservadoras que, por razões óbvias, desejam manter seus privilégios intocáveis. Em outros termos, o paternalismo/liberalismo racial que permeia o discurso "revolucionário" na luta contra o monopólio do capital revela uma forma de perpetuação dos mecanismos de dominação utilizados pelo sistema que combate. Também ele reage negativamente quando uma minoria negra, consciente do racismo disfarçado, denuncia os diferentes processos de marginalização a que seu povo está submetido.

---

* Recordemos aqui o resultado do processo impetrado por aquele estudante de medicina contra a direção da clínica que abertamente declarara não o aceitar em seu quadro de estagiários pelo fato de ser negro: acabou sendo ameaçado de o acusarem por crime de calúnia.

Enquanto isso, os aparelhos ideológicos do Estado,* na medida em que servem à manutenção das relações de produção existentes, desenvolvem com eficácia a veiculação e o reforço das práticas de discriminação.

O sistema educacional é usado como aparelhamento de controle nessa estrutura de discriminação cultural. Em todos os níveis do ensino brasileiro — elementar, secundário, universitário — o elenco das matérias ensinadas [...] constitui um ritual da formalidade e da ostentação da Europa e, mais recentemente, dos Estados Unidos. Se consciência é memória e futuro, quando e onde está a memória africana, parte inalienável da consciência brasileira? Onde e quando a história da África, o desenvolvimento de suas culturas e civilizações, as características do seu povo foram ou são ensinados nas escolas brasileiras? Quando há alguma referência ao africano ou ao negro, é no sentido do afastamento e da alienação da identidade negra.[23]

Nesse sentido, vale ressaltar que a maioria das crianças negras, nas escolas de primeiro grau, são vistas como indisciplinadas, dispersivas, desajustadas ou pouco inteligentes. De um modo geral, são encaminhadas a postos de saúde mental para que psiquiatras e psicólogos as submetam a testes e tratamentos que as tornem ajustadas. Se refletirmos um mínimo sobre a questão, não teremos dificuldade em perceber o que o sistema de ensino destila em termos de racismo: livros didáticos, atitudes dos professores em sala de aula e nos momentos de recreação apontam para um processo de lavagem cerebral de tal ordem que a criança que continua seus estudos e que por acaso chega ao ensino superior já não se reconhece mais como negra. E são exatamente essas "exceções" que, devidamente cooptadas, acabam por afirmar a inexistência do racismo e de suas práticas. Quando se dá o oposto, isto é, a não aceitação da

---

* "De fato, a Igreja foi hoje substituída pela escola em seu papel de aparelho ideológico do Estado dominante. Ela forma um par com a família, assim como outrora a Igreja formava um par com a família. Pode-se então afirmar que a crise, de uma profundidade sem precedentes, que abala, através do mundo, o sistema escolar em tantos Estados, frequentemente combinada com uma crise [...] que sacode o sistema familiar, adquire um sentido político se se considera que a escola (e o par escola-família) constitui o aparelho ideológico do Estado dominante. Aparelho que desempenha um papel determinante na reprodução das relações de produção de um modo de produção ameaçado em sua existência pela luta de classes mundial" (Althusser, 1976, p. 80).

cooptação e a denúncia do processo superexploração a que o negro é submetido, surge imediatamente a acusação de "racismo às avessas".*

A mulher negra

No período que imediatamente se sucedeu à abolição, nos primeiros tempos de "cidadãos iguais perante a lei", coube à mulher negra arcar com a posição de viga mestra de sua comunidade. Foi o sustento moral e a subsistência dos demais membros da família. Isso significou que seu trabalho físico foi decuplicado, uma vez que era obrigada a se dividir entre o trabalho duro na casa da patroa e as suas obrigações familiares. Antes de ir para o trabalho, havia que buscar água na bica comum da favela, preparar o mínimo de alimento para os familiares, lavar, passar e distribuir as tarefas das filhas mais velhas no cuidado dos mais novos. Acordar às três ou quatro horas da madrugada para "adiantar os serviços caseiros" e estar às sete ou oito horas na casa da patroa até a noite, após ter servido o jantar e deixado tudo limpo. Nos dias atuais, a situação não é muito diferente. Mas vejamos os dados objetivos que podem nos fornecer elementos para um conhecimento da sua situação como força de trabalho nos últimos anos.

O Censo de 1950 foi o último a nos fornecer indicadores sociais básicos relativos à educação e ao setor da atividade econômica da mulher negra. A partir daí, pode-se constatar: seu nível de educação é muito baixo (a escolaridade atinge, no máximo, o segundo ano primário ou fundamental) e o analfabetismo é fator predominante. Do ponto de vista da atividade econômica, apenas cerca de 10% atuam na agricultura e/ou na indústria (sobretudo têxtil, e em termos de Sudeste-Sul); os 90% restantes estão concentrados no setor de serviços pessoais.

---

* "[...] pequeno grupo de intelectuais negros no Brasil, que agitando a bandeira de defesa do negro, ainda ocupando na nossa sociedade os postos mais baixos e constituindo o grosso do nosso proletariado, passa a uma posição de combate ostensivo ao branco, opondo-se inclusive à miscigenação, segundo eles a mais eficiente arma dos brancos para anulá-los e manter a sua pretendida superioridade. Tal atitude reveladora de um nítido conteúdo racista não pode deixar de constituir motivo de preocupação para todos aqueles que estudam e acompanham a evolução da nossa sociedade" (Viana apud Nascimento, 1978, p. 96).

Quanto aos censos seguintes, o de 1960 conserva o quesito cor apenas no sentido de avaliar sua distribuição pelos estados brasileiros, fato que de nada nos adianta para uma informação precisa sobre a situação da mulher negra na força de trabalho. Já o Censo de 1970 acaba por excluir esse quesito, e no de 1980, ao que tudo indica, sua reinclusão não está decidida. A justificativa dada se refere a dificuldades de ordem técnica. Por exemplo: como decidir o que vem a ser preto, pardo ou branco em regiões tão diferentes como Bahia e Rio de Janeiro e Rio Grande do Sul? Etc. etc. etc. De qualquer modo, é importante ressaltar que, por maiores que sejam as dificuldades de ordem técnica existentes, não se pode permanecer na ignorância de dados quantitativos que nos permitam melhor informação a respeito da população de cor em nosso país. Sob as alegações apresentadas, delineia-se a intenção de escamotear a situação de miséria e desamparo em que ela se encontra, além do interesse em aparentar a inexistência da discriminação racial no Brasil.

Vejamos de que maneira a mulher negra se insere na força de trabalho no período que se estende de 1950 aos dias atuais. Sabemos que o desenvolvimento e a modernização determinaram a ampliação de diferentes setores industriais, ao lado da crescente urbanização. Em face de tal ampliação, a indústria têxtil entrou num processo de decadência que resultou, inclusive, no fechamento de muitas fábricas.* Com isso, a mulher negra praticamente perdeu seu lugar na classe operária ou, no máximo, tentou penetrar em outros setores primários como a indústria de roupas ou de alimentos, onde seria a grande minoria (o processo de seleção racial também atua nesse setor, ou seja, a operária branca ou "morena" sempre tem melhores possibilidades que a negra). De qualquer modo, novas perspectivas se abriram nos setores burocráticos de nível mais baixo, que se feminizaram. É o caso da prestação de serviços em escritórios, bancos etc. Mas tais atividades exigem certo nível de escolaridade que a mulher negra não possui. Tal fato criou muito mais motivos para a reafirmação da discriminação, uma vez que o contato com o público exige "educação" e "boa aparência". Mesmo nos dias atuais, em que se constatam melhorias quanto ao nível de educação de uma minoria de

---

* Temos aqui dados concretos relativos à abertura do mercado brasileiro ao capitalismo monopolista que, a partir de então, satelitiza as pequenas e médias empresas (capitalismo industrial competitivo).

mulheres negras, o que se observa é que, por maior que seja a capacidade que demonstre, ela é preterida. Que se leiam os anúncios dos jornais na seção de empregos; as expressões "boa aparência", "ótima aparência" etc. constituem um código cujo sentido indica que não há lugar para a mulher negra. As possibilidades de ascensão a determinados setores da classe média são praticamente nulas para a maioria absoluta.

Sabemos que, de 1950 para cá, ocorreu um processo de crescimento das classes médias. Mas em termos relativos, no que se refere à população negra, isso significou a deterioração de suas possibilidades quanto ao mercado de trabalho. Excluída da participação no processo de desenvolvimento, ficou relegada à condição de massa marginal, mergulhada na pobreza, na fome crônica, no desamparo. Cabe recordar aqui que o lema do abolicionismo era que "negro pode ser doutor". De 1888 para cá o que se observou foi o desaparecimento dos doutores negros que, na fase anterior, já vinham participando do processo político nacional. Que mecanismos foram utilizados pelas classes dominantes a ponto de neutralizarem a participação negra nos diferentes níveis da sociedade brasileira? Que se leia e se analise o pensamento do ideólogo do racismo brasileiro, o já citado Oliveira Vianna, e que se pense na sua forte influência, inclusive no pensamento de intelectuais considerados "abertos". Essa seria uma das respostas. As exigências do sistema, como um todo, são a explicação fundamental.

O que se opera no Brasil não é apenas uma discriminação efetiva; em termos de representações sociais mentais que se reforçam e se reproduzem de diferentes maneiras, o que se observa é um racismo cultural que leva, tanto algozes como vítimas, a considerarem natural o fato de a mulher em geral e a negra em particular desempenharem papéis sociais desvalorizados em termos de população economicamente ativa. No que se refere à discriminação da mulher, que se observem, por exemplo, as diferenças salariais no exercício de uma função com relação ao homem, e a aceitação de que "está tudo bem". Quanto à mulher negra, sua falta de perspectiva quanto à possibilidade de novas alternativas faz com que ela se volte para a prestação de serviços domésticos, o que a coloca numa situação de sujeição, de dependência das famílias de classe média branca. A empregada doméstica tem sofrido um processo de reforço quanto à internalização da diferença, da "inferioridade", da subordinação. No entanto, foi ela quem possibilitou e ainda possibilita a emancipação econômica e cultural da patroa dentro do sistema de dupla jornada, como já vimos. É interessante observar, nos textos feministas que tratam da questão das relações de dominação homem/mulher, da subordinação feminina, de suas tentativas de conscientização etc., como existe uma espécie de discurso comum com relação às mulheres das camadas pobres, do subproletariado, dos grupos oprimidos. Em termos de escritos brasileiros sobre o tema, percebe-se que a mulher negra, as famílias negras — que constituem a grande maioria dessas camadas — não são caracterizadas como tais. As categorias utilizadas são exatamente aquelas que neutralizam a questão da discriminação racial, do confinamento a que a comunidade negra está reduzida. Por aí se vê o quanto as representações sociais manipuladas pelo racismo cultural também são internalizadas por um setor, também discriminado, que não se apercebe de que, no seu próprio discurso, estão presentes os velhos mecanismos do ideal de branqueamento, do mito da democracia racial. Nesse sentido, o atraso político dos movimentos feministas brasileiros é flagrante, na medida em que são liderados por mulheres brancas de classe média. Também aqui se pode perceber a necessidade de denegação do racismo. O discurso é predominantemente de esquerda, enfatizando a importância da luta junto ao empresariado, de denúncias e reivindicações específicas. Todavia, é impressionante o silêncio com relação à discriminação racial. Aqui também se percebe a necessidade de tirar de cena a questão crucial: a libertação da mulher branca tem sido feita às custas da exploração da mulher negra.

O espanto e/ou a indignação manifestados por diferentes setores feministas quando é explicitada a superexploração da mulher negra muitas vezes se expressam de maneira a considerar o nosso discurso, de mulheres negras, como uma forma de revanchismo ou de cobrança. Outro tipo de resposta que também denota os efeitos do racismo cultural, de um lado, e do revanchismo, de outro, é o que considera a nossa fala como sendo "emocional". O que não se percebe é que, no momento em que denunciamos as múltiplas formas de exploração do povo negro em geral e da mulher negra em particular, a emoção, por razões óbvias, está muito mais em quem nos ouve. Na medida em que o racismo, enquanto discurso, se situa entre os discursos de exclusão, o grupo por ele excluído é tratado como objeto e não como sujeito. Consequentemente, é infantilizado, não tem direito a voz própria, é falado por ele. E ele diz o que quer, caracteriza o excluído de acordo com seus interesses e seus valores. No momento em que o excluído assume a própria fala e se põe como sujeito, a reação de quem ouve só pode se dar nos níveis acima caracterizados. O modo paternalista mais sutil é exatamente aquele que atribui o caráter de "discurso emocional" à verdade contundente da denúncia presente na fala do excluído. Para nós, é importante ressaltar que emoção, subjetividade e outras atribuições dadas ao nosso discurso não implicam uma renúncia à razão, mas, ao contrário, são um modo de torná-la mais concreta, mais humana e menos abstrata e/ou metafísica. Trata-se, no nosso caso, de uma outra razão.

O processo de exclusão da mulher negra é patenteado, em termos de sociedade brasileira, pelos dois papéis sociais que lhe são atribuídos: "domésticas" ou "mulatas". O termo "doméstica" abrange uma série de atividades que marcam seu "lugar natural": empregada doméstica, merendeira na rede escolar, servente nos supermercados, na rede hospitalar etc. Já o termo "mulata" implica a forma mais sofisticada de reificação: ela é nomeada "produto de exportação", ou seja, objeto a ser consumido pelos turistas e pelos burgueses nacionais. Temos aqui a enganosa oferta de um pseudomercado de trabalho que funciona como um funil e que, em última instância, determina um alto grau de alienação. Esse tipo de exploração sexual da mulher negra se articula a todo um processo de distorção, folclorização e comercialização da cultura negra brasileira. Que se pense no processo de apropriação das escolas de samba por parte da indústria turística, por exemplo, e no quanto isso, além do lucro, se traduz em imagem internacional favorável para a "democracia racial brasileira".

A juventude negra brasileira e a questão do desemprego

A COLOCAÇÃO BÁSICA QUE TEMOS de fazer, para bem interligar nosso tema, é a de que o capitalismo industrial monopolista impede o crescimento equilibrado das forças produtivas em regiões subdesenvolvidas. Queremos falar da problemática do desenvolvimento desigual e combinado. Nesse sentido, o Brasil não deixa de ser uma espécie de modelo, uma vez que sua dependência econômica neocolonial — exportação de alimentos e de matéria-prima para as metrópoles do capitalismo internacional — juntamente com a permanência de formas produtivas anteriores e a formação de uma massa marginal caracterizam essa problemática.

Três processos de acumulação qualitativamente distintos coexistem na formação econômica brasileira e dão a marca da sua complexidade: capital comercial, capital industrial competitivo e capital industrial monopolista. A presença desses três processos de acumulação, sob a hegemonia do capital monopolista, remete-nos ao fato de que o desenvolvimento desigual e combinado acaba por integrar momentos históricos diversos. Se colocamos a questão da funcionalidade da superpopulação relativa, constatamos que, no caso brasileiro, grande parte dela se torna supérflua e se constitui em uma massa marginalizada em face do processo hegemônico. Claro está que todas as questões relativas ao desemprego e ao subemprego incidem justamente sobre essas populações. E, "coincidentemente", os mais baixos níveis de participação na força de trabalho pertencem à população negra brasileira.

Vale ressaltar ainda que esses três processos estão articulados de tal maneira que a manutenção de uma autonomia relativa de cada um deles interessa ao sistema *como um todo*. Mas, exatamente por isso, qualquer mudança em um desses setores ameaça o sistema como um todo. E, nesse sentido, já estamos falando da questão da participação e nos colocando em um outro nível:

o das práticas sociais. Ou seja, aquelas relacionadas às instâncias políticas e ideológicas que, juntamente com a econômica, constituem o espaço em que se deslocam os atores sociais.

O privilégio racial é uma característica marcante da sociedade brasileira, uma vez que o grupo branco é o grande beneficiário da exploração, especialmente da população negra. E não estamos nos referindo apenas ao capitalismo branco, mas também aos brancos sem propriedade dos meios de produção que recebem seus dividendos do racismo. Quando se trata de competir no preenchimento de posições que implicam recompensas materiais ou simbólicas, mesmo que os negros possuam a mesma capacitação, os resultados são sempre favoráveis aos competidores brancos. E isso ocorre em todos os níveis dos diferentes segmentos sociais. O que existe no Brasil, efetivamente, é uma divisão racial do trabalho. Por conseguinte, não é por coincidência que a maioria quase absoluta da população negra brasileira faz parte da massa marginal crescente: desemprego aberto, ocupações "refúgio" em serviços puros, trabalho ocasional, ocupação intermitente e trabalho por temporada etc. Ora, tudo isso implica baixíssimas condições de vida em termos de habitação, saúde, educação etc.

Um dos mecanismos mais cruéis da situação do negro brasileiro na força de trabalho se concretiza na sistemática perseguição, opressão e violência policiais contra ele. Quando seus documentos são solicitados (fundamentalmente a carteira profissional) e se constata que está desempregado, o negro é preso por vadiagem; em seguida, é torturado (e muitas vezes assassinado) e obrigado a confessar crimes que não cometeu. De acordo com a visão dos policiais brasileiros, "todo negro é um marginal até prova em contrário". Claro está que esse consenso setorial não é uma casualidade.

Na medida em que mais da metade da população brasileira é construída por menores de 21 anos, e que a maioria da população brasileira é, na realidade, afro-brasileira, constata-se o grave problema em que se encontra a juventude negra: o desemprego (aberto ou não). Existem atualmente no Brasil cerca de 16 milhões de adolescentes e jovens totalmente entregues à própria sorte, sem a menor perspectiva de vida; ou melhor, sua única perspectiva são o banditismo e a morte. Desnecessário dizer que são negros em sua maioria. Conhecidos popularmente como "pivetes", "trombadinhas" etc., sua idade varia de onze a dezessete anos. Caberia aqui a seguinte pergunta: por que em um país que, na classificação mundial, situa-se em oitavo lugar — do ponto de vista do desenvolvimento econômico — ocorre esse tipo de fenômeno social?

Pelo que expusemos esquematicamente, quanto às características estruturais da economia brasileira já temos uma parte da resposta. O chamado "milagre brasileiro" beneficiou apenas uma minoria da população interna e, sobretudo, as multinacionais. Vejamos, em termos de distribuição de renda, qual a realidade vivida pelo povo brasileiro (de acordo com o Censo de 1970, que, aliás, não nos informa sobre o quesito cor): 36% do total da renda pessoal se concentram nas mãos de 5% das famílias mais ricas do Brasil.

> Os 10% de famílias mais abastadas detêm 49% da renda do país. Isso quer dizer que 90% das famílias brasileiras retêm praticamente a mesma fração de renda total que os 10% no topo da pirâmide social [...]. 40% das famílias mais pobres têm que se contentar com 7,7% da renda total, lutando pela sobrevivência com rendimentos inferiores ao salário mínimo vigente no país. Lutando, mas sem êxito, conforme indicam as estatísticas de mortalidade infantil, apenas superada pelas dos países mais pobres do mundo.[1]

E lutar pela sobrevivência significa, para tais famílias, apelar para todas as formas possíveis no sentido de conseguir alimento e permanecer em seu estado de fome congênita. Significa não poder deixar suas crianças irem à escola porque, também elas, têm que ajudar nessa luta pela sobrevivência. Que se pense, aqui, nos casos de exploração do trabalho infantil em nosso país, tanto no campo quanto na cidade (em termos urbanos, por exemplo, que se pense nos pequenos vendedores, engraxates, lavadores de carro etc.). Certamente o futuro que aguarda aqueles que sobrevivem será, para os jovens negros, a revolta diante da falta de oportunidades que uma sociedade racista procura reforçar segundo os mais variados estereótipos ("negro é burro, incapaz intelectualmente, preguiçoso, irresponsável, cachaceiro" etc. etc.). Para as jovens negras, o trabalho doméstico nas casas de família da classe média e da burguesia, ou então a prostituição aberta e a mais sofisticada dos dias atuais: a profissão de mulata.

Como em todos os países subdesenvolvidos, os dados oficiais sobre desemprego aberto praticamente inexistem no Brasil. Mas a grande realidade é que a maioria quase absoluta da população negra vive de expedientes, trabalhando de cinquenta a cem dias por ano, sem as garantias das leis trabalhistas. Quanto a aqueles que tiveram a oportunidade de ir à escola e ultrapassar o segundo ano fundamental, sentem mais claramente o que significa ser negro no Brasil. Porque tomam consciência do mito da democracia racial, do logro que significa o artigo da Constituição que afirma que "todos os brasileiros são iguais perante a lei". Porque sabem que, mesmo com igual e até melhor capacitação que os brancos, serão preteridos. Qual então a saída que se lhes apresenta? Se conscientes e assumidos, partem para a denúncia de tais arbitrariedades; se não, aceitam a situação tal como está e, aos poucos, para "subir na vida", começam a pagar o seu preço, o do embranquecimento.

Em um país onde, em termos de mercado de trabalho, a procura é maior do que a oferta e onde existe uma divisão racial do trabalho, a situação da juventude negra é, obviamente, a do setor mais atingido pelo desemprego aberto ou disfarçado. Graças ao racismo e às suas práticas, essa juventude se encontra numa situação de desvantagem em termos de educação, de trabalho e até mesmo de lazer. Que se pense sobre a sua "evasão" das escolas de samba, a repressão policial e as provocações de que é objeto quando, aos milhares, se dirige para os clubes de black soul. Até mesmo os setores ditos "progressistas" os acusam de alienação em face do imperialismo americano; querem obrigá-la a dançar apenas o samba, a permanecer nas escolas de samba que esses mesmos setores foram os primeiros a invadir, abrindo caminho para a exploração oficial em termos de turismo. E note-se que os americanos (imperialistas) são a grande fonte de renda das instituições turísticas oficiais brasileiras. Já estamos falando aqui da exploração, comercialização, distorção e folclorização da cultura negra. Seus beneficiários certamente não são os jovens negros, mas a minoria branca dominante que, desse modo, de maneira paternalista, quer lhes fazer crer que estão no "melhor dos mundos possíveis".

Nesse sentido, como organização de caráter político, foi que se deu a criação do Movimento Negro Unificado contra a Discriminação Racial em junho de 1978. Seu objetivo fundamental consiste na mobilização e organização do povo negro para lutar contra a superexploração econômica de que tem sido objeto, assim como contra a "mais-valia" cultural e ideológica dele extraída pelo grupo branco dominante.

A mulher negra na sociedade brasileira: Uma abordagem político-econômica*

*Para Marli Pereira Soares** e Walter Rodney*

Introdução

Alguns aspectos de ordem histórica proporcionarão melhor inteligibilidade ao nosso trabalho e melhor entendimento da situação da mulher negra em particular, e do povo negro em geral, em termos da sociedade brasileira. Em outras palavras, embora esquematicamente, trataremos da escravidão no Brasil.

Oficialmente, o tráfico negreiro se iniciou em 1550, se bem que já existissem africanos trabalhando nas plantações de cana-de-açúcar brasileiras. E já no final do século XVI os escravos constituíam a maioria da população da nova colônia portuguesa. O fenômeno não era novo, pois, de acordo com W. E. B. Du Bois, em Portugal

> o declínio da população em geral e o suprimento de mão de obra em particular foram especialmente sentidos nas províncias do sul que foram largamente despo-

---

* Este texto foi apresentado no Spring Symposium The Political Economy of the Black World, realizado entre 10 e 12 de maio de 1979 na Universidade da Califórnia (UCLA) e organizado pelo Center for Afro-American Studies. Ali tivemos a oportunidade de conhecer e receber o estímulo do grande líder negro Walter Rodney, posteriormente assassinado pela repressão de seu país, a Guiana. Daí a dedicatória. Quanto à Marli, todo mundo sabe. Por outro lado, introduzimos algumas modificações que se encontram sobretudo nas notas de rodapé com a data do ano corrente (1980).

** Marli Pereira Soares, ou Marli Coragem, como viria a ser chamada, virou símbolo da luta contra a violência ao testemunhar a morte de seu irmão pela polícia militar, em abril de 1979, e não se calar. Era ditadura militar no Brasil, e ela, mulher negra e jovem, encarou toda a tropa perfilada do 20º Batalhão de Polícia na cidade de Belford Roxo para fazer o reconhecimento dos assassinos de seu irmão. Sofreu represálias, teve que se esconder, e encontrou apoio na ampla cobertura que a imprensa deu ao caso. Em 1980, conseguiu que os assassinos fossem presos. Anos depois, seu filho também foi assassinado pela polícia. (N. O.)

voadas. Isso resultou no estabelecimento de um novo sistema industrial. As áreas rurais foram convertidas em extensas propriedades sustentadas por grandes contingentes de escravos negros recentemente trazidos da África. A população do Algarve logo se tornou quase completamente negra; e já na metade do século XVI os negros superavam numericamente os brancos na própria Lisboa. Como os casamentos inter-raciais ocorreram desde o início, dentro de poucos anos o sangue etíope difundiu-se pela nação, mas ficou notavelmente pronunciado no sul e entre as classes baixas.[1]

A diferença (se é que existiu), em termos de Brasil, estava no fato de que os "casamentos inter-raciais" nada mais foram do que o resultado da violentação de mulheres negras por parte da minoria branca dominante (senhores de engenho, traficantes de escravos etc.). E esse fato daria origem, na década de 1930, à criação do mito que até os dias de hoje afirma que o Brasil é uma democracia racial. Gilberto Freyre, o famoso historiador e sociólogo, é seu principal articulador, com sua teoria do lusotropicalismo.*
O efeito maior do mito é a crença de que o racismo inexiste em nosso país graças ao processo de miscigenação. Voltaremos a esse assunto.

A história oficial, assim como o discurso pedagógico internalizado por nossas crianças, fala do brasileiro como um ser "cordial" e afirma que a história do nosso povo é um modelo de soluções pacíficas para todas as tensões ou conflitos que nela tenham surgido.** Por aí se pode imaginar o tipo de estereótipos difundidos a respeito do negro: passividade, infantilidade, incapacidade intelectual, aceitação tranquila da escravidão etc. (afinal, como disse Aristóteles, existem pessoas que nasceram para dirigir e outras para serem dirigidas). Assim como a história do povo brasileiro foi outra, o mesmo acontece com o povo negro especialmente. Ele sempre buscou formas de resistência contra a situação subumana em que foi lançado. De acordo com as informações que obtivemos da historiadora negra Maria Beatriz Nasci-

---

* Segundo Freyre, os portugueses foram superiores aos demais europeus em suas relações com os povos colonizados porque não eram racistas. Daí o processo de miscigenação ocorrido no Brasil e a harmonia racial que o caracteriza. Todavia, o que Freyre não leva em conta é que a miscigenação se deu às custas da violentação da mulher negra.
** Que se atente para o fato de como esse discurso se articula com o mito da democracia racial, complementando-o.

mento,* já em 1559 se tem notícia da formação dos primeiros quilombos, essas formas alternativas de sociedade, na região das plantações de cana do Nordeste.** E os quilombos existiram em todo o país como a contrapartida, o modo de resistência organizada do povo negro contra a superexploração de que era objeto. Sua distribuição geográfica se articulou com a migração interna da população escrava (principalmente depois de 1850), forçada a satisfazer as exigências econômicas regionais do sistema. Os chamados "ciclos da economia brasileira" do período escravista (açúcar, mineração e café, além de outros mais secundários como algodão, fumo etc.) obrigavam a população escrava a tais deslocamentos, e esta, por sua vez, resistia com a formação dos quilombos.

Também não é ressaltado pela história oficial o fato de que o primeiro Estado livre de todo o continente americano existiu no Brasil colonial, como denúncia viva do sistema implantado pelos europeus no continente. Estamos falando da República Negra de Palmares que, durante um século (1595-1695), floresceu na antiga Capitania de Pernambuco. O que essa história não enfatiza é que o maior esforço bélico despendido pelas autoridades coloniais foi contra Palmares e não contra o invasor holandês (1630-54), como se costuma divulgar.[2] O que ela não enfatiza é que Palmares foi a primeira tentativa brasileira no sentido da criação de uma sociedade democrática e igualitária que, em termos políticos e socioeconômicos, realizou um grande avanço. Sob a liderança da figura genial de Zumbi, ali existiu uma *efetiva* harmonia racial, já que sua população, constituída por negros, índios, brancos e mestiços, vivia do trabalho livre cujos benefícios revertiam para *todos*, sem exceção. Na verdade, Palmares foi berço da nacionalidade brasileira. E o mesmo se pode dizer com relação aos quilombos, onde a língua oficial era o "pretuguês", e o catolicismo (sem os padres, é claro) a religião comum.

A resistência negra também se deu em termos de movimentos urbanos armados como aqueles que, iniciando-se em 1807 na cidade de Salvador,

---

* O objeto principal de suas pesquisas vem sendo a história da formação dos quilombos no decorrer do período escravista, assim como o seu papel enquanto modelos de sociedade alternativa criados pelos negros.
** O termo "quilombo" provém do quimbundo, língua banto falada em Angola. A tradução exata seria "capital, povoação, união". Mas a "tradução" brasileira oficial é: "valhacouto de escravos fugidos". Interessante observar que, no castelhano falado na Argentina, o mesmo termo significa "bagunça, confusão, *bordel*" (grifo nosso). (1980)

culminariam com a famosa Revolta dos Malês (muçulmanos) em 1835. Sua importância maior reside no fato de que, diferentemente dos demais, seu objetivo primordial era a efetiva tomada do poder. Nela se destacaria a figura de uma mulher extraordinária, Luísa Mahin, que não só participou da organização como também da luta armada contra a minoria branca dominante. Como de hábito, também ela manteve uma espécie de concubinato com um branco que acabou por abandoná-la. O fruto dessa relação viria a ser uma das maiores figuras negras do movimento abolicionista em meados do século XIX: Luiz Gama.

Desnecessário dizer que o negro não deixou de também participar nos movimentos de libertação nacional, ocorridos tanto no período colonial quanto no império. Referimo-nos à chamada Revolta dos Alfaiates, à Confederação do Equador, à Sabinada, à Balaiada, à Revolução Praieira etc. Mas o fato é que, apesar de sua importante contribuição, o negro jamais recebeu os benefícios obtidos pelos demais setores ("brancos") da sociedade brasileira.

Cabe colocar uma questão: quais as categorias ou tipos de escravos existentes no Brasil de então? De acordo com Freitas,[3] duas eram as categorias de escravos: os produtivos e os não produtivos, isto é, os que trabalhavam diretamente para a sustentação econômica do regime (escravos do eito) e aqueles que eram dirigidos para a prestação de serviços (feitores, criados, negros de ganho etc.). Importante ressaltar que, para Freitas, de um modo geral a resistência, os movimentos de revolta armada partiram da iniciativa dos primeiros. Quanto aos não produtivos, muitos deles teriam acabado por internalizar a ideologia ou os valores do senhor branco. De um modo geral, também as denúncias das revoltas tramadas partiram dessa "aristocracia escrava".*

E a mulher negra, qual a sua situação enquanto escrava? Em termos populacionais, sabe-se que o elemento masculino, sobretudo na região das Minas, foi predominante entre a escravaria. Entretanto, o sistema não suavizou o trabalho dessa mulher. Vamos encontrá-la também nas duas categorias de Freitas: a trabalhadora do eito e a mucama. E o que percebemos é que, em ambas as situações, coube-lhe a tarefa de doação de força moral para seu ho-

---

* Cabe perguntar: por mais que a internalização dos valores do opressor tenha ocorrido, será que essa "aristocracia" reagiu *sempre* do mesmo modo? O que gostaríamos de assinalar aqui é o fato de essa "aristocracia" ter desempenhado um papel muito importante na manutenção da rede de espionagem de Zumbi. (1980)

mem, seus filhos ou seus irmãos de cativeiro. É certo que existiram exceções, que apenas confirmam a regra. E temos um exemplo nesse sentido: quem precipitou a eclosão da Revolta dos Malês, obrigando seus participantes a se lançarem na luta antes da data marcada, foi uma mulher. Pelo fato de ter internalizado os valores do senhor, essa mulher denunciou a existência das reuniões secretas onde se planejava a revolução. Isso porque acreditava que seu homem, um liberto, não precisava lutar por uma liberdade que já possuía. Mas, como dissemos acima, nessa mesma revolução houve a figura heroica de Luísa Mahin, que, após saberem de sua participação, foi expulsa do Brasil e obrigada a regressar à África originária, deixando em nosso país o filho que continuaria sua luta, a da libertação do povo negro.

Enquanto escrava do eito, ninguém melhor do que a mulher para estimular seus companheiros para a fuga ou a revolta — trabalhando de sol a sol, subalimentada e, muitas vezes, cometendo o suicídio para que o filho que trazia no ventre não tivesse o mesmo destino que ela. Vale notar que a vida média de um escravo produtivo não ultrapassava os dez anos. Depois disso, os senhores dele se livravam mediante a concessão da alforria, que significava um tipo especial de "liberdade": a de morrer de fome, em função da invalidez precocemente adquirida (sendo este o sentido da "Lei" dos Sexagenários).

Enquanto mucama, cabia-lhe a tarefa de manter, em todos os níveis, o bom andamento da casa-grande: lavar, passar, cozinhar, fiar, tecer, costurar e amamentar as crianças nascidas do ventre "livre" das sinhazinhas. E isso sem contar com as investidas sexuais do senhor branco que, muitas vezes, convidava parentes mais jovens para se iniciarem sexualmente com as mucamas mais atraentes. Desnecessário dizer o quanto eram objeto do ciúme rancoroso da senhora.* Após o trabalho pesado na casa-grande, cabia-lhes também o cuidado dos próprios filhos, além da assistência aos companheiros chegados das plantações, engenhos etc. quase mortos de fome e de cansaço.

Foi em função de sua atuação como mucama que a mulher negra deu origem à figura da mãe preta, ou seja, aquela que efetivamente, ao menos em termos de primeira infância (fundamental na formação da estrutura psíquica

---

* Excelentes exemplos das torturas infligidas às escravas e aos seus filhos pelas sinhás ciumentas encontram-se no belo romance de Josué Montello *Os tambores de São Luís* (Rio de Janeiro, José Olympio, 1975).

de quem quer que seja), cuidou e educou os filhos de seus senhores, contando-lhes histórias sobre o quibungo,* a mula sem cabeça e outras figuras do imaginário popular (Zumbi, por exemplo). Vale notar que tanto a mãe preta quanto o pai-joão têm sido explorados pela ideologia oficial como exemplos de integração e harmonia raciais, supostamente existentes no Brasil. Representariam o negro acomodado, que passivamente aceitou a escravidão e a ela correspondeu segundo a maneira cristã, oferecendo a outra face ao inimigo. Entretanto, não aceitamos tais estereótipos como reflexos "fiéis" de uma realidade vivida com tanta dor e humilhação. Não podemos deixar de levar em consideração que existem variações quanto às formas de resistência. E uma delas é a chamada "resistência passiva". A nosso ver, a mãe preta e o pai-joão, com suas histórias, criaram uma espécie de "romance familiar" que teve uma importância fundamental na formação dos valores e crenças do povo, do nosso *Volksgeist*.** Conscientemente ou não, passaram para o brasileiro "branco" as categorias das culturas africanas de que eram representantes. Mais precisamente, coube à mãe preta, enquanto sujeito suposto saber,*** a africanização do português *falado* no Brasil (o "pretuguês", como dizem os africanos lusófonos) e, consequentemente, a própria africanização da cultura brasileira.

---

* Espécie de lobisomem com um buraco nas costas e que come crianças malcriadas ou desobedientes. Originário do folclore africano.
** Que se atente, por exemplo, para as figuras dos pretos velhos na umbanda. Representam exatamente toda uma sabedoria marcada pela astúcia, adquirida no decorrer de suas longas vidas, e que se constitui como uma resposta às diferentes formas de manifestação do racismo em nosso país. Um ponto como o que se segue, dedicado a Vovó Cambinda da Guiné, diz muito mais do que canta: "Ô Cambinda de Guiné/ Teu pai é Ganga/ Ô Cambinda de Guiné/ Teu pai é Ganga". Vale ressaltar que a umbanda, através de suas cantigas ou pontos, fala da *memória* histórica efetiva de um povo oprimido que não se vê representado na "história" oficial que, na verdade, enquanto discurso da ideologia dominante, nada mais é do que o que chamamos de *consciência* (lugar do esquecimento, da sujeição, da lógica da dominação). Que se atente, por exemplo, para o ponto que assim diz: "Ogum já jurou bandeira/ Nos campos de Humaitá/ Ogum já venceu demanda/ Vamos todos saravá". Na verdade, esse ponto canta a presença anônima do negro na Guerra do Paraguai. (1980)
*** Categoria do pensamento lacaniano. Consiste nas figuras com as quais nos identificamos imaginariamente e que, consequentemente, idealizamos, assumindo seus valores como nossos. No caso da criança, a mãe é vista como sujeito suposto saber, uma vez que lhe atribui um saber quase que onisciente. Ora, na medida em que a mãe preta exerceu a função materna no lugar da sinhá (que na verdade só fazia parir os filhos), inclusive amamentando os filhos da mesma, compreende-se o que queremos dizer (Lacan, 1966). (1980)

E, se levamos em conta a teoria lacaniana, que considera a linguagem como o fator de humanização ou de entrada na ordem da cultura do pequeno animal humano, constatamos que é por essa razão que a cultura brasileira é eminentemente negra. E isso apesar do racismo e de suas práticas contra a população negra enquanto setor concretamente presente na formação social brasileira.

Pelo que até agora foi exposto, já se pode perceber a profunda importância do papel da mulher negra em nossa sociedade e como o estudo desse tema assume um valor de tal ordem que acaba por revelar certos aspectos de nossa realidade cultural de que muitos pesquisadores nem sequer desconfiam.

O lugar da mulher negra na força de trabalho e nas relações raciais

Antes de mais nada, importa caracterizar o racismo como uma construção ideológica cujas práticas se concretizam nos diferentes processos de discriminação racial. Enquanto discurso de exclusão que é, ele tem sido perpetuado e reinterpretado de acordo com os interesses dos que dele se beneficiam.

> Nas sociedades de classes, a ideologia é uma representação do real, mas *necessariamente falseada*, porque é necessariamente orientada e tendenciosa — e é tendenciosa porque seu objetivo não é dar aos homens o *conhecimento objetivo* do sistema social em que vivem, mas, ao contrário, oferecer-lhes uma representação mistificada desse sistema social para mantê-los em seu "lugar" no sistema de exploração de classe.[4]

Também nos parece importante reproduzir aqui a proposição de Hasenbalg,[5] apoiada na distinção estabelecida por Poulantzas entre os dois aspectos da reprodução ampliada das classes sociais:[6] de um lado, o aspecto principal — o da reprodução dos lugares das classes — e, de outro, o aspecto subordinado, o da reprodução dos atores e sua distribuição entre esses lugares:

> A raça, como atributo socialmente elaborado, está relacionada principalmente ao aspecto subordinado da reprodução das classes sociais, isto é, a reprodução (formação-qualificação-submissão) e a distribuição dos agentes. Portanto, as mi-

norias raciais não estão fora da estrutura de classes das sociedades multirraciais em que as relações de produção capitalistas — ou outras relações de produção, no caso — são as dominantes. Outrossim, o racismo, como articulação ideológica incorporada em e realizada através de um conjunto de práticas materiais de discriminação, é o determinante primário da posição dos não brancos dentro das relações de produção e distribuição. Como se verá se o racismo (bem como o sexismo) torna-se parte da estrutura objetiva das relações ideológicas e políticas do capitalismo, então a reprodução de uma divisão racial (ou sexual) do trabalho pode ser explicada sem apelar para preconceito e elementos subjetivos.

Em termos de formação econômica, coexistem no Brasil três processos qualitativamente distintos de acumulação: capital comercial, capital industrial competitivo e capital industrial monopolista. Cabe ao capital monopolista a hegemonia sobre os demais, dadas as articulações entre os três setores (formas pré-capitalistas de exploração da mão de obra; e capitalismo competitivo e capitalismo monopolista com seus respectivos mercados de trabalho). Vale notar, entretanto, que tais setores funcionam com uma autonomia relativa, apesar de, para o sistema como um todo, qualquer problema surgido num deles afetar e ameaçar a totalidade do mesmo sistema. Tal tipo de coexistência, por um lado, demonstra que esse desenvolvimento desigual e dependente mescla e integra momentos históricos diversos. E, em termos de superpopulação relativa, é importante ressaltar que ocorre na constituição desse sistema não somente um exército industrial de reserva, mas uma *massa marginal crescente*, em face do mercado de trabalho do setor hegemônico.[7] Ora, na medida em que existe uma divisão racial e sexual do trabalho, não é difícil concluir sobre o processo de tríplice discriminação sofrido pela mulher negra (enquanto raça, classe e sexo), assim como sobre seu lugar na força de trabalho.

O Censo de 1950 foi o último a nos fornecer dados objetivos, indicadores básicos relativos à educação e aos setores de atividade econômica da mulher negra. O que então se constatava era o seguinte: nível de educação muito baixo (a escolaridade atingindo, no máximo, o segundo ano primário ou o primeiro grau),* sendo o analfabetismo o fator dominante. Quanto às atividades econômicas, apenas 10% trabalhavam na agricultura e/ou na indústria

---

* Terceiro ano do ensino fundamental 1, ou o ensino fundamental completo. (N. O.)

(sobretudo têxtil, e em termos de Sudeste-Sul); os 90% restantes concentrados na área de prestação de serviços pessoais.

Quanto aos censos seguintes, apenas o de 1960 conservou o quesito *cor*, no sentido de avaliar sua distribuição nos estados brasileiros. O de 1970 simplesmente o excluiu (e o de 1980 o reincluirá apenas como amostra). As razões apresentadas como justificativa de tal exclusão denominam-se "dificuldades técnicas". Por aí, pode-se constatar como se delineia a intenção de escamotear as informações a respeito da chamada população "de cor" de nosso país, assim como a miséria e o desamparo em que a mesma se encontra. E isso ocultado pelo interesse de aparentar a existência de uma grande harmonia (e igualdade) racial no Brasil.[8]

No período que se estende de 1950 aos dias atuais ocorreram o desenvolvimento e a modernização que ampliaram diferentes setores industriais, ao lado de uma crescente urbanização. Em face dessa ampliação, a indústria têxtil entrou num processo de decadência que resultou inclusive no fechamento de muitas fábricas.* Com isso, a mulher negra perdeu muito enquanto operária, apesar de tentar penetrar em outros setores como a indústria de alimentos ou de roupas, onde viria a ser a grande minoria (aqui também o processo de seleção racial favorece muito mais a operária branca ou "morena" do que a negra).

De qualquer modo, novas perspectivas foram abertas nos setores burocráticos de nível mais baixo, que se feminizaram (prestação de serviços em escritórios, bancos etc.). Mas como tais atividades exigem um nível de escolaridade que a grande maioria das mulheres negras não possui, muito mais motivos foram criados no sentido de reforçar a discriminação: o contato com o público exige "educação" e "boa aparência". Quanto à minoria de mulheres negras que, nos dias de hoje, atingiram níveis mais altos de escolaridade, o que se observa é que, apesar de sua capacitação, a seleção racial se mantém. Não são poucos os casos de rejeição, principalmente em multinacionais (que possuem como código de discriminação a sigla CR, "colored", colocada nos testes de admissão de candidatas negras para cargos mais elevados como o de secretária bilíngue ou trilíngue, por exemplo). Quando nos anúncios de

---

* Eis aqui um dado concreto de como a abertura do mercado brasileiro ao capitalismo monopolista (com a chegada das multinacionais) resultou na satelitização das pequenas e médias empresas do capitalismo competitivo e comercial.

jornais, na seção de oferta de empregos, surgem expressões tais que "boa aparência", "ótima aparência" etc., já se sabe seu significado: que não se apresentem candidatas negras, não serão admitidas.

As possibilidades de ascensão a determinados setores da classe média têm sido praticamente nulas para a maioria da população negra. É certo que, de 1950 para cá, ocorreu o crescimento das classes médias no Brasil. Todavia, em termos relativos, isso significou a deterioração das possibilidades de acesso ao mercado de trabalho para a população negra. Excluída da participação no processo de desenvolvimento (desigual e combinado, não esqueçamos), ficou relegada à condição de massa marginal crescente: desemprego aberto ou não, ocupação "refúgio" em serviços puros, trabalho ocasional, ocupação intermitente, trabalho por temporada etc. Ora, tudo isso implica baixíssimas condições de vida em termos de habitação, saúde, educação etc.[9]

Quanto à mulher negra, que se pense em sua falta de perspectivas quanto à possibilidade de novas alternativas. Ser negra e mulher no Brasil, repetimos, é ser objeto de tripla discriminação, uma vez que os estereótipos gerados pelo racismo e pelo sexismo a colocam no nível mais alto de opressão. Enquanto seu homem é objeto da perseguição, repressão e violência policiais (para o *cidadão* negro brasileiro, desemprego é sinônimo de vadiagem; é assim que pensa e age a polícia brasileira), ela se volta para a prestação de serviços domésticos junto às famílias das classes média e alta da formação social brasileira. Enquanto empregada doméstica, ela sofre um processo de reforço quanto à internalização da diferença, da subordinação e da "inferioridade" que lhe seriam peculiares. Tudo isso acrescido pelo problema da dupla jornada que ela, mais do que ninguém, tem de enfrentar. Antes de ir para o trabalho, tem que buscar água na bica comum da favela, preparar o mínimo de alimentação para os familiares, lavar, passar e distribuir as tarefas dos filhos mais velhos com os cuidados dos mais novos (as meninas, de um modo geral, encarregam-se da casa e do cuidado dos irmãos mais novos). Após "adiantar" os serviços caseiros, dirige-se à casa da patroa, onde permanece durante todo o dia. E isso sem contar quando tem de acordar mais cedo (três ou quatro horas da "manhã") para enfrentar as filas dos postos de assistência médica pública, para tratar de algum filho doente; ou então quando tem de ir às "reuniões de pais" nas escolas públicas, a fim de ouvir as queixas das professoras quanto aos problemas "psicológicos" de seus filhos, que apresentam um comportamento "desajustado" que os torna "dispersivos" ou incapazes de "bom rendimento escolar".*

Quando não trabalha como doméstica, vamos encontrá-la também atuando na prestação de serviços de baixa remuneração ("refúgios") nos supermercados, nas escolas ou nos hospitais, sob a denominação genérica de "servente" (que se atente para as significações a que tal significante nos remete).

De um modo geral, a mulher negra é vista pelo restante da sociedade a partir de dois tipos de qualificação "profissional": doméstica e mulata. A profissão de "mulata" é uma das mais recentes criações do sistema hegemônico no sentido de um tipo especial de "mercado de trabalho". Atualmente, o significante mulata não nos remete apenas ao significado tradicionalmente aceito (filha de mestiça de preto/a com branca/o), mas a um outro, mais moderno: "produto de exportação". A profissão de mulata é exercida por jovens negras que, num processo extremo de alienação imposto pelo sistema, submetem-se à exposição de seus corpos (com o mínimo de roupa possível), através do "rebolado", para o deleite do voyeurismo dos turistas e dos representantes da burguesia nacional. Sem se aperceberem, elas são manipuladas, não só como objetos sexuais mas como provas concretas da "democracia racial" brasileira; afinal, são tão bonitas e tão admiradas! Não se apercebem de que constituem uma nova interpretação do velho ditado racista "Preta pra cozinhar, mulata pra fornicar e branca pra casar".** Em outros termos, são sutilmente cooptadas pelo sistema sem se aperceberem do alto preço a pagar: o da própria dignidade. A origem de tal "profissão" se encontra no processo de comercialização e distorção (para fins não apenas ideológicos) de uma das mais belas expressões populares da cultura negra brasileira: as escolas de samba. Sua invasão, de início por representantes

---

* A maioria das crianças que são remetidas aos postos de tratamento psiquiátrico ou para entrevistas psicológicas (em escolas de primeiro grau) são negras. Nesse sentido, a escola, enquanto aparelho ideológico do Estado (Althusser, 1976), não deixa de reproduzir os mecanismos do racismo e sua perpetuação mediante o reforço de sua internalização (como natural) por nossas crianças. Se a criança negra reage simbolicamente a essa violência simbólica, é considerada "desajustada" ou "mentalmente doente". Aliás, além das prisões, que se atente para a população dos nossos hospícios, do ponto de vista racial. (1980)

** É interessante observar que, no que se refere à identificação com a ideologia do dominador, constatamos que o homem negro que consegue ascender socialmente em geral se casa com uma mulher branca. Já o inverso, isto é, o casamento branco/negra é proporcionalmente mais raro (Oliveira, Porcaro e Araújo Costa, 1980).

dos setores ditos progressistas e, em seguida, pelas classes média e alta que introduziram uma série de valores diretamente oriundos do sistema hegemônico, culminou com esse tipo de manipulação/exploração sexual, social e econômica de muitas jovens negras de origem humilde.

Como a mobilidade social ascendente do negro brasileiro se caracteriza por ocorrer em termos individuais, que se pense no tipo de lavagem cerebral a que ele é submetido. Ora, no caso dessas jovens o que acontece é que visualizam esse tipo de trabalho como um meio de ascensão, como uma saída promissora do estado de pobreza em que se encontram. E lá se vão, contratadas para se apresentarem em espetáculos dançantes nas boates, nos restaurantes finos, nos hotéis elegantes etc. Uma ou outra consegue se casar com algum turista europeu ou se transforma em manequim de certo renome. Mas a maioria acaba por se entregar à prostituição aberta, à bebida e outras drogas e termina como "estrela" dos "inferninhos" que pululam nas grandes cidades. Pelo exposto, pode-se ter uma ideia mais concreta da mobilidade social ascendente a que nos referimos antes.

A exploração da mulher negra enquanto objeto sexual é algo que está muito além do que pensam ou dizem os movimentos feministas brasileiros, geralmente liderados por mulheres da classe média branca. Por exemplo, ainda existem "senhoras" que procuram contratar jovens negras belas para trabalharem em suas casas como domésticas; mas o objetivo principal é que seus jovens filhos possam "se iniciar" sexualmente com elas. (Desnecessário dizer que o salário de uma doméstica é extremamente baixo.) Com isso temos um exemplo a mais da superexploração econômico-sexual de que falamos acima, além da reprodução/perpetuação de um dos mitos divulgados a partir de Freyre: o da sensualidade especial da mulher negra.

Para finalizar, gostaríamos de chamar atenção para a maneira como a mulher negra é praticamente excluída dos textos e do discurso do movimento feminino em nosso país.* A maioria dos textos, apesar de tratarem das relações

---

* Entre os melhores trabalhos que conhecemos nesse aspecto, isto é, realizados por mulheres brancas, vale ressaltar os de Hahner (1978), Saffioti (1976), Silverstein (1978) e Moreira Alves (1980). Vale notar que, nos últimos dois anos, o movimento feminista brasileiro tem procurado apontar para a questão da mulher negra e que, nos dias de hoje (década de 1980), já existe a preocupação de um trabalho conjunto com o movimento negro. O texto de Branca Moreira Alves, por exemplo, desenvolve muito bem a questão da articulação entre classe, raça e sexo em nível teórico. Por outro lado, o trabalho que vem sendo feito com prostitutas em São Paulo

de dominação sexual, social e econômica a que a mulher está submetida, assim como da situação das mulheres das camadas mais pobres etc. etc., não atentam para o fato da opressão racial. As categorias utilizadas são exatamente aquelas que neutralizam o problema da discriminação racial e, consequentemente, o do confinamento a que a comunidade negra está reduzida. A nosso ver, as representações sociais manipuladas pelo racismo cultural também são internalizadas por um setor que, também discriminado, não se apercebe de que, no seu próprio discurso, estão presentes os mecanismos da ideologia do branqueamento e do mito da democracia racial.[10] Em recente encontro feminista realizado no Rio de Janeiro,* nossa participação causou reações contraditórias. Até aquele momento, tínhamos observado uma sucessão de falas acentuadamente de esquerda, que colocavam uma série de exigências quanto à luta contra a exploração da mulher, do operariado etc. etc. A unanimidade das participantes quanto a essas denúncias era absoluta. Mas no momento em que começamos a falar do racismo e suas práticas em termos de mulher negra, já não houve mais unanimidade. Nossa fala foi acusada de emocional por umas e até mesmo de revanchista por outras; todavia, as representantes de regiões mais pobres nos entenderam perfeitamente (eram mestiças em sua maioria). Toda a celeuma causada por nosso posicionamento significou, para nós, a caracterização de um duplo sintoma: de um lado, o atraso político (principalmente dos grupos que se consideravam mais progressistas), e do outro a grande necessidade de denegar o racismo para ocultar uma outra questão: a exploração da mulher negra pela mulher branca.

Após o encontro, suas organizadoras remeteram para um jornal de esquerda editado em São Paulo um resumo do que se discutira no decorrer

---

pela Frente Feminista de Mulheres e a preocupação de uma revisão crítica da Lei Afonso Arinos por um grupo feminista de advogadas demonstram o avanço do movimento feminista, ao colocar a questão do racismo como forma de opressão da mulher. A recente criação da Associação de Pesquisa de Estudos da Mulher (Apem) no Rio de Janeiro, reunindo diferentes grupos e entidades feministas e femininas, também se constitui numa prova importante dos avanços realizados pelo movimento. (1980)

* O Encontro Nacional da Mulher, no Rio de Janeiro, em março de 1979. Já no ano seguinte, no Primeiro Congresso da Mulher Fluminense, realizado em 14 e 15 de junho, todas as propostas que nós, mulheres negras, apresentamos foram aprovadas por unanimidade pela plenária e constam das resoluções finais do congresso. Por aí se vê como, com um ano de diferença, houve profundas mudanças nas perspectivas feministas ou femininas com relação à questão racial. Importante ressaltar, é claro, que as mulheres negras também buscaram se organizar e se fazerem representar de maneira mais decisiva com seus dois grupos existentes no Rio de Janeiro: o Luísa Mahin e o Aqualtune. (1980)

daquela semana. Aconteceu que todo um parágrafo que relatava nossa atuação foi devidamente censurado pelos "progressistas" editores daquele jornal. Como opositores do regime militar, entretanto, também eles (como aquele artigo da Lei de Segurança Nacional)* acham que o Brasil é uma democracia racial e que é proibido discutir questões sobre racismo. Nesse aspecto, pouca ou nenhuma diferença existe entre os jornais progressistas (a única exceção é aquele denominado *Versus*, onde existe uma seção intitulada Afro-Latino-América dirigida por elementos pertencentes ao Movimento Negro Unificado) e os conservadores. Quanto a estes últimos, podemos apontar um fato recentemente acontecido: no dia de nossa chegada aos Estados Unidos (em abril de 1979), participamos, juntamente com Abdias do Nascimento, de um seminário sobre o Brasil em Nova York. A correspondente internacional do *Jornal do Brasil* enviou um telex para a redação brasileira, relatando principalmente a atuação dos dois negros presentes, além da de outros brasileiros. Do mesmo modo que o progressista, o conservador também excluiu/censurou os parágrafos que nos diziam respeito. Mas se o tema são as "mulatas que não estão no mapa", toda a imprensa faz questão de publicar.

Pelo exposto, talvez se conclua que a mulher negra desempenha um papel altamente negativo na sociedade brasileira dos dias de hoje, dado o tipo de imagem que lhe é atribuído ou dadas as formas de superexploração e alienação a que está submetida. Mas há que se colocar, dialeticamente, as estratégias de que ela se utiliza para sobreviver e resistir numa formação social capitalista e racista como a nossa.

Algumas reflexões, a título de conclusão

Na introdução deste trabalho, referimo-nos aos diferentes modos de resistência/confrontação utilizados pelo negro no período escravista, assim como

---

* O artigo da Lei de Segurança Nacional a que Lélia Gonzalez se refere é o decreto-lei nº 898, de 29 de setembro de 1969, que arrolava como crime no artigo 39 incitar: "I. A guerra ou à subversão da ordem político-social; II. A desobediência coletiva às leis; III. A animosidade entre as Forças Armadas ou entre estas e as classes sociais ou as instituições civis; IV. A luta pela violência entre as classes sociais; V. A paralisação de serviços públicos, ou atividades essenciais; VI. *Ao ódio ou à discriminação racial*. Pena: reclusão de dois a dez anos" (grifo nosso). (N. O.)

às formas de resistência passiva (mas ativas quanto à sua eficácia simbólica) representadas pela atuação da mãe preta.

Vale apontar agora um outro tipo de resistência, surgida ainda naquela época (final do século XVIII, início do século XIX) e que perdura até os dias de hoje. Referimo-nos ao candomblé, religião afro-brasileira de origem iorubana e praticamente berço das demais religiões negras do Brasil. Seu grande centro de dispersão, como sabemos, é o estado da Bahia, principalmente sua capital, a cidade de Salvador. Objeto da perseguição dos senhores católicos (leigos ou do clero) e da polícia até há poucos anos, atualmente virou moda e, como as escolas de samba e a umbanda do Rio de Janeiro, sofre os efeitos das investidas do capitalismo monopolista.[11] Sem entrarmos nos detalhes de sua estrutura, cabe salientar que é liderado principalmente por mulheres: as ialorixás ou mães de santo.* São mulheres negras e pobres que não desempenham um papel apenas religioso/cultural.

> Nessas comunidades as mulheres negras e pobres assumem e mantêm posições de poder e dominação sobre, entre outras pessoas, homens brancos de classe média e, menos frequentemente, alta. [...] O papel da mãe de santo dá a ela, como mulher negra e pobre (e também em vários graus aos grupos em volta dela), talvez a única "entrada" na sociedade dominante. Através das funções que exerce como mãe de santo, ela estabelece um mecanismo de acesso aos recursos materiais e humanos apropriados por outras classes [...], que redistribui em maior ou menor medida ao seu grupo. Então, através da religião, ela e seu grupo doméstico conseguem recursos e conexões maiores em termos de rede de influência, prestígio e clientelismo para melhor sobreviver.[12]

Lembramo-nos aqui das extraordinárias figuras de Mãe Aninha e Mãe Senhora, num passado recente, assim como, nos dias de hoje, da capacidade de liderança de Mãe Estela e da fama de Mãe Menininha. E note-se que, em termos de racismo, a sociedade baiana "branca" é uma das mais reacionárias.

---

* É bastante recente o surgimento da figura do babalorixá, ou pai de santo, na estrutura do candomblé. Os primeiros mais importantes começaram a atuar a partir da década de 1930. (1980)

Por outro lado, há que ressaltar o trabalho de conscientização de suas irmãs menos favorecidas, efetuado pelas mulheres que atuam no conselho diretivo do Grêmio Recreativo de Arte Negra e Escola de Samba Quilombo, no Rio de Janeiro; objetivando exatamente o oposto do que acontece com as outras escolas, procuram desmistificar a figura e a "profissão" de mulata, assim como o processo de exploração comercial e de folclorização sofrido pelas escolas de samba tradicionais.

Em termos de Movimento Negro Unificado, a presença da mulher negra tem sido de fundamental importância, uma vez que, compreendendo que o combate ao racismo é prioritário, ela não se dispersa num tipo de feminismo que a afastaria de seus irmãos e companheiros.* Na verdade, o trabalho que vem desenvolvendo, seja nas discussões prático-teóricas, seja nas favelas, periferias ou prisões, com crianças, adolescentes ou adultos, dá a medida de sua crescente conscientização política.**

Mas sobretudo a *mulher negra anônima* sustentáculo econômico, afetivo e moral de sua família é quem, a nosso ver, desempenha o papel mais importante. Exatamente porque com sua força e corajosa capacidade de luta pela sobrevivência nos transmite a nós, suas irmãs mais afortunadas, o ímpeto de não nos recusarmos à luta pelo nosso povo. Mais ainda porque, como na dialética do senhor e do escravo de Hegel, apesar da pobreza, da solidão quanto a um companheiro, da aparente submissão, é ela a portadora da chama da libertação, justamente porque não tem nada a perder.

---

* Pesquisas recentemente realizadas demonstram que a divisão racial do trabalho opera de maneira muito mais contundente, em termos de prejuízos para a população negra, do que a divisão sexual do trabalho contra o setor feminino da população brasileira. Queremos dizer que mais uma vez se confirma a terrível situação da mulher negra, uma vez que em termos de distribuição de renda a distância que marca as diferenças entre brancas e negras é muito maior do que aquela que separa homens e mulheres (Oliveira, Porcaro e Araújo Costa, 1980).
** De um lado, o avanço na conquista de um espaço para a denúncia do racismo e suas práticas, efetuado pelo Movimento Negro Unificado, obrigou os demais grupos e entidades negras a uma reavaliação de seu papel dentro do movimento negro em geral (cuja ação se tornou muito mais eficiente a partir do ano passado para cá, sobretudo em termos de Rio de Janeiro). Por outro lado, os avanços do feminismo brasileiro também contribuíram para a constituição de grupos de mulheres negras não somente dentro do MNU (São Paulo, Rio de Janeiro, Belo Horizonte, Salvador etc.) como dentro do movimento negro em geral. (1980)

O apoio brasileiro à causa da Namíbia: Dificuldades e possibilidades

Nesta comunicação, pretendo falar principalmente sobre aspectos ideológicos que constituem o plano de fundo das relações Brasil-África, em especial no que tange à África Austral. Esses aspectos se referem diretamente à situação da comunidade afro-brasileira e ao neocolonialismo racista da classe governante em meu país, disfarçado de "democracia racial". A partir daí defendo a seguinte posição: apenas reforçando os movimentos negros na diáspora é que os movimentos de libertação da África Austral — particularmente a Swapo — poderão contar com o apoio mais efetivo de países como o Brasil. Ou, num contexto mais amplo, o fortalecimento da África é estritamente relacionado ao fortalecimento da diáspora negra.

Brasil: contradições internas e ambivalências externas

O Brasil é o segundo maior país do mundo em termos de população negra, superado apenas pela Nigéria. Segundo os dados do Censo de 1980, os negros (oficialmente chamados de pretos e pardos) constituem 44% de uma população de 120 milhões. Entretanto, para nós que trabalhamos com o movimento negro, assim como para todos os nossos aliados, a população afro-brasileira atinge percentagens muito mais elevadas do que as reveladas pelos dados conservadores do Instituto Brasileiro de Geografia e Estatística. Somos, na verdade, a maioria da população. Surge, então, uma questão: por que os dados oficiais mostram apenas 44%? A resposta está no que apresento a seguir.

Duas concepções ideológicas definem, de maneira dúbia e distorcida, a identidade dos negros na sociedade brasileira: por um lado, a noção de democracia racial, e, por outro, a ideologia do branqueamento. A primeira, desenvolvida por Gilberto Freyre na década de 1930, constitui a visão pública e oficial com relação aos negros. De acordo com ela, estes são cidadãos como quaisquer outros e, por causa disso, não são submetidos ao preconceito ou à discriminação.[1] Vou dar alguns exemplos dessa teoria.

Quando o presidente Sekou Touré visitou o Brasil, em fevereiro de 1980, o presidente João Figueiredo declarou que

> as afinidades e a relação entre o Brasil e a África colocam as relações entre os dois povos muito acima do que a simples questão dos interesses recíprocos. A contribuição africana está profundamente arraigada em nossa cultura. Os hábitos, costumes, crenças, seu comportamento, tudo faz parte da dimensão interna do Brasil e de seu povo.[2]

Na época da Conferência Internacional sobre Sanções contra a África do Sul, ocorrida em Paris, entre os dias 20 e 27 de maio de 1981, em que estive presente, o representante do governo brasileiro afirmou:

> O Brasil tem condenado abertamente o apartheid e a ocupação ilegal da Namíbia pela África do Sul, assim como a invasão militar sul-africana de Angola, Zâmbia e, recentemente, Moçambique.
>
> A posição brasileira advém do nosso respeito aos princípios básicos da Carta das Nações Unidas, assim como *do caráter não racial de nossa sociedade e da experiência que temos de integração étnica*. O governo brasileiro, portanto, rejeita o apartheid como uma grave violação dos direitos humanos e uma ameaça à paz e à segurança internacionais. Essa ideologia, totalmente estranha à realidade brasileira, é condenada por todos no Brasil, como se pode ver em ocasiões como a comemoração do Dia Internacional de Luta pela Eliminação da Discriminação Racial, o Dia da Namíbia, o aniversário da Declaração Universal dos Direitos Humanos e outras solenidades relacionadas ao que aconteceu na luta pela libertação da África do Sul. (Grifo nosso)

O Carnaval e o futebol brasileiros só podem corroborar a noção de democracia racial. Afinal, Pelé é o brasileiro mais famoso do mundo.

Entretanto, quando observamos certos "detalhes", pode-se ver que as coisas não são bem assim. Por exemplo: raramente se veem afro-brasileiros trabalhando em bancos, restaurantes, companhias aéreas, grandes lojas ou outras profissões que exijam contato direto com o público. A seleção racial já pode ser notada em anúncios de emprego que exigem "boa aparência". Essa expressão, como sabemos muito bem, significa "Não aceitamos negros". Não é por acaso que 83,1% das mulheres negras e 92,4% dos homens negros se concentram em ocupações ligadas ao trabalho manual não qualificado. Ou que quatro quintos da força de trabalho negra exerçam ocupações caracterizadas por baixa remuneração e por baixos índices de escolaridade.[3]

Outro "detalhe" a que a comunidade afro-brasileira já está acostumada se refere à violência policial: quando atua em bairros e residências da classe dominante branca, a ação da polícia visa "proteger"; mas em relação às favelas e áreas periféricas, onde se concentra a população negra, a polícia passa para a *repressão*... Por esse motivo, afro-brasileiros têm medo de sair de casa sem seu documento de identidade, especialmente sem sua carteira de trabalho; uma pessoa pode ser presa sem motivo, torturada ou simplesmente morta como um "delinquente perigoso".

Ora, numa sociedade em que a discriminação racial é vista diariamente na admissão no emprego (especialmente no atual período de recessão), pode-se imaginar a única saída que o trabalhador afro-brasileiro encontra: sem outra forma de escapar da violência policial, ele vende seu trabalho a qualquer preço para um patrão branco que aceite assinar sua carteira de trabalho. Além disso, a Lei de Infrações Penais, em seu artigo 159, afirma que a prática da vagabundagem (referindo-se ao desemprego) resulta em prisão; assim, é fácil perceber que não é permitido ao trabalhador negro ficar sem emprego. Não é por acaso que a população carcerária do nosso país é constituída principalmente por afro-brasileiros.[4]

Por essa breve caracterização, vê-se que na "democracia racial" brasileira, com sua divisão racial do trabalho, a população negra é sempre forçada a permanecer nas escalas inferiores da hierarquia social. Não é por acaso que uma expressão, atribuída a um famoso humorista, afirma sarcasticamente que "no Brasil não existe racismo porque o negro conhece o seu lugar". Também não é por acaso que o movimento negro se refere à noção de "democracia racial" como um mito.[5]

A outra noção ideológica que define a identidade afro-brasileira é a ideologia do branqueamento, ou simplesmente branqueamento. Segundo Carlos Hasenbalg, "na autoimagem do Brasil, o negro é quase invisível".[6] Em minha visão, essa afirmação aponta para um dos principais aspectos do branqueamento, não apenas na sociedade brasileira mas também nas sociedades latino-americanas em geral.[7] Sua expressão mais objetiva, contudo, está no texto do decreto-lei nº 7.967, de 18 de setembro de 1945, o qual, em seu artigo 2º, afirma: "Atender-se-á, na admissão dos imigrantes, *à necessidade de preservar e desenvolver, na composição étnica da população, as características mais convenientes da sua ascendência europeia, assim como a defesa do trabalhador nacional*" (grifo nosso). Apesar desse tipo de preocupação, esse ideal nunca se concretizou em termos demográficos, já que a população negra retomou seu processo de crescimento a partir da década de 1960. Do ponto de vista cultural, porém, o branqueamento está lá, tentando demonstrar a superioridade europeia em detrimento da histórica contribuição africana à construção da herança sociocultural brasileira.

A caracterização da produção cultural afro-brasileira nas instituições de cultura e educação, por exemplo, ilustra esse fenômeno. Práticas educacionais, assim como textos escolares, são marcadamente racistas. E isso sem levar em conta o sexismo e a valorização dos privilégios de classe. É desnecessário observar que os meios de comunicação de massa apenas reforçam e continuam a seguir a ideia da "superioridade branca".

Enquanto o mito da democracia racial funciona nos níveis público e oficial, o branqueamento define os afro-brasileiros no nível privado e em duas outras esferas. Numa dimensão consciente, ele reproduz aquilo que os brancos dizem entre si a respeito dos negros e constitui um amplo repertório de expressões populares pontuadas por imagens negativas dos negros: "Branco correndo é atleta, negro correndo é ladrão"; "O preto, quando não suja na entrada, suja na saída"; "Branca para casar, mulata para fornicar, negra para trabalhar" etc. Essa última expressão aponta para o segundo nível em que atuam os mecanismos do branqueamento: um nível mais inconsciente que corresponde aos papéis e lugares estereotipados atribuídos a um homem ou mulher negros. Assim, ele (ou ela) é representado como um trabalhador braçal, não qualificado, ou como alguém que conseguiu ascender socialmente, mas sempre pelos canais de mobilidade social considerados adequados para ele ou ela. Imagens positivas são aquelas em que os negros desempenham papéis sociais a eles atribuídos pelo sistema: cantor e/ou compositor de música popular, jogador de futebol, mulata. Em todas essas imagens, há um elemento comum: a pessoa negra é vista como um objeto de entretenimento. Essa tipificação cultural dos negros também assinala outro elemento comum condensado em atributos corporais: força/resistência física, ritmo/sexualidade. Não é preciso dizer aqui que o homem ou mulher negros que não se adequam a esses parâmetros são rejeitados pelo estereótipo.[8]

Vale observar que a expressão popular mencionada anteriormente — "Branca para casar, mulata para fornicar, negra para trabalhar" — tornou-se uma síntese privilegiada de como a mulher negra é vista na sociedade brasileira: como um corpo que trabalha, e que é superexplorado economicamente, ela é uma faxineira, cozinheira, lavadeira etc. que faz o "trabalho pesado" das famílias de que é empregada; como um corpo que gera prazer e que é superexplorado sexualmente, ela é a mulata dos desfiles de Carnaval para turistas, de filmes pornográficos etc., cuja sensualidade é incluída na categoria do "erótico-exótico".[9]

Dessa forma, não é difícil perceber que as afirmações contidas na mensagem do governo brasileiro na conferência de Paris parecem falsas não apenas para nós, afro-brasileiros atuantes no movimento negro, mas também para africanos que chegam a nosso país. Eles descobrem que a "africanidade" brasileira, como a chamada "democracia racial" realçada no discurso oficial brasileiro dirigido especialmente à África, nada mais é, como dizemos entre nós, do que "folclore". Em sua comunicação apresentada no I Seminário Internacional Brasil-África, realizado no Centro de Estudos Afro-Asiáticos em agosto de 1981, o professor José Maria Nunes Pereira, tendo caracterizado o processo histórico de proximidade/separação/proximidade entre nosso país e o continente africano, afirmou:

> Técnicos, executivos e empresários brasileiros, junto com um fácil relacionamento com africanos na África, apresentam um paternalismo agressivo — a forma clássica do racismo brasileiro [...]. A primeira imagem que os africanos têm das desigualdades raciais no Brasil aparece tão logo descem do avião no aeroporto do Rio de Janeiro, costumeiro porto de entrada no país. Eles não veem praticamente nenhum negro nos primeiros escalões da equipe do aeroporto; eles estão presentes apenas nos serviços de manutenção e limpeza. Depois, em reuniões em ministérios, lá vêm os pretos servindo café, como sempre. A existência de um ou outro funcionário de relações públicas negro em companhias

que exportam para a África não muda a realidade detectada pelo africano assim que chega ao Brasil.[10]

Além disso, não é raro que estudantes africanos, vistos como brasileiros, sejam presos pela polícia como vagabundos (desempregados). Afinal, somos todos negros e, como tais, suspeitos.

Ademais, a "superioridade branca" brasileira ignora quase tudo que se refere ao continente africano; com exceção de notícias de eventos imprevistos (guerras, golpes de Estado etc.), os brasileiros são muito desinformados sobre processos políticos e culturais africanos. Nesse sentido, a África não foge aos estereótipos que começaram com filmes como *Tarzan*. Frequentemente pessoas "cultas" nos fazem esta pergunta: "Ah, você esteve naquele país da África? Que dialeto eles falam lá?". O estereótipo funciona assim: como os africanos são "selvagens" e "atrasados", *só* podem falar *dialetos*, pois somente pessoas civilizadas são capazes de falar uma *língua*.

Com exceção de uns poucos centros de estudos africanos, dos quais o Centro de Estudos Afro-Asiáticos da Universidade Candido Mendes, no Rio de Janeiro, é com certeza o mais ativo, não há estudos sistemáticos, em qualquer nível de ensino, sobre o continente africano. A esse respeito, é importante enfatizar que uma das maiores demandas do movimento negro se refere precisamente a essa área. Mas vou tratar do movimento negro mais adiante.

Apesar da política "ecumênica, pragmática e responsável" do governo Geisel (1974-9), pela qual o Brasil procurou estreitar relações com a África, uma série de obstáculos, como a tendência ideológica que tentamos retratar aqui, ainda precisam ser superados. Por esse motivo, gostaria de reproduzir um trecho do discurso do dr. Akindele, diretor-geral do Instituto Nigeriano de Assuntos Internacionais, por ocasião do I Seminário Internacional Brasil-África, já mencionado. Disse ele:

> Antes de prosseguir, permitam-me explicar que não falo em nome do governo da Nigéria nem da instituição para a qual trabalho, o Instituto Nigeriano de Assuntos Internacionais. Falo apenas por mim mesmo. Gostaria de me concentrar rapidamente em três áreas que são fontes de irritação nas relações entre o Brasil e a África.
>
> A primeira área problemática é a África do Sul. A África ainda se preocupa muito com as contradições e ambivalências da política brasileira em relação à

África do Sul. Estamos perfeitamente conscientes de que, embora condene verbalmente o governo sul-africano por sua política criminosa e pelo apartheid, o Brasil continua a expandir seu comércio com o país e tem se recusado a apoiar os movimentos de libertação; e, o que é mais decepcionante para muitos países africanos, o Brasil tem se recusado a apoiar a posição da Organização da Unidade Africana (OUA) de que somente um conflito armado vai resolver os problemas da mudança política naquela parte do continente.

A segunda fonte de irritação, para um observador africano das relações Brasil-África, é a falta de participação e, naturalmente, a falta de influência da população afro-brasileira na articulação, formulação e implementação da política brasileira em relação a um continente de especial interesse cultural e histórico para os afro-brasileiros.

Finalmente, a terceira fonte de irritação é o fato de que o Brasil dá muita atenção ao comércio e aos investimentos bancários em suas relações com muitos países da África. Tem-se a impressão de que o Brasil vê a África antes de tudo como um mercado para seus produtos manufaturados, e só secundariamente como uma economia, ou uma série de economias, a ser ajudada, em seu desenvolvimento, por meio de investimento e transferência de tecnologia. Esse conceito sobre a África, pelo que vejo, deve ser eliminado se o Brasil quiser manter boas relações com os países africanos.

Será que preciso acrescentar alguma coisa? Creio que não.

A importância do movimento negro

Quando falamos sobre o movimento negro, estamos nos referindo a um complexo de organizações e instituições herdeiras de um longo processo histórico de resistência pan-africanista e de luta por libertação da comunidade afro-brasileira, sujeita a condições extremas de exploração econômica e opressão racial. E, devido ao fato de enfrentarem o racismo e suas práticas, elas levam às últimas consequências o processo de desmascarar a lógica da dominação capitalista. Por esse motivo, o movimento negro tem um potencial revolucionário muito mais rico do que outros movimentos semelhantes que também se propõem lutar por uma sociedade justa e igualitária.

No sentido de que "a população afro-brasileira constitui um povo fundamental, num país fundamental, na perspectiva do mundo africano",[11] a força do movimento negro se torna um fator de vital importância para o desenvolvimento das relações políticas, econômicas e estratégicas entre Brasil e África como uma realidade em níveis diferentes daqueles que já apontamos.

No caso específico da África Austral, por exemplo, a iniciativa de criar um Comitê Antiapartheid em nosso país pertence ao movimento negro, que, no Rio de Janeiro, São Paulo e Brasília, tem esbarrado na indiferença de organizações e movimentos representativos de outros setores da sociedade civil, assim como dos partidos de oposição. Não é necessário ressaltar que essa indiferença é fruto da ideologia do branqueamento e do mito da democracia racial — internalizados por um amplo setor da esquerda cuja prática, a esse respeito, não é diferente daquela do liberalismo paternalista.

Manifestações de protesto contra a África do Sul; abaixo-assinados contra a prisão e o assassinato de líderes do movimento de libertação; denúncia das relações do governo brasileiro com o regime racista de Pretória; protestos contra a propaganda turística sul-africana em revistas brasileiras ou a formação de um lobby no Congresso em favor de maiores relações com a África do Sul; filmes (produzidos pela ONU) mostrando a situação das populações negras na África do Sul e na Namíbia; conferências, debates etc. — temos feito tudo isso com o objetivo de chamar atenção da opinião pública para a gravidade dessas questões, e sempre contamos com o apoio dos escritórios de informações das Nações Unidas no Brasil.

Apesar de nossas dificuldades internas, de natureza organizacional e financeira, e sabendo que precisamos fazer muito mais do que temos feito, ainda assim continuamos a realizar nosso trabalho de conscientizar as comunidades afro-brasileiras sobre as lutas de libertação na África. A esse respeito, o movimento negro da Bahia, responsável pela realização de dois Encontros de Negros do Norte e Nordeste, tem desenvolvido um esforço cultural cujos efeitos políticos já se podem sentir. Refiro-me aos temas contemporâneos africanos apresentados pelos afoxés e blocos afro no Carnaval de Salvador: "Gana", "Zimbábue", "Movimentos de libertação" etc., que têm sido cantados nos desfiles carnavalescos por milhares de negros que, dessa maneira, passam a perceber uma realidade da qual não tinham consciência e que lhes diz respeito. Menos de um mês atrás, um dos líderes do movimento de descolonização cultural viajou para Angola; é claro que essa viagem não foi para fins turísticos, nem para uma "pesquisa" para o desfile carnavalesco do próximo ano.

Também menos de um mês atrás, no II Encontro Feminista da América Latina e do Caribe, quatro irmãs do Rio de Janeiro assumiram a tarefa de levantar a questão da discriminação racial como um fator de desigualdade entre as mulheres — além da desigualdade de classe. Com essa ação, ganharam a simpatia de outras mulheres negras e indianas também presentes ao encontro, que decidiram se juntar às brasileiras. Dessa reunião resultou o Comitê de Mulheres Latino-Americanas e Caribenhas contra a Discriminação Racial. Já instalamos a Comissão Interina do Rio de Janeiro, que está contatando as irmãs do movimento negro e do movimento de mulheres de todo o Brasil, com vistas a organizar o setor brasileiro do mencionado comitê. Por outro lado, como resultado de discussões realizadas no III Congresso de Cultura Negra das Américas, realizado em São Paulo no ano passado, estamos organizando uma Reunião Preparatória de Mulheres Negras em Quito, tendo em vista o IV Congresso, que acontecerá em Granada no segundo semestre de 1984.

Não quero que vocês pensem que vim aqui para fazer um relatório das atividades do movimento negro. O que desejo tornar claro é que o movimento negro brasileiro está atravessando um processo que lhe permitirá ter um impacto político capaz de concretizar o trabalho que vai realizar depois deste simpósio: apoiar a luta pela autodeterminação do povo da Namíbia, sob a liderança da Swapo.

Além disso, não podemos esquecer que

> sucessivos fracassos no diálogo norte-sul fizeram o terceiro mundo tomar consciência da necessidade de uma mudança estrutural, começando pela redistribuição de papéis no contexto mundial e a crescente importância das relações sul-sul como a principal forma de reduzir sua dependência em relação aos países desenvolvidos.[12]

Não é preciso declarar que, nesse aspecto, a cooperação entre os países em desenvolvimento não é apenas uma necessidade econômica, mas uma exigência vital no plano das relações internacionais.

Deveríamos chamar atenção para o recente conflito entre Inglaterra e Argentina, que teve como efeito mais grave a instalação de bases militares inglesas nas Malvinas/Falklands; a Inglaterra preenche assim o "vácuo de poder" no Atlântico Sul, como declarou o ministro da Marinha brasileira em 1979. Com isso, não é difícil — segundo Larkin Nascimento — desestabilizar governos como o de Angola ou Moçambique na tentativa de evitar que o "perigo comunista" se torne mais influente na África Austral. Com efeito, o papel da Unita de Savimbi não foi outro senão este: o de um instrumento do imperialismo ocidental e do odioso regime de Pretória que, dessa maneira, se sente seguro para continuar suas manobras pelo adiamento indefinido da independência da Namíbia, dividindo seu povo internamente, tentando obstar a luta de libertação liderada pela Swapo e ignorando a importância do Conselho das Nações Unidas para a Namíbia.

A realização deste simpósio aqui na Costa Rica, tão próxima de outra área de conflitos entre forças populares e o imperialismo, é muito significativa. E não poderia ser de outra forma. Afinal, podemos estimular o povo latino-americano a criar vínculos entre essas duas áreas (África Austral e América Latina). Podemos ampliar a resistência e desenvolver um trabalho de solidariedade efetiva entre dois continentes que deveriam estar cada vez mais próximos na luta comum contra o imperialismo, que oprime a ambos.

Se prestarmos atenção ao papel desempenhado pelo Brasil, por motivos óbvios, em termos de capitalismo e imperialismo, torna-se claro que uma comunidade afro-brasileira politicamente organizada em torno do movimento negro é da máxima importância. Essa comunidade desempenharia um papel significativo

> na medida em que poderia influenciar a tomada de decisões do Brasil com respeito à África negra. As relações África-Brasil, no nível da população africana — não no das elites dominantes —, têm uma necessidade urgente de serem ampliadas, partindo de uma dimensão puramente cultural e recreativa e avançando para uma dimensão político-econômica. E da mesma forma que a África tem um interesse fundamental por essa futura solidariedade, a maioria afro-brasileira, por sua vez, precisa de uma base africana de apoio internacional para sua luta política dentro de seu país.[13]

Depois deste simpósio, tenho certeza de que essa solidariedade não será mais algo do futuro, mas estará concretamente aqui e agora.

Racismo e sexismo na cultura brasileira

Cumé que a gente fica?

Foi então que uns brancos muito legais convidaram a gente pra uma festa deles, dizendo que era pra gente também. Negócio de livro sobre a gente. A gente foi muito bem recebido e tratado com toda consideração. Chamaram até pra sentar na mesa onde eles tavam sentados, fazendo discurso bonito, dizendo que a gente era oprimido, discriminado, explorado. Eram todos gente fina, educada, viajada por esse mundo de Deus. Sabiam das coisas. E a gente foi se sentar lá na mesa. Só que tava tão cheia que não deu pra gente sentar junto com eles. Mas a gente se arrumou muito bem, procurando umas cadeiras e sentando bem atrás deles. Eles tavam tão ocupados, ensinando um monte de coisa pro crioléu da plateia, que nem repararam que se apertasse um pouco até que dava pra abrir um espaçozinho e todo mundo sentar junto na mesa. Mas a festa foram eles que fizeram, e a gente não podia bagunçar com essa de chega pra cá, chega pra lá. A gente tinha que ser educado. E era discurso e mais discurso, tudo com muito aplauso.

Foi aí que a neguinha que tava sentada com a gente deu uma de atrevida. Tinham chamado ela pra responder uma pergunta. Ela se levantou, foi lá na mesa pra falar no microfone e começou a reclamar por causa de certas coisas que tavam acontecendo na festa. Tava armada a quizumba. A negrada parecia que tava esperando por isso pra bagunçar tudo. E era um tal de falar alto, gritar, vaiar, que nem dava mais pra ouvir discurso nenhum. Tá na cara que os brancos ficaram brancos de raiva e com razão. Tinham chamado a gente pra festa de um livro que falava da gente e a gente se comportava daquele jeito, catimbando a discurseira deles. Onde já se viu? Se eles sabiam da gente mais do que a gente mesmo? Se tavam ali, na maior boa vontade, ensinando uma porção de coisa pra gente da gente? Teve uma hora que não deu pra aguentar aquela zoada toda da negrada ignorante e mal educada. Era demais. Foi aí que um branco enfezado partiu pra cima de um crioulo que tinha pegado no microfone pra falar contra os brancos. E a festa acabou em briga...

Agora, aqui pra nós, quem teve a culpa? Aquela neguinha atrevida, ora. Se não tivesse dado com a língua nos dentes... Agora tá queimada entre os brancos. Malham ela até hoje. Também quem mandou não saber se comportar? Não é à toa que eles vivem dizendo que "preto quando não caga na entrada caga na saída"...

A longa epígrafe diz muito além do que ela conta. De saída, o que se percebe é a identificação do dominado com o dominador. E isso já foi muito bem analisado por um Fanon, por exemplo. Nossa tentativa aqui é a de uma indagação sobre o porquê dessa identificação. Ou seja, o que foi que ocorreu para que o mito da democracia racial tenha tido tanta aceitação e divulgação? Quais foram os processos que teriam determinado sua construção? O que é que ele oculta, para além do que mostra? Como a mulher negra é situada no seu discurso?

O *lugar* em que nos situamos determinará nossa interpretação sobre o duplo fenômeno do racismo e do sexismo. Para nós o *racismo* se constitui como a *sintomática* que caracteriza a *neurose cultural brasileira*. Nesse sentido, veremos que sua articulação com o sexismo produz efeitos violentos sobre a mulher negra em particular. Consequentemente, o lugar de onde falaremos põe um outro, aquele que habitualmente vínhamos colocando em textos anteriores. E a mudança foi se dando a partir de certas noções que, forçando sua emergência em nosso discurso, nos levaram a retornar à questão da mulher negra numa outra perspectiva. Trata-se das noções de mulata, doméstica e mãe preta.

Em comunicação apresentada no Encontro Nacional da Lasa (Latin American Studies Association) em abril de 1979,[1] falamos da mulata, ainda que de passagem, não mais como uma noção de caráter étnico, mas como uma profissão. Tentamos desenvolver um pouco mais essa noção em outro trabalho, apresentado num simpósio realizado em Los Angeles, na Ucla, em maio do mesmo ano.[2] Ali falamos dessa dupla imagem da mulher negra de hoje: mulata e doméstica. Mas ali também emergiu a noção de mãe preta, colocada numa nova perspectiva. Mas ficamos por aí.

Nesse meio-tempo, participamos de uma série de encontros internacionais que tratavam da questão do sexismo como tema principal, mas que certamente abriam espaço para a discussão do racismo também. Nossa experiência foi muito enriquecedora. Vale ressaltar que a militância política no Movimento Negro Unificado era um fator determinante de nossa compreensão da questão racial. Por outro lado, a experiência vivida enquanto membro do Grêmio Recreativo de Arte Negra e Escola de Samba Quilombo nos permitiu a percepção de várias facetas que se constituiriam em elementos muito importantes para a concretização deste trabalho. E começaram a se delinear, para nós, aquilo que se poderia chamar de contradições internas. O fato é que, enquanto mulheres negras, sentimos a necessidade de aprofundar nossa reflexão, em vez de continuarmos na reprodução e repetição dos modelos que nos eram oferecidos pelo esforço de investigação das ciências sociais. Os textos só nos falavam da mulher negra numa perspectiva socioeconômica que elucidava uma série de problemas propostos pelas relações raciais. Mas ficava (e ficará) sempre um resto que desafiava as explicações. E isso começou a nos incomodar. Exatamente a partir das noções de mulata, doméstica e mãe preta que estavam ali, nos martelando com sua insistência...

Nosso suporte epistemológico se dá a partir de Freud e Lacan, ou seja, da psicanálise. Justamente porque como nos diz Jacques-Alain Miller, em sua Teoria da Alíngua:

> O que começou com a descoberta de Freud foi uma outra abordagem da linguagem, uma outra abordagem da língua, cujo sentido só veio à luz com sua retomada por Lacan. Dizer mais do que sabe, não se saber o que diz, dizer outra coisa que não o que se diz, falar para não dizer nada, não são mais, no campo freudiano, os defeitos da língua que justificam a criação das línguas formais. Estas são propriedades inelimináveis e positivas do ato de falar. Psicanálise e lógica, uma se funda sobre o que a outra elimina. A análise encontra seus bens nas latas de lixo da lógica. Ou ainda: a análise desencadeia o que a lógica domestica.[3]

Ora, na medida em que nós negros estamos na lata de lixo da sociedade brasileira, pois assim determina a lógica da dominação, caberia uma indagação via psicanálise. E justamente a partir da alternativa proposta por Miller, ou seja: por que o negro é isso que a lógica da dominação tenta (e consegue muitas vezes, nós sabemos) domesticar? O risco que assumimos aqui é o do ato de falar com todas as implicações. Exatamente porque temos sido falados, infantilizados (*infans* é aquele que não tem fala própria, é a criança que se fala na terceira pessoa, porque falada pelos adultos), que neste trabalho assumimos nossa própria fala. Ou seja, o lixo vai falar, e numa boa.

A primeira coisa que a gente percebe nesse papo de racismo é que todo mundo acha que é natural. Que negro tem mais é que viver na miséria. Por quê? Ora, porque ele tem umas qualidades que não estão com nada: irresponsabilidade, incapacidade intelectual, criancice etc. e tal. Daí é natural que seja perseguido pela polícia, pois não gosta de trabalho, sabe? Se não trabalha é malandro, e se é malandro é ladrão. Logo, tem que ser preso, naturalmente. Menor negro só pode ser pivete ou trombadinha,[4] pois filho de peixe, peixinho é. Mulher negra, naturalmente, é cozinheira, faxineira, servente, trocadora de ônibus ou prostituta. Basta a gente ler jornal, ouvir rádio e ver televisão. Eles não querem nada. Portanto têm mais é que ser favelados.

Racismo? No Brasil? Quem foi que disse? Isso é coisa de americano. Aqui não tem diferença porque todo mundo é brasileiro acima de tudo, graças a Deus. Preto aqui é bem tratado, tem o mesmo direito que a gente tem. Tanto é que, *quando se esforça*, ele sobe na vida como qualquer um. Conheço um que é médico; educadíssimo, culto, elegante e com umas feições tão finas... Nem parece preto.

Por aí se vê que o barato é domesticar mesmo. E se a gente detém o olhar em determinados aspectos da chamada cultura brasileira a gente saca que em suas manifestações mais ou menos conscientes ela oculta, revelando, as marcas da africanidade que a constituem. (Como é que pode?) Seguindo por aí, a gente também pode apontar pro lugar da mulher negra nesse processo de formação cultural, assim como pros diferentes modos de rejeição/integração de seu papel.

Por isso, a gente vai trabalhar com duas noções que ajudarão a sacar o que a gente pretende caracterizar. A gente tá falando das noções de *consciência* e de *memória*. Como consciência a gente entende o lugar do desconhecimento, do encobrimento, da alienação, do esquecimento e até do saber. É por aí que o discurso ideológico se faz presente. Já a memória, a gente considera como o não saber que conhece, esse lugar de inscrições que restituem uma história que não foi escrita, o lugar da emergência da verdade, dessa verdade que se estrutura como ficção. Consciência exclui o que memória inclui. Daí, na medida em que é o lugar da rejeição, a consciência se expressa como discurso dominante (ou efeitos desse discurso) numa dada cultura, ocultando a memória, mediante a imposição do que ela, consciência, afirma como *a* verdade. Mas a memória tem suas astúcias, seu jogo de cintura; por isso, ela fala através das mancadas do discurso da consciência. O que a gente vai tentar é sacar esse jogo aí das duas, também chamado de dialética. E, no que se refere à gente, à crioulada, a gente saca que a consciência faz tudo pra nossa história ser esquecida, tirada de cena. E apela pra tudo nesse sentido.* Só que isso tá aí... e fala.

A nega ativa

> Mulata, mulatinha, meu amor
> Fui nomeado teu tenente interventor
> (Lamartine Babo)

Carnaval. Rio de Janeiro, Brasil. As palavras de ordem de sempre: bebida, mulher e samba. Todo mundo obedece e cumpre. Blocos de sujo, banhos a fantasia, frevos, ranchos, grandes bailes nos grandes clubes, nos pequenos também. Alegria, loucura, liberdagem geral. Mas há um momento que se impõe. Todo mundo se concentra: na concentração, nas arquibancadas, diante da TV.

As escolas vão desfilar suas cores duplas ou triplas. Predominam as duplas: azul e branco, verde e rosa, vermelho e branco, amarelo e preto, verde e branco e por aí afora. Espetáculo feérico, dizem os locutores; plumas, paetês, muito luxo e riqueza. Imperadores, uiaras, bandeirantes e pioneiros, princesas, orixás, bichos, bichas, machos, fêmeas, salomões e rainhas de sabá, marajás, escravos, soldados, sóis e luas, baianas, ciganas, havaianas. Todos sob o comando do ritmo das baterias e do rebolado das mulatas que, dizem alguns, não estão no mapa. "Olha aquele grupo do carro alegórico ali. Que coxas, rapaz." "Veja aquela passista que vem vindo; que bunda, meu Deus!

---

* O melhor exemplo de sua eficácia está no barato da ideologia do branqueamento. Pois foi justamente um crioulo, apelidado de mulato, quem foi o primeiro na sua articulação em discurso "científico". A gente tá falando do "seu" Oliveira Vianna. Branqueamento, não importa em que nível, é o que a consciência cobra da gente pra mal aceitar a presença da gente. Se a gente parte pra alguma crioulice, ela arma logo um esquema pra gente "se comportar como gente". E tem muita gente da gente que só embarca nessa.

Olha como ela mexe a barriguinha. Vai ser gostosa assim lá em casa, tesão."
"Elas me deixam louco, bicho."

E lá vão elas, rebolantes e sorridentes rainhas, distribuindo beijos como se fossem bênçãos para seus ávidos súditos nesse feérico espetáculo... E feérico vem de "fée", fada, na civilizada da língua francesa. Conto de fadas?

O mito que se trata de reencenar aqui é o da democracia racial. E é justamente no momento do *rito* carnavalesco que o *mito* é atualizado com toda a sua força simbólica. E é nesse instante que a mulher negra se transforma única e exclusivamente na rainha, na "mulata deusa do meu samba", "que passa com graça/ fazendo pirraça/ fingindo inocente/ tirando o sossego da gente". É nos desfiles das escolas de primeiro grupo que a vemos em sua máxima exaltação. Ali ela perde seu anonimato e se transfigura na Cinderela do asfalto, adorada, desejada, devorada pelo olhar dos príncipes altos e loiros, vindos de terras distantes só para vê-la. Estes, por sua vez, tentam fixar sua imagem, estranhamente sedutora, em todos os seus detalhes anatômicos; e os flashes se sucedem, como fogos de artifício eletrônicos. E ela dá o que tem, pois sabe que amanhã estará nas páginas das revistas nacionais e internacionais, vista e admirada pelo mundo inteiro. Isso sem contar o cinema e a televisão. E lá vai ela feericamente luminosa e iluminada, no feérico espetáculo.

Toda jovem negra que desfila no mais humilde bloco do mais longínquo subúrbio sonha com a passarela da Marquês de Sapucaí. Sonha com esse sonho dourado, conto de fadas no qual "A Lua te invejando fez careta/ Porque, mulata, tu não és deste planeta". E por que não?

Como todo mito, o da democracia racial oculta algo para além daquilo que mostra. Numa primeira aproximação, constatamos que exerce sua violência simbólica de maneira especial sobre a mulher negra, pois o outro lado do endeusamento carnavalesco ocorre no cotidiano dessa mulher, no momento em que ela se transfigura na empregada doméstica. É por aí que a culpabilidade engendrada pelo seu endeusamento se exerce com fortes cargas de agressividade. É por aí, também, que se constata que os termos "mulata" e "doméstica" são atribuições de um mesmo sujeito. A nomeação vai depender da situação em que somos *vistas*.*

---

* Nesse sentido vale apontar para um tipo de experiência muito comum. Refiro-me aos vendedores que batem à porta de minha casa e, quando abro, perguntam gentilmente: "A

Se a gente dá uma volta pelo tempo da escravidão, pode encontrar muita coisa interessante. Muita coisa que explica essa confusão toda que o branco faz com a gente porque a gente é preto. Pra gente que é preta então, nem se fala. Será que as avós da gente, as mucamas, fizeram alguma coisa pra eles tratarem a gente desse jeito? Mas o que era uma mucama? O *Aurélio* assim define:

> Mucama. (Do *quimbundo* mu'kama "amásia escrava") S. f. Bras. A escrava negra moça e de estimação que era escolhida para auxiliar nos serviços caseiros ou acompanhar pessoas da família e que, *por vezes*, era *ama de leite*. (Grifos nossos)

Parece que o primeiro aspecto a observar é o próprio nome, significante proveniente da língua quimbunda, e o significado que nela possui. Nome africano, dado pelos africanos e que ficou como inscrição não apenas no dicionário. Outro aspecto interessante é o deslocamento do significado no dicionário, ou seja, no código oficial. Vemos aí uma espécie de neutralização, de esvaziamento no sentido original. O "por vezes" é que, de raspão, deixa transparecer alguma coisa daquilo que os africanos sabiam, mas que precisava ser esquecido, ocultado.

Vejamos o que nos dizem outros textos a respeito de mucama. June E. Hahner, em *A mulher no Brasil*, assim se expressa:

> A escrava de cor criou para a mulher branca das casas-grandes e das menores condições de vida amena, fácil e na maior parte das vezes ociosa. Cozinhava, lavava, passava a ferro, esfregava de joelhos o chão das salas e dos quartos, cuidava dos filhos da senhora e satisfazia as exigências do senhor. Tinha seus próprios filhos, o dever e a fatal solidariedade de amparar seu companheiro, de sofrer com os outros escravos da senzala e do eito e de submeter-se aos castigos corporais que lhe eram, pessoalmente, destinados. [...] O amor para a escrava [...] tinha aspectos de verdadeiro pesadelo. As incursões desaforadas e aviltantes do senhor, filhos e parentes pelas senzalas, a desfaçatez dos padres a quem as Ordenações Filipinas, com seus castigos pecuniários e degredo para a África, não intimidavam nem faziam desistir dos concubinatos e mancebias com as escravas.[5]

---

madame está?". Sempre lhes respondo que a madame saiu e, mais uma vez, constato como somos vistas pelo "cordial" brasileiro. Outro tipo de pergunta que se costuma fazer, mas aí em lugares públicos: "Você trabalha na televisão?", ou "Você é artista?". E a gente sabe o que significa esse "trabalho" e essa "arte".

Mais adiante, citando José Honório Rodrigues, ela se refere a um documento do final do século XVIII no qual o vice-rei do Brasil na época excluía de suas funções de capitão-mor um homem que manifestara "baixos sentimentos" e manchara seu sangue pelo fato de ter se casado com uma negra. Já naqueles tempos, observa-se de que maneira a consciência (revestida de seu caráter de autoridade, no caso) buscava impor suas regras do jogo: concubinagem tudo bem; mas casamento é demais.

Ao caracterizar a função da escrava no sistema produtivo (prestação de bens e serviços) da sociedade escravocrata, Heleieth Saffioti mostra sua articulação com a prestação de serviços sexuais. E por aí ela ressalta que a mulher negra acabou por se converter no "instrumento inconsciente que, paulatinamente, minava a ordem estabelecida, quer na sua dimensão econômica, quer na sua dimensão familiar".[6] Isso porque o senhor acabava por assumir posições antieconômicas, determinadas por sua postura sexual; como havia negros que disputavam com ele no terreno do amor, partia para a apelação, ou seja, a tortura e a venda dos concorrentes. E a desordem se estabelecia exatamente porque

> as relações sexuais entre os senhores e escravas desencadeavam, por mais primárias e animais que fossem, processos de interação social incongruentes com as expectativas de comportamento, que presidiam à estratificação em castas. Assim, não apenas homens brancos e negros se tornavam concorrentes na disputa das negras, mas também mulheres brancas e negras disputavam a atenção do homem branco.[7]

Pelo que os dois textos dizem, constatamos que o engendramento da mulata e da doméstica se fez a partir da figura da mucama. E, pelo visto, não é por acaso que, no *Aurélio*, a outra função da mucama está entre parênteses. Deve ser ocultada, recalcada, tirada de cena. Mas isso não significa que não esteja aí, com sua malemolência perturbadora. E o momento privilegiado em que sua presença se torna manifesta é justamente o da exaltação mítica da mulata nesse entre parênteses que é o Carnaval.

Quanto à doméstica, ela nada mais é do que a mucama permitida, a da prestação de bens e serviços, ou seja, o burro de carga que carrega sua família e a dos outros nas costas. Daí ela ser o lado oposto da exaltação; porque está no cotidiano. E é nesse cotidiano que podemos constatar que somos vistas como domésticas. Melhor exemplo disso são os casos de discriminação de mulheres negras da classe média, cada vez mais crescentes. Não adianta serem "educadas" ou estarem "bem vestidas" (afinal, "boa aparência", como vemos nos anúncios de emprego, é uma categoria "branca", unicamente atribuível a "brancas" ou "clarinhas"). Os porteiros dos edifícios obrigam-nas a entrar pela porta de serviço, obedecendo instruções dos síndicos brancos (os mesmos que as "comem com os olhos" no Carnaval ou nos oba-obas da vida). Afinal, se é preta só pode ser doméstica, logo, entrada de serviço. E, pensando bem, entrada de serviço é algo meio maroto, ambíguo, pois sem querer remete a gente pra outras entradas (não é, "seu" síndico?). É por aí que a gente saca que não dá pra fingir que a outra função da mucama tenha sido esquecida. Está aí.

Mas é justamente aquela negra anônima, habitante da periferia, nas baixadas da vida, quem sofre mais tragicamente os efeitos da terrível culpabilidade branca. Exatamente porque é ela que sobrevive na base da prestação de serviços, segurando a barra familiar praticamente sozinha. Isso porque seu homem, seus irmãos ou seus filhos são objeto de perseguição policial sistemática (esquadrões da morte e "mãos brancas" estão aí matando negros à vontade; observe-se que são negros jovens, com menos de trinta anos. Por outro lado, que se veja quem é a maioria da população carcerária deste país).

Cabe de novo perguntar: como é que a gente chegou a este estado de coisas, com abolição e tudo em cima? Quem responde é um branco muito importante (pois é cientista social, uai) chamado Caio Prado Jr. Num livro chamado *Formação do Brasil contemporâneo*, ele diz uma porção de coisas interessantes sobre o tema da escravidão:

> Realmente a escravidão, nas duas funções que exercerá na sociedade colonial, fator trabalho e fator sexual, não determinará senão relações elementares e muito simples. [...] A outra função do escravo, ou, antes, da mulher escrava, instrumento de satisfação das necessidades sexuais de seus senhores e dominadores, não tem um efeito menos elementar. Não ultrapassará também o nível primário e puramente animal do contato sexual, não se aproximando senão muito remotamente da esfera propriamente humana do amor, em que o ato sexual se envolve de todo um complexo de emoções e sentimentos tão amplos que chegam até a fazer passar para o segundo plano aquele ato que afinal lhe deu origem.[8]

Depois que a gente lê um barato assim, nem dá vontade de dizer nada porque é um prato feito. Mas vamos lá. Quanto aos dois fatores apontados e conjugados, é só dar uma olhadinha, de novo, no texto de Heleieth. Ela dá um baile no autor, dentro do mesmo espaço discursivo em que ele se colocou. Mas nosso registro é outro, vamos dar nossa chamadinha também. Pelo exposto, a gente tem a impressão de que branco não trepa, mas comete ato sexual, e que chama tesão de necessidade. E, ainda por cima, diz que animal só tira sarro. Assim não dá pra entender, pois não? Mas, na verdade, até que dá. Pois o texto possui riqueza de sentido, na medida em que é uma expressão privilegiada do que chamaríamos de neurose cultural brasileira. Ora, sabemos que o neurótico constrói modos de ocultamento do sintoma porque isso lhe traz certos benefícios. Essa construção o liberta da angústia de se defrontar com o recalcamento. Na verdade, o texto em questão aponta para além do que pretende analisar. No momento em que fala de alguma coisa, negando-a, ele se revela como desconhecimento de si mesmo.

Nessa perspectiva, ele pouco teria a dizer sobre essa mulher negra, seu homem, seus irmãos e seus filhos, de que vínhamos falando. Exatamente porque ele lhes nega o estatuto de sujeito humano. Trata-os sempre como objeto. Até mesmo como objeto de saber. É por aí que a gente compreende a resistência de certas análises que, ao insistirem na prioridade da luta de classes, se negam a incorporar as categorias de raça e sexo. Ou sejam, insistem em esquecê-las.*[9]

E retomando a questão da mulher negra, a gente vai reproduzir uma coisa que a gente escreveu há algum tempo.

> As condições de existência material da comunidade negra remetem a condicionamentos psicológicos que têm que ser atacados e desmascarados. Os diferentes índices de dominação das diferentes formas de produção econômica existentes no Brasil parecem coincidir num mesmo ponto: a reinterpretação da teoria do "lugar natural" de Aristóteles. Desde a época colonial aos dias de hoje, percebe-se uma evidente separação quanto ao espaço físico ocupado por dominadores e dominados. O lugar natural do grupo branco dominante são moradias saudáveis,

---

* Que se leia o *Jornal do Brasil* de 28 out. 1980 para se ter uma ideia de como se dá esse "esquecimento". Trata-se de mais um caso de discriminação racial de uma mulher negra; no caso uma professora. Como a história resultou em morte, indo para a alçada judicial, o criminoso, juntamente com seus "cúmplices", afirmam que a causa do crime não foi o seu *racismo*, mas a *incompetência* da professora.

situadas nos mais belos recantos da cidade ou do campo e devidamente protegidas por diferentes formas de policiamento que vão desde os feitores, capitães de mato, capangas etc. até a polícia formalmente constituída. Desde a casa-grande e do sobrado até os belos edifícios e residências atuais, o critério tem sido o mesmo. Já o lugar natural do negro é o oposto, evidentemente: da senzala às favelas, cortiços, invasões, alagados e conjuntos "habitacionais" [...] dos dias de hoje, o critério tem sido simetricamente o mesmo: a divisão racial do espaço [...]. No caso do grupo dominado o que se constata são famílias inteiras amontoadas em cubículos cujas condições de higiene e saúde são as mais precárias. Além disso, aqui também se tem a presença policial; só que não é para proteger, mas para reprimir, violentar e amedrontar. É por aí que se entende por que o outro lugar natural do negro sejam as prisões. A sistemática repressão policial, dado o seu caráter racista, tem por objetivo próximo a instauração da submissão psicológica através do medo. A longo prazo, o que se visa é o impedimento de qualquer forma de unidade do grupo dominado, mediante a utilização de todos os meios que perpetuem a sua divisão interna. Enquanto isso, o discurso dominante justifica a atuação desse aparelho repressivo, falando de ordem e segurança sociais.[10]

Pelo visto, e respondendo à pergunta que a gente fez mais atrás, parece que a gente *não chegou* a esse estado de coisas. O que parece é que a gente nunca saiu dele. Basta a gente dar uma relida no que Hahner e Heleieth disseram. Acontece que a mucama "permitida", a empregada doméstica, só faz cutucar a culpabilidade branca porque ela continua sendo mucama com todas as *letras*. Por isso ela é violenta e concretamente reprimida. Os exemplos não faltam nesse sentido; se a gente articular divisão racial e sexual de trabalho fica até simples. Por que será que ela só desempenha atividades que não implicam "lidar com o público"? Ou seja, atividades onde não pode ser *vista*? Por que os anúncios de emprego falam tanto em "boa aparência"? Por que será que, nas casas das madames, ela só pode ser cozinheira, arrumadeira ou faxineira, e raramente copeira? Por que é "natural" que ela seja a servente nas escolas, supermercados, hospitais etc. e tal?

E quando, como no famoso caso Marli* (que tem sua contrapartida no caso Aézio,** que, afinal, deu no que deu), ela bota a boca no trombone, denunciando

---

* Sobre Marli, ver nota p. 49.
** Gonzalez se refere ao caso de Aézio da Silva Fonseca, servente de pedreiro, que apareceu enforcado na 16ª Delegacia, na Zona Sul do Rio de Janeiro, após ser preso sob acusações de assédio, em 1979. (N. O.)

o que estão fazendo com homens de sua raça? Aí as coisas ficam *realmente pretas* e há que se dar um jeito. Ou se parte para a ridicularização ou se assume a culpabilidade mediante a estratégia de não assumi-la. Deu pra sacar? A gente explica: os programas radiofônicos ditos populares são useiros e vezeiros na arte de ridicularizar a crioula que defende seu crioulo das investidas policiais (ela sabe o que vai acontecer a ele, né? O caso Aézio taí de prova). Que se escutem as seções policiais desses programas. Afinal, um dos meios mais eficientes de fugir à angústia é ridicularizar, é rir daquilo que a provoca. Já o caso Marli, por exemplo, é levado a sério, tão a sério que ela tem que *se esconder*. É sério porque se trata do seu irmão (e não do seu homem); portanto, nada melhor para neutralizar a culpabilidade despertada pelo seu *ato* do que o *gesto* de folclorizá-la, de transformá-la numa "Antígona negra", na heroína, *única* e *inigualável*. Com isso a massa anônima das Marlis é esquecida, recalcada. E tudo continua legal nesse país tropical. Elementar, meu caro Watson.

É por aí que a gente entende por que dizem certas coisas, pensando que estão xingando a gente. Tem uma música antiga chamada "Nega do cabelo duro" que mostra direitinho por que eles querem que o cabelo da gente fique bom, liso e mole, né? É por isso que dizem que a gente tem beiços em vez de lábios, fornalha em vez de nariz e cabelo ruim (porque é duro). E quando querem elogiar dizem que a gente tem feições finas (e fino se opõe a grosso, né?). E tem gente que acredita tanto nisso que acaba usando creme pra clarear, esticando os cabelos, virando leidi e ficando com vergonha de ser preta. Pura besteira. Se bobear, a gente nem tem que se defender com os xingamentos que se referem diretamente ao fato de a gente ser preta. E a gente pode até dar um exemplo que põe os pingos nos is.

Não faz muito tempo que a gente estava conversando com outras mulheres, num papo sobre a situação da mulher no Brasil. Foi aí que uma delas contou uma história muito reveladora, que complementa o que a gente já sabe sobre a vida sexual da rapaziada branca até não faz muito: iniciação e prática com as crioulas. É aí que entra a história que foi contada pra gente (brigada, Ione). Quando chegava na hora do casamento com a pura, frágil e inocente virgem branca, na hora da tal noite de núpcias, a rapaziada simplesmente brochava. Já imaginaram o vexame? E onde é que estava o remédio providencial que permitia a consumação das bodas? Bastava o nubente cheirar uma roupa de crioula que tivesse sido usada para "logo apresentar os documentos". E a gente ficou pensando nessa prática, tão comum nos intramuros da casa-grande, da utilização desse santo remédio chamado catinga de crioula (depois deslocado para cheiro de corpo ou simplesmente cecê). E fica fácil entender quando xingam a gente de negra suja, né?

Por essas e outras também que dá vontade de rir quando a gente continua lendo o livro do "seu" Caio Prado Jr. Aquele trecho que a gente reproduziu aqui termina com uma nota de rodapé, onde ele reforça todas as babaquices que diz da gente, citando um autor francês em francês (só que a gente traduz): "O milagre do amor humano é que, *sobre um instinto tão simples, o desejo, ele constrói os edifícios de sentimentos os mais complexos e delicados*" (André Maurois). É esse milagre que o amor da senzala não realizou e não podia realizar no Brasil Colônia" (grifos nossos).[11]

Pelo exposto, parece que nem Freud conseguiu definir neurose melhor do que André Maurois. Quanto à negativa do "seu" Caio Prado Jr., infelizmente, a gente sabe o que ele está afirmando esquecidamente: o amor da senzala *só* realizou o milagre da neurose brasileira graças a essa coisa *simplérrima* que é o desejo. Tão simples que Freud passou a vida toda escrevendo sobre ela (talvez porque não tivesse o que fazer, né, Lacan?). Definitivamente, Caio Prado Jr. "detesta" nossa gente.

A única colher de chá que dá pra gente é quando fala da "figura boa da ama negra" de Gilberto Freyre, da "mãe preta", da "bá", que "cerca o berço da criança brasileira de uma atmosfera de bondade e ternura".[12] Nessa hora a gente é vista como figura boa e vira gente. Mas aí ele começa a discutir sobre a diferença entre escravo (coisa) e negro (gente) pra chegar, de novo, a uma conclusão pessimista sobre ambos.

É interessante constatar como, através da figura da "mãe preta", a verdade surge da equivocação.[13] Exatamente essa figura para a qual se dá uma colher de chá é quem vai dar a rasteira na raça dominante. É através dela que o "obscuro objeto do desejo" (o filme do Buñuel) acaba se transformando na "negra vontade de comer carne" na boca da moçada branca que fala português. O que a gente quer dizer é que ela não é esse exemplo extraordinário de amor e dedicação totais como querem os brancos e nem tampouco essa entreguista, essa traidora da raça como querem alguns negros muito apressados em seu julgamento. Ela, simplesmente, é a mãe. É isso mesmo, *é a mãe*. Porque a branca, na verdade, é a outra. Se assim não é, a gente pergunta: quem é que amamenta, que dá banho, que limpa cocô, que põe pra dormir, que acorda de noite pra cuidar, que ensina a falar, que conta história e por aí afora? É a mãe, não é? Pois então. Ela é a mãe nesse barato doido da cultura brasileira. Enquanto mucama, é a mulher; enquanto "bá", é a mãe. A branca, a chamada legítima esposa, é justamente a outra, que, por impossível que pareça, só serve pra parir os filhos do senhor. Não exerce a função materna. Esta é efetuada pela negra. Por isso a "mãe preta" é a mãe.

E quando a gente fala em função materna, a gente tá dizendo que a mãe preta, ao exercê-la, passou todos os valores que lhe diziam respeito pra criança brasileira, como diz Caio Prado Jr. Essa criança, esse *infans*, é a dita cultura brasileira, cuja língua é o pretuguês. A função materna diz respeito à internalização de valores, ao ensino da *língua materna* e a uma série de outras coisas mais que vão fazer parte do imaginário da gente.[14] Ela passa pra gente esse mundo de coisas que a gente vai chamar de linguagem. E graças a ela, ao que ela passa, a gente entra na ordem da cultura, exatamente porque é ela quem nomeia o pai.

Por aí a gente entende por que, hoje, ninguém quer saber mais de babá preta, só vale portuguesa. Só que é um pouco tarde, né? A rasteira já está dada.

Muita milonga pra uma mironga só

> Só uma palavra me devora
> Aquela que o meu coração não diz
> (Abel Silva)

Quando se leem as declarações de um d. Avelar Brandão, arcebispo da Bahia, dizendo que a africanização da cultura brasileira é um modo de regressão, dá pra desconfiar. Porque, afinal de contas, o que tá feito tá feito. E o bispo dançou aí. Acordou tarde porque o Brasil já está e é africanizado. M. D. Magno tem um texto que impressionou a gente exatamente porque ele discute isso. Duvida da latinidade brasileira afirmando que esse barato chamado Brasil nada mais é do que uma América Africana, ou seja, uma *Améfrica Ladina*. Pra quem saca de crioulo, o texto aponta pra uma mina de ouro que a boçalidade europeizante faz tudo pra esconder, pra tirar de cena.

E justamente por isso tamos aí, usando de jogo de cintura, pra tentar se entender. Embora falando, a gente, como todo mundo, tá numa de escritura. Por isso a gente vai tentar apontar praquele que tascou sua assinatura, sua marca, seu selo (aparentemente sem sê-lo), seu jamegão, seu sobrenome como pai dessa "adolescente" neurótica que a gente conhece como cultura brasileira.

E quando se fala de pai tá se falando de função simbólica por excelência. Já diz o ditado popular que "Filhos de minha filha, meus netos são; filhos do meu filho, serão ou não". Função paterna é isso aí. É muito mais questão de assumir do que de ter certeza. Ela não é outra coisa senão a função de ausentificação que promove a castração. É por aí, graças a Frege, que a gente pode dizer que, como o zero, ela se caracteriza como a escrita de uma ausência.

É o nome de uma ausência. O nome dessa ausência, digamos, é

o nome que se atribui à castração. E o que é que falta para essa ausência não ser ausente, para completar essa série? Um objeto que não há, que é retirado de saída. Só que os mitos e as construções culturais etc. vão erigir alguma coisa, alguma ficção para colocar nesse lugar; ou seja, qual é o nome do Pai e qual é o nome do lugar-tenente do Nome do Pai? Por um motivo importante, porque se eu souber qual é o nome do lugar-tenente do Nome do Pai, acharei esse um (S_1) que talvez não seja outra coisa senão o *nome* do Nome do Pai.

É por isso que a gente falou em sobrenome, isto é, nesse S_1 que inaugura a ordem significante de nossa cultura. Acompanhando as sacações de Magno, a gente fecha com ele ao atribuir ao significante *Negro* o lugar de S_1. Pra isso, basta que a gente pense nesse mito de origem elaborado pelo Mário de Andrade que é o Macunaíma. Como todo mundo sabe, Macunaíma nasceu negro, "preto retinto e filho do medo da noite". Depois ele branqueia como muito crioulo que a gente conhece, que, se bobear, quer virar nórdico. É por aí que dá pra gente entender a ideologia do branqueamento, a lógica da dominação que visa a dominação da negrada mediante a internalização e a reprodução dos valores brancos ocidentais. Mas a gente não pode esquecer que Macunaíma é *o herói da nossa gente*. E ninguém melhor do que um herói para exercer a função paterna.* Isso sem falar nos outros, como Zumbi,**

---

* O barato do Magno é chamar Macunaíma de Máquina-íman, o erói sem H. Sacaram?
** Que se atente para o fato da permanência de Zumbi no imaginário popular nordestino como aquele que faz as crianças levadas se comportarem melhor. "Se você não ficar quieto, Zumbi vem te pegá." Por aí a gente lembra não só o temor que os senhores de engenho tinham em face de um ataque surpresa do grande general negro como também a fala das mães, que, referindo-se ao pai que vai chegar, ameaçam os filhos de lhe contar (ao pai) as molecagens destes. Que se atente também para a força simbólica de Zumbi como significante que cutuca a consciência negra do seu despertar. Não é por acaso que o 20 de novembro, dia da sua morte

Ganga Zumba e até mesmo Pelé. Que se pense nesse outro herói chamado de a Alegria do Povo, nascido em Pau Grande. Eles estão aí como repetição do S_1, como representações populares do herói. Os heróis oficiais não têm nada a ver com isso, são produto da lógica da dominação, não têm nada a ver com "a alma de nossa gente".

É por essa via que dá pra entender uma série de falas contra o negro e que são como modos de ocultação, de não assunção da própria castração. Por que será que dizem que preto correndo é ladrão? Ladrão de quê? Talvez de uma onipotência fálica. Por que será que dizem que preto, quando não caga na entrada, caga na saída? Por que será que um dos instrumentos de tortura utilizados pela polícia da Baixada é chamado de "mulata assanhada" (um cabo de vassoura que introduzem no ânus dos presos)? Por que será que tudo aquilo que incomoda é chamado de coisa de preto? Por que será que ao ler o *Aurélio*, no verbete "negro", a gente encontra uma polissemia marcada pelo pejorativo e pelo negativo? Por que será que "seu" bispo fica tão apavorado com a ameaça da africanização do Brasil? Por que será que ele chama isso de regressão? Por que vivem dizendo pra gente se pôr no lugar da gente? Que lugar é esse? Por que será que o racismo brasileiro tem vergonha de si mesmo? Por que será que se tem "o preconceito de não ter preconceito" e ao mesmo tempo se acha natural que o lugar do negro seja nas favelas, cortiços e alagados?

É engraçado como eles gozam a gente quando a gente diz que é *Framengo*. Chamam a gente de ignorante dizendo que a gente fala errado. E de repente ignoram que a presença desse R no lugar do L nada mais é que a marca linguística de um idioma africano, no qual o L inexiste. Afinal, quem que é o ignorante? Ao mesmo tempo acham o maior barato a fala dita brasileira, que corta os erres dos infinitivos verbais, que condensa "você" em "cê", o "está" em "tá" e por aí afora. Não sacam que tão falando pretuguês.

E por falar em pretuguês, é importante ressaltar que o objeto parcial por excelência da cultura brasileira é a bunda (esse termo provém do quimbundo, que, por sua vez, e juntamente com o ambundo, provém de um tronco linguístico banto que "casualmente" se chama bunda). E dizem que significante

---

em 1965, é considerado o Dia Nacional da Consciência Negra e que nada tem a ver com o 13 de maio. Esse deslocamento de datas (do 13 de maio para o 20 de novembro) não deixa de ser um modo de assunção da paternidade de Zumbi e a denúncia da falsa maternidade da princesa Isabel. Afinal, a gente sabe que a mãe preta é que é a mãe.

não marca... Marca bobeira quem pensa assim.* De repente bunda é língua, é linguagem, é sentido e é coisa. De repente é desbundante perceber que o discurso da consciência, o discurso do poder dominante, quer fazer a gente acreditar que a gente é tudo brasileiro, e de ascendência europeia, muito civilizado etc. e tal.

Só que na hora de mostrar o que eles chamam de "coisas nossas", é um tal de falar de samba, tutu, maracatu, frevo, candomblé, umbanda, escola de samba e por aí afora. Quando querem falar do charme, da beleza da mulher brasileira, pinta logo a imagem de gente queimada da praia,** de andar rebolativo, de meneios no olhar, de requebros e faceirices. E culminando pinta esse orgulho besta de dizer que a gente é uma democracia racial. Só que quando a negrada diz que não é, caem de pau em cima da gente, xingando a gente de racista. Contraditório, né? Na verdade, para além de outras razões, reagem dessa forma justamente porque a gente põe o dedo na ferida deles, a gente diz que o rei tá pelado. E o corpo do rei é preto, e o rei é Escravo.

E logo pinta a pergunta: como é que pode? Que inversão é essa? Que subversão é essa? A dialética do Senhor e do Escravo dá pra explicar o barato.

E é justamente no Carnaval que o reinado desse rei manifestadamente se dá. A gente sabe que Carnaval é festa cristã que ocorre num espaço cristão, mas aquilo que chamamos de Carnaval Brasileiro possui, na sua especificidade, um aspecto de subversão, de ultrapassagem de limites permitidos pelo discurso dominante, pela ordem da consciência. Essa subversão, na especificidade, só tem a ver com o negro. Não é por acaso que nesse momento a gente sai das colunas policiais e é promovida a capa de revista, a principal focalizada pela TV, pelo cinema e por aí afora. De repente, a gente deixa de ser marginal pra se transformar no símbolo da alegria, da descontração, do encanto especial do povo dessa terra chamada Brasil. É nesse momento que Oropa, França e Bahia são muito mais Bahia do que outra coisa. É nesse momento que a negrada vai pra rua viver o seu gozo e fazer a sua gozação.

---

* Basta olhar na TV e sacar como as multi transam bem os significantes que nos pegam "pelo pé". A US Top tem um anúncio de jeans que só mostra o pessoal rebolando a bunda, e isso sem falar na Sardinha 88, "a mais gostosa do Brasil".
** Um anúncio de bronzeador utilizado nos ônibus que trafegam na zona sul do Rio de Janeiro reproduz um ato falho, uma mancada do discurso consciente, ao afirmar: "Primeiro a cor, depois o amor". Bandeira, né?

Expressões como "botá o bloco na rua", "botá pra frevê" (que virou nome de dança nas fervuras do carnaval nordestino), "botá pra derretê", "deixá sangrá", "dá um suó" etc. são prova disso. É também nesse momento que os não negros saúdam e abrem passagem para o Mestre Escravo, para o senhor, no reconhecimento manifesto de sua realeza. É nesse momento que a exaltação da cultura amefricana se dá através da mulata, desse "produto de exportação" (o que nos remete a reconhecimento internacional, a um assentimento que está para além dos interesses econômicos, sociais etc., embora com eles se articule). Não é por acaso que a mulher negra, enquanto mulata, como que sabendo, posto que conhece, bota pra quebrar com seu rebolado. Quando se diz que o português inventou a mulata, isso nos remete exatamente ao fato de ele ter instituído a raça negra como objeto a; e mulata é crioula, ou seja, negra nascida no Brasil, não importando as construções baseadas nos diferentes tons de pele. Isso aí tem mais a ver com as explicações do saber constituído do que com o conhecimento.

É também no Carnaval que se tem a exaltação do mito da democracia racial, exatamente porque nesse curto período de manifestação do seu reinado o Senhor Escravo mostra que ele, sim, transa e conhece a democracia racial. Exatamente por isso que no resto do ano há reforço do mito enquanto tal, justamente por aqueles que não querem olhar para onde ele aponta. A verdade que nele se oculta, e que só se manifesta durante o reinado do Escravo, tem que ser recalcada, tirada de cena, ficando em seu lugar as ilusões que a consciência cria para si mesma. Senão como é que se explicaria, também, o fato de os brancos proibirem a presença da gente nesses lugares que eles chamam de chiques e de a gente não ter dessas frescuras com eles? E é querendo aprofundar sua sacação que Magno se indaga se

> na dialética Senhor-Escravo, porque é a dialética da nossa fundação [...], onde sempre o senhor se apropria do saber do escravo, a inseminação, por vias desse saber apropriado, como marca que vai dar em relação com o S_2, não foi produzida pelo escravo, que na dialética retoma o lugar do senhor, sub-repticiamente, como todo escravo. [...] Quer dizer, o lugar do senhor era de outrem, mas a produção e a apropriação do lugar-tenente de Nome do Pai veio marcada, afinal, por esse elemento africano.

Diferentes lugares da cultura brasileira são caracterizados pela presença desse elemento. No caso da macumba, por exemplo, que se atente para o 31 de dezembro nas praias do Rio de Janeiro, para os despachos que se multiplicam em cada esquina (ou encruzilhada) de metrópoles como Rio e São Paulo, e isso sem falar de futebol. Que se atente para as festas de largo em Salvador (tão ameaçadoras para o inseguro eurocentrista do bispo de lá). Mas que se atente para os hospícios, as prisões e as favelas como lugares privilegiados da culpabilidade enquanto dominação e repressão. Que se atente para as práticas dessa culpabilidade através da chamada ação policial. Só porque o Significante-Mestre foi roubado pelo escravo que se impôs como senhor. Que se atente, por fim, pro samba da Portela quando fala de Macunaíma: "Vou m'embora, vou m'embora/ Eu aqui volto mais não/ Vou morar no infinito e virar constelação". E o que significa constelação, senão lugar de inscrição, de marcação do Nome do Pai?

Se a batalha discursiva, em termos de cultura brasileira, foi ganha pelo negro, o que terá ocorrido com aquele que segundo os cálculos deles ocuparia o lugar do senhor? Estamos falando do europeu, do branco, do dominador. Desbancado do lugar do pai ele só pode ser, como diz Magno, o tio ou o corno; do mesmo modo que a europeia acabou sendo a outra.

Mulher negra

Situação da população negra

Desde a Independência aos dias atuais, todo um pensamento e uma prática político-social, preocupados com a chamada *questão nacional*, têm procurado excluir a população negra de seus projetos de construção da nação brasileira. Assim sendo, não foi por acaso que os imigrantes europeus se concentraram em regiões que, do ponto de vista político e econômico, detêm a hegemonia quanto à determinação dos destinos do país. Refiro-me sobretudo à região Sudeste. Por isso mesmo, pode-se afirmar a existência de uma *divisão racial do espaço* em nosso país,[1] uma espécie de segregação, com acentuada polarização, extremamente desvantajosa para a população negra: quase dois terços da população branca (64%) se concentram na região mais desenvolvida do país, enquanto a população negra, quase na mesma proporção (69%), concentra-se no resto do país, sobretudo em regiões mais pobres como é o caso do Nordeste e Minas Gerais.[2]

Caracterizando sumariamente a formação social brasileira, diríamos que ela se estrutura em termos de acumulação capitalista dependente ou periférica, com conflito de interesses de classes antagônicas e onde o sistema político de dominação da classe dominante é rigoroso. E uma de suas contradições básicas é justamente

> a cristalização de desigualdades extremas entre "regiões" brasileiras, onde se pode distinguir uma região *dominante* e outras regiões *dominadas*, unidas num processo estruturalmente articulado, e a consequente reprodução dos níveis de pobreza e miséria em que vivem suas populações.[3]

Acontece que o modelo de desenvolvimento econômico brasileiro marcou, nas duas últimas décadas, a consolidação da sociedade capitalista em nosso país. Altas taxas de crescimento da economia e acelerada urbanização, estimuladas pela intervenção direta do Estado, resultaram num tipo de "integração" das regiões subdesenvolvidas às exigências da industrialização do Sudeste. Como sabemos, a lógica interna que determina a expansão do capitalismo industrial em sua fase monopolista entrava o crescimento equilibrado das forças produtivas nas regiões subdesenvolvidas. Estabelece-se, desse modo, o que Nun caracterizou como *desenvolvimento desigual e combinado*, que, entre outros efeitos, remete à dependência neocolonial e a um "colonialismo interno".[4]

Por isso mesmo, os aspectos positivos do desenvolvimento econômico brasileiro (cuja fase culminante ficou conhecida como "milagre brasileiro": 1968-73) foram neutralizados por determinados fatores que confirmam o que dissemos mais acima. De acordo com Hasenbalg e Valle Silva,[5] destacam-se, entre esses fatores:

a) *Deterioração das condições de vida dos estratos urbanos de baixa renda.* Não esqueçamos que o deslocamento de grandes contingentes de mão de obra do campo para os centros urbanos determinou não o crescimento populacional destes últimos, mas a sua "inchação", com a consequente formação de bairros periféricos e de favelas (na cidade do Rio de Janeiro, por exemplo, existiam 757 mil favelados em 1970; em 1980, seu número aumentou para 1 740 000, passando a constituir cerca de 34% da população do município), onde se pôde constatar: aumento da mortalidade infantil, aumento dos acidentes de trabalho, deterioração e crescimento insuficiente da infraestrutura urbana de transportes, problemas habitacionais e de saneamento básico, altos índices de evasão escolar no primeiro grau,* insuficiências quanto ao atendimento médico-hospitalar do sistema previdenciário etc. Desnecessário dizer que esse subproletariado é constituído majoritariamente por negros.

b) *Concentração de renda.* Apesar das mudanças da estrutura de classes durante esses vinte anos, os pobres ficaram mais pobres e os ricos mais ricos (não esqueçamos que ainda em 1980 *um terço* da população economicamente ativa — PEA — encontrava-se na faixa salarial de *até um salário mínimo*), sobretudo no que se refere ao campo. Continuando sua análise, os autores citados nos informam que, em 1970, os 50% mais pobres participavam em 14,9% dos

---

* Atual ensino fundamental. (N. O.)

rendimentos obtidos pela PEA; em 1980, essa participação baixou para 12,6%; os 10% mais ricos aumentaram sua apropriação de 46,7% para 50,9%; o 1% mais rico passou de 14,7% para 16,9%, superando consideravelmente sua apropriação, se comparada àquela recebida pelos 50% mais pobres. No campo, entretanto, é que esses percentuais se tornam gritantemente desiguais: o dos 50% mais pobres cai de 22,4% para 14,9%, enquanto o do 1% mais rico elevou-se de 10,5% para 29,3%.

Pelo exposto, o desenvolvimento econômico brasileiro, segundo esses analistas, resultou num modelo de *modernização conservadora excludente*. Poderíamos considerá-lo também a partir da noção de *desenvolvimento desigual e combinado*, em que a formação de uma massa marginal, de um lado, assim como a dependência neocolonial e a permanência de formas produtivas anteriores, de outro, constituem-se como fatores que tipificam o sistema. Vale notar que a noção de massa marginal diz respeito à força de trabalho que, enquanto superpopulação relativa, torna-se supérflua em face do processo de acumulação hegemônico, representado pelas grandes empresas monopolistas. As questões relativas ao desemprego e ao subemprego incidem justamente sobre essa superpopulação.

É nesse sentido que o racismo, enquanto articulação ideológica e conjunto de práticas, denota sua eficácia estrutural na medida em que remete a uma *divisão racial do trabalho* extremamente útil e compartilhada pelas formações socioeconômicas capitalistas e multirraciais contemporâneas. Em termos de manutenção do equilíbrio do sistema como um todo, ele é um dos critérios de maior importância na articulação dos mecanismos de recrutamento para as posições na estrutura de classes e no sistema de estratificação social. Portanto, o desenvolvimento econômico brasileiro, enquanto desigual e combinado, manteve a força de trabalho negra na condição de massa marginal, em termos de capitalismo industrial monopolista, e de exército de reserva, em termos de capitalismo industrial competitivo (satelitizado pelo setor hegemônico do monopólio).

Não é casual, portanto, o fato de a força de trabalho negra permanecer confinada nos empregos de menor qualificação e pior remuneração. A sistemática discriminação sofrida no mercado remete a uma concentração desproporcional de negros nos setores agrícola, de construção civil e de prestação de serviços.

Segundo o Censo de 1980, esses setores absorvem 68% de negros e 52% de brancos. Como já dissemos anteriormente, um terço (33%) da PEA em 1980 recebia até um salário mínimo; se analisarmos essa percentagem em termos de composição racial, teremos 24% de brancos e 47% de negros. Do outro lado do espectro de rendimentos, a proporção de pessoas com renda mensal superior a dez salários mínimos era de 3,72%: os brancos constituíam 8,5% e os negros cerca de 1,5%. De acordo com os dados da Pnad 1982, houve um aumento da proporção dos que ganham até um salário mínimo, que passaram de 33% para 36%, numa prova patente do empobrecimento do país. Desnecessário dizer que os negros foram os que mais sofreram: de 44% passaram para cerca de 50%, enquanto os brancos foram de 24% para 28%. E é justamente no Nordeste (9 milhões de negros para 3,8 milhões de brancos) que ficam evidenciadas as maiores desigualdades: de cada dez negros integrados na PEA, seis ganham até um salário mínimo. A distribuição de renda, como vemos, não deixa de constituir um dos aspectos das desigualdades raciais em nosso país.

Uma outra dimensão dessas desigualdades se faz presente no acesso ao sistema educacional e às oportunidades de escolarização. O Censo de 1980 revelava a existência de 35% de analfabetos na população maior de cinco anos. Entre os brancos, a proporção era de 25%, enquanto entre os negros era de 48%, ou seja, quase o dobro. Os graus de desigualdade educacional se acentuam ainda mais quando se trata de acesso aos níveis mais elevados de escolaridade. Em 1980, os brancos tinham 1,6 vez mais oportunidades de completarem de cinco a oito anos de estudos, 2,5 vezes mais de completarem de nove a onze anos de estudos e seis vezes mais de completarem doze anos ou mais de estudos.[6] E isso significa que os negros já nascem com menos chance de chegarem ao segundo grau* e praticamente nenhuma de atingirem a universidade.

Situação da mulher negra

As transformações ocorridas na sociedade brasileira, no período 1968-80, tiveram um impacto considerável na força de trabalho feminina, sobretudo nos anos 1970.

---

* Atual ensino médio. (N. O.)

A primeira metade da década foi o auge do "milagre brasileiro". [...] A força de trabalho feminina dobra de 1970 para 1976. Mais interessante ainda: em 1969 havia 100 mil mulheres na universidade para 200 mil homens. Em 1975 esse número tinha subido para cerca de 500 mil mulheres (para 508 mil homens), passando a proporção de 1:2, em 1969, para 1:1 em 1975. O número de mulheres na universidade havia quintuplicado em cinco anos! Vemos aí como se conjugam, então, os fatores econômicos reforçando os comportamentais e vice-versa. Isso pode explicar, ao menos em parte, que nestes primeiros cinco anos da década, mesmo sem haver movimento organizado, tenha surgido interesse tão agudo para o problema da mulher. Foi nesses cinco anos, mesmo, que se processou a *maior transformação da condição da mulher* na história de nosso país.[7]

E, num outro texto, lemos:

Em definitivo, as mulheres não só tendem a conseguir uma melhor distribuição na estrutura ocupacional como também *abandonam os setores de atividade que absorvem a força de trabalho menos qualificada e pior remunerada* para ingressar em proporções crescentes na indústria e nos serviços modernos.[8]

Pelo exposto na primeira parte deste trabalho, os trechos acima reproduzidos não se referem, de modo algum, à mulher ou mulheres negras. Por conseguinte, algumas questões se impõem à nossa reflexão. E a primeira delas diz respeito à situação da mulher negra no interior da população economicamente ativa, à sua inserção na força de trabalho.

Como os trabalhadores negros (92,4%), as trabalhadoras negras concentram-se sobretudo nas *ocupações manuais* (83%), o que significa: quatro quintos da força de trabalho negra têm uma inserção ocupacional caracterizada por baixos níveis de rendimento e de escolaridade. As trabalhadoras negras se encontram alocadas em ocupações manuais rurais (agropecuária e extrativismo vegetal) e urbanas (prestação de serviços), tanto como assalariadas quanto como autônomas e não remuneradas. Já a proporção de mulheres brancas nas ocupações manuais é bem menor: 61,5%.[9]

Enquanto isso, nas *ocupações não manuais*, a presença da trabalhadora negra ocorre em proporções muito menores: 16,9% para 38,5% de trabalhadoras brancas. A análise dessas ocupações, divididas em dois níveis, o médio e o superior, revela-nos aspectos bastante interessantes com relação às dificuldades de mobilidade social ascendente para a mulher negra. Naquelas de nível médio (pessoal de escritório, bancárias, caixas, professoras de primeiro grau, enfermeiras, recepcionistas etc.), a concentração de mulheres é muito maior que a de homens. Mas, se a dimensão racial é inserida entre elas, a constatação é que a proporção de negras também é muito menor (14,4%) que a de brancas (29,7%). Como em muitas das atividades de nível médio se exige contato direto com o público, torna-se evidente a dificuldade de acesso que as mulheres negras têm com relação a elas (questões de "boa aparência"). Quando se trata das profissionais de nível superior, das empresárias e das administradoras, a presença da mulher negra é quase de invisibilidade: 2,5% para 8,8%.

No que diz respeito às diferenças de rendimento médio, o Censo de 1980 nos apresenta os seguintes dados: até um salário mínimo, um percentual de 23,4% de homens brancos, 43% de mulheres brancas, 44,4% de homens negros e 68,9% de mulheres negras. De um a três salários mínimos, 42,5% de homens brancos, 38,9% de mulheres brancas, 42,4% de homens negros e 26,7% de mulheres negras. De três a cinco salários mínimos: 14,6% de homens brancos, 9,5% de mulheres brancas, 8% de homens negros e 3,1% de mulheres negras. E entre aqueles com rendimentos acima de dez salários mínimos: 8,5% de homens brancos, 2,4% de mulheres brancas, 1,4% de homens negros e 0,3% de mulheres negras.[10]

Comparativamente às famílias brancas pobres, a situação das famílias negras não é de igualdade. Já a Pnad 1976 demonstrava que, em termos de renda familiar até três salários mínimos, por exemplo, a situação era a seguinte: cerca de 50% de famílias brancas para 75% de famílias negras. As diferenças eram e continuam expressivas quando se trata da taxa de atividade dessas famílias: a das negras é bem maior que a das brancas. Isso significa que o número de membros das famílias negras inseridos na força de trabalho é muito maior que o das famílias brancas para a obtenção do mesmo rendimento familiar. Um dos efeitos desse trabalhar mais e ganhar menos implica lançar mão do trabalho do menor. Por isso mesmo, a proporção de menores negros na força de trabalho é muito maior que a de menores brancos (e estamos falando daqueles que se encontram na faixa dos dez aos dezessete anos). Por aí se entende por que nossas crianças mal conseguem cursar o primeiro grau:

não se trata, como pensam e dizem alguns, de uma "incapacidade congênita da raça" para as atividades intelectuais, mas do fato de que, desde muito cedo, têm que "ir à luta" para ajudar na sobrevivência da própria família.

Em uma pesquisa que realizamos com mulheres negras de baixa renda (1983), constatamos que muito poucas entre nossas entrevistadas começaram a trabalhar já adultas. Migrantes na grande maioria (principalmente vindas de Minas Gerais, do Nordeste ou do interior do estado do Rio de Janeiro), e muitas vezes já tendo "trabalhado na roça", entravam na força de trabalho por volta dos oito ou nove anos de idade para "ajudar em casa". Desnecessário dizer que, nos centros urbanos, começavam a trabalhar "em casa de família", além de tentarem frequentar alguma escola. Pouquíssimas conseguiram "fazer o primário". Um dos depoimentos mais significativos para nós, o de Maria, fala-nos das dificuldades da menina negra e pobre, filha de pai desconhecido, em face de um ensino unidirecionado, voltado para valores que não os dela. E, contando seus problemas de aprendizagem, ela não deixava de criticar o comportamento de professores (autoritariamente colonialistas) que, na verdade, só fazem reproduzir práticas que induzem nossas crianças a deixarem de lado uma escola onde os privilégios de raça, classe e sexo constituem o grande ideal a ser atingido, através do saber "por excelência" emanado da cultura "por excelência": a ocidental burguesa.

Por isso mesmo, o texto de abertura desta segunda parte do nosso trabalho é bastante sintomático: se as transformações da sociedade brasileira nos últimos vinte anos favoreceram *a mulher*, não podemos deixar de ressaltar que essa forma de universalização abstrata encobre a realidade vivida, e duramente, pela *grande excluída* da modernização conservadora imposta pelos donos do poder do Brasil pós-1964: a mulher negra. É por aí que se estende, por exemplo, uma das contradições do movimento de mulheres no Brasil. Apesar de suas reivindicações e de suas conquistas, ele acaba por reproduzir aquilo que Hasenbalg sintetizou com felicidade: "No registro que o Brasil tem de si mesmo o negro tende à condição de invisibilidade".[11] Apesar das poucas e honrosas exceções no sentido de maior entendimento da situação da mulher negra (e Muraro é uma delas), poderíamos dizer que a dependência cultural é uma das características desse movimento em nosso país.

A participação da mulher negra

O desenvolvimento e a expansão dos movimentos sociais na segunda metade dos anos 1970 propiciaram a mobilização e a participação de amplos setores da população brasileira, no sentido da reivindicação de seus direitos e de uma intervenção política mais direta.

No caso da população negra, vamos encontrá-la sobretudo no movimento negro e no movimento de associações de moradores nas favelas e bairros periféricos (ressaltando-se aí o papel e a importância do movimento de favelas).

O movimento negro desempenhou um papel de extrema relevância na luta antirracista em nosso país, sensibilizando inclusive os setores não negros e buscando mobilizar as diferentes áreas da comunidade afro-brasileira para a discussão do racismo e suas práticas.

> Importa dizer que os principais protagonistas dos movimentos políticos negros atuais são os filhos dos primeiros negros a ingressarem de forma definitiva na classe operária e nas classes médias, dos heróis da migração interna; são mesclados entre os primeiros estudantes negros a ingressarem na universidade, jovens operários e trabalhadores negros e dançarinos de soul — símbolo moderno da contestação da juventude negra à dominação branca e da miopia dos liberais ante o racismo e sua falsa consciência nacional.[12]

Os centros a partir dos quais a luta cresceu foram as cidades de São Paulo e Rio de Janeiro que, bem no coração do Sudeste, apresentaram de imediato as evidências das contradições do "milagre brasileiro". E entre esses movimentos vale ressaltar o Movimento Negro Unificado, que em seus primeiros dois anos de existência (1978-80) não só se estendeu a outros estados do Sudeste, do Nordeste e do Sul como desenvolveu uma série de atividades que muito contribuíram para o avanço da consciência democrática, antirracista e anticolonialista em nosso país. E a presença de mulheres negras, não apenas na sua criação como na sua direção, não pode ser esquecida.[13]

Enquanto o movimento negro se desenvolveu a partir sobretudo de setores das classes médias negras, o movimento de favelas se organizou a partir do subproletariado urbano em associações de moradores. Como já vimos, o processo da favelização dos grandes centros urbanos do Sudeste determinou a presença altamente representativa desse novo contingente populacional (os supracitados heróis da migração), que não aceitou passivamente sua exclusão do "progresso do Brasil". Suas reivindicações vão desde a exigência de melhores condições de habitação/saneamento básico, de transporte, educação, saúde etc. ao título de propriedade do solo urbano que ocupam. Dado o seu caráter inovador, o movimento de favelas acabou por influenciar os setores da classe média no sentido de também se organizarem em associações de moradores. Desse modo, surgiu o movimento de bairros. Em termos de Rio de Janeiro, por exemplo, a existência de dois tipos de organizações apontam para esse fato: a Faferj (movimento de favelas) e a Famerj (movimento de bairros). Desnecessário dizer que a presença de mulheres negras no movimento de favelas tem sido altamente representativa.

No que diz respeito aos primeiros grupos organizados de mulheres negras, durante esse período eles surgem no interior do movimento negro. E isso, em parte, se explica pelo fato de que os setores médios da população negra que conseguiram entrar no processo competitivo do mercado de trabalho no setor das ocupações não manuais são os mais expostos às práticas discriminatórias de mão de obra.[14] Assim sendo, é no movimento negro que se encontra o espaço necessário para as discussões e o desenvolvimento de uma consciência política a respeito do racismo e suas práticas e de suas articulações com a exploração de classe. Por outro lado, o movimento feminista ou de mulheres, que tem suas raízes nos setores mais avançados da classe média branca, geralmente "se esquece" da questão racial, como já dissemos anteriormente. E esse tipo de ato falho, a nosso ver, tem raízes históricas e culturais profundas.[15]

O desempenho das mulheres negras na formação do movimento negro no Rio de Janeiro, por exemplo, foi da maior importância. Vejamos o que nos diz a antropóloga Maria Berriel, da Universidade Federal Fluminense, na comunicação que apresentou no evento Secneb-84[16] e que foi por nós gravada (sem a revisão da autora). Seu envolvimento com a questão negra se iniciou em 1969, da seguinte maneira:

> Foi sobretudo percebendo as dificuldades de alunos negros (por força da expansão do capitalismo, nós começamos a receber alunos negros na universidade); ocorreu que muitos dos nossos alunos estavam com dificuldades no mercado de

trabalho. Então resolvi fazer uma pesquisa para avaliar os artifícios e as estratégias que impediam o aproveitamento do negro na esfera ocupacional. Esses alunos não só — juntamente com alunos brancos — entraram numa faixa de atividade bastante atuante como até fizeram uma dramatização: recortavam anúncios, apresentavam-se nos lugares e, em seguida, os alunos brancos os substituíam; e sentia-se todo o esquema de restrição montado claramente. [...] E dali houve um contato com a Candido Mendes, que passou a organizar congressos, ou melhor, encontros.

E esses encontros ocorreram sobretudo por iniciativa da professora Maria Beatriz Nascimento que, já desde 1972, encontrava-se à frente da Semana de Cultura Negra, realizada na UFF (semana esta que, ainda segundo Berriel, ela "organizou insistentemente, aceitando os desafios que foram colocados gradativamente, à medida que a semana ia sendo implantada").
Os históricos encontros na Candido Mendes atraíram toda uma nova geração negra que ali passou a se reunir para discutir o racismo e suas práticas enquanto modo de exclusão da comunidade negra. Vivia-se, naqueles momentos, a euforia do "milagre brasileiro", do "ninguém segura este país" e coisas que tais. Mas a negadinha ali reunida (de fins de 1973 a início de 1974) sabia muito bem o que isso significava para a nossa comunidade. E fato da maior importância (comumente "esquecido" pelo próprio movimento negro) era justamente o da atuação das mulheres negras, que, ao que parece, antes mesmo da existência de organizações do movimento de mulheres se reuniam para discutir o seu cotidiano, marcado, por um lado, pela discriminação racial e, por outro, pelo machismo não só dos homens brancos mas dos próprios negros. E não deixavam de reconhecer o caráter mais acentuado do machismo negro, uma vez que este se articula com mecanismos compensatórios que são efeitos diretos da opressão racial (afinal, qual a mulher negra que não passou pela experiência de ver o filho, o irmão, o companheiro, o namorado, o amigo etc. passarem pela humilhação da suspeição policial, por exemplo?). Nesse sentido, o feminismo negro possui sua diferença específica em face do ocidental: a solidariedade, fundada numa experiência histórica comum. Por isso mesmo, após sua reunião, aquelas mulheres — Beatriz, Marlene, Vera Mara, Joana, Alba, Judite, Stella, Lucia, Norma, Zumba, Alzira, Lísia e várias outras (eram cerca de vinte) — juntavam-se a seus companheiros para a

reunião ampliada (que chamavam de Grupão), onde colocavam os resultados de sua discussão anterior a fim de que o conjunto também refletisse sobre a condição das mulheres negras.

E, em 1975, quando as feministas ocidentais se reuniram na Associação Brasileira de Imprensa para comemorar o Ano Internacional da Mulher, elas ali compareceram, apresentando um documento onde caracterizavam a situação de opressão e exploração da mulher negra.[17] Todavia, dados os caminhos seguidos por diferentes tendências que se constituíram a partir do Grupão, esse grupo pioneiro acabou por se desfazer e suas componentes continuaram a atuar, então, nas diferentes organizações que se criaram.

Os anos seguintes testemunharam a criação de outros grupos de mulheres negras (Aqualtune em 1979, Luísa Mahin em 1980, Grupo Mulheres Negras do Rio de Janeiro em 1982) que, de um modo ou outro, foram reabsorvidos pelo movimento negro. Todas nós, sem jamais termos nos distanciado do movimento negro, continuamos nosso trabalho de militantes no interior das organizações mistas a que pertencíamos (André Rebouças, IPCN, Sinba, MNU etc.) sem, no entanto, desistir da discussão de nossas questões específicas junto aos nossos companheiros que, muitas vezes, tentavam nos excluir do nível das decisões, delegando-nos tarefas mais "femininas". Desnecessário dizer que o movimento negro não deixava (e nem deixou ainda) de reproduzir certas práticas originárias da ideologia dominante, sobretudo no que diz respeito ao sexismo, como já dissemos. Todavia, como nós, mulheres e homens negros, nos conhecemos muito bem, nossas relações, apesar de todos os "pegas", desenvolvem-se num plano mais igualitário cujas raízes, como dissemos acima, provêm de um mesmo solo: a experiência histórico-cultural comum. Por aí se explica a competição de muitos militantes com suas companheiras de luta (que se pense no "esquecimento" a que nos referimos anteriormente). Mas, por outro lado, por aí também se explica o espaço que temos no interior do movimento negro. E vale notar que, em termos de MNU (Movimento Negro Unificado), por exemplo, não apenas nós, mulheres, como nossos companheiros homossexuais conquistamos o direito de discutir, em congresso, as nossas especificidades. E isso num momento em que as esquerdas titubeavam sobre "tais questões", receosas de que viessem "dividir a luta do operariado".

Enquanto isso, nossas experiências com o movimento de mulheres se caracterizavam como bastante contraditórias: em nossas participações em seus encontros ou congressos, muitas vezes éramos consideradas "agressivas" ou "não feministas" porque sempre insistimos que o racismo e suas práticas devem ser levados em conta nas lutas feministas, exatamente porque, como o sexismo, constituem formas estruturais de opressão e exploração em sociedades como a nossa. Quando, por exemplo, denunciávamos a opressão e exploração das empregadas domésticas por suas patroas, causávamos grande mal-estar: afinal, dizíamos, a exploração do trabalho doméstico assalariado permitiu a "liberação" de muitas mulheres para se engajarem nas lutas "da mulher". Se denunciávamos a violência policial contra os homens negros, ouvíamos como resposta que violência era a da repressão contra os heróis da luta contra a ditadura (como se a repressão, tanto num quanto noutro caso, não fizesse parte da estrutura do mesmo Estado policial-militar). Todavia, não deixamos de encontrar solidariedade da parte de setores mais avançados do movimento de mulheres que demonstraram interesse em não só divulgar nossas lutas como em colaborar conosco em outros níveis.

Apesar dos aspectos positivos em nossos contatos com o movimento de mulheres, as contradições e ambiguidades permanecem, uma vez que, enquanto originário do movimento de mulheres ocidental, o movimento de mulheres brasileiro não deixa de reproduzir o "imperialismo cultural" daquele.[18] E, nesse sentido, não podemos esquecer que alguns setores do movimento de mulheres não têm o menor escrúpulo em manipular o que chamam de "mulheres de base" ou "populares" como simples massa de manobra para a aprovação de suas propostas (determinadas pela direção masculina de certos partidos políticos). Mas, por outro lado, muitas "feministas" adotam posturas elitistas e discriminatórias com relação a essas mesmas mulheres populares. De acordo com o relato de companheiras do Nzinga, por ocasião da reunião em que seria tirado o nome daquela que representaria o movimento de mulheres no comício das Diretas do dia 21 de março no Rio, uma militante feminista branca, não aceitando a indicação de uma mulher negra e favelada, declarou com todas as letras que "mulher de bica d'água não pode representar as mulheres".

> E ainda recentemente, participando de uma reflexão sobre a "sexualidade feminina" convocada pelo PT para poder encaminhar as questões da mulher [...] constatamos [...] falações como "a mulher negra desperta mais cedo para a sexua-

lidade", "a empregada doméstica como veículo da descoberta de temas sexuais através de revistas, conversas etc." ou ainda, o que é muito comum, "a questão da mulher negra é uma questão de classe, e não de raça".[19]

Por essas e outras é que se entende por que os grupos de mulheres negras se organizaram e se organizam a partir do movimento negro e não do movimento de mulheres. Aliás, as pouquíssimas negras que militam apenas no movimento de mulheres têm muita dificuldade no sentido de se aprofundar no que diz respeito à questão racial. Talvez porque achem que no Brasil não existe racismo (porque, como disse Millôr Fernandes, "o negro conhece o seu lugar")...

O grande encontro do movimento negro com o movimento de favelas ocorreu a partir da campanha eleitoral de 1982, uma vez que até aquele momento vinham atuando de maneira paralela. Os efeitos da chamada abertura política, concretizados na formação de novos partidos políticos, atraíram setores que até então haviam permanecido à margem do processo político-partidário. Os novos programas, de um ou de outro modo, integraram algumas das reivindicações dos movimentos sociais, e os partidos de oposição se preocuparam em lançar candidatos populares. E foi nesse contexto que surgiram candidaturas originárias do movimento negro e do movimento de favelas.

No meu caso pessoal, tive a oportunidade de fazer a campanha em conjunto sobretudo com duas irmãs faveladas: Benedita da Silva e Jurema Batista. De um lado, a profunda consciência dos problemas e das necessidades concretas da comunidade; de outro, a consciência da discriminação racial e sexual enquanto articulação da exploração de classe. A troca de saberes/experiências foi extremamente proveitosa para ambos os lados, e o ponto de entendimento comum foi justamente a questão da violência policial contra a população negra. No final da campanha nossas falas estavam inteiramente afinadas, apesar das diferenças individuais. A despeito de toda uma inexperiência nesse terreno, vivenciamos situações de extrema riqueza política e pessoal.

Apesar dos resultados negativos para ambos os movimentos, e justamente por isso, nos foi imposta a exigência de efetuar uma avaliação conjunta da atuação dos candidatos negros dos partidos de oposição no processo eleitoral. Daí em diante, os dois movimentos passaram a ter uma atuação mais unitária. E alguns exemplos são bastante significativos: a presença de faveladas no Encontro de Mulheres, promovido pelo Grupo de Mulheres Negras do Rio de Janeiro (em março de 1983); a cobertura e divulgação de eventos do movimento negro pelo jornal do movimento de favelas, *O Favelão*; a criação de organizações vinculadas ao movimento negro nas áreas periféricas do Rio de Janeiro; a criação de uma vice-presidência comunitária na estrutura do IPCN etc. Nessa linha de trabalho — mediante a articulação do movimento de favelas, do movimento de mulheres e do movimento negro —, Benedita da Silva tomou a iniciativa da organização e realização do I Encontro de Mulheres de Favelas e Periferia (em julho de 1983). Pelo exposto, fica evidente que novas perspectivas se abriram para ambos os movimentos.

E é nesse contexto que se inscreve a criação do Nzinga — Coletivo de Mulheres Negras no dia 16 de junho de 1983, justamente na sede da Associação de Moradores do Morro dos Cabritos, por um grupo de mulheres originárias sobretudo do movimento de favelas e do movimento negro: Jurema Batista (movimento de favelas), Geralda Alcântara (movimento de favelas), Miramar da Costa Correia (movimento de bairros), Sonia C. da Silva (movimento de favelas), Sandra Helena (movimento de favelas), Bernadete Veiga de Souza (movimento de favelas), Victoria Mary dos Santos (movimento negro) e Lélia Gonzalez (movimento negro). Em meados de julho daquele mesmo ano, a companheira Jurema Batista (fundadora e presidente da Associação de Moradores do Morro do Andaraí) seguia para Lima como delegada do Nzinga para o II Encontro Feminista da América Latina e do Caribe, juntamente com duas representantes do Grupo de Mulheres Negras do Rio de Janeiro (e a atuação dessas companheiras foi de tal ordem que conseguiram que se criasse um Comitê Antirracismo no Encontro). Pela primeira vez na história do feminismo negro brasileiro, uma favelada representava no exterior uma organização específica de mulheres negras.

> Somos um *Coletivo*: não aceitamos que a arbitrariedade de uma hierarquia autoritária determine nossas decisões, mas que elas sejam o resultado de discussões democráticas. Somos um Coletivo de *Mulheres* porque lutamos contra todas as formas de violência, ou seja, lutamos contra o sexismo e a discriminação sexual. Somos um Coletivo de Mulheres *Negras*: além do sexismo, lutamos contra o racismo e a discriminação racial que fazem de nós o setor mais explorado e mais oprimido da sociedade brasileira [...]. Nosso objetivo é trabalhar *com* as mulheres

negras de baixa renda (mais de oitenta por cento das trabalhadoras negras), que vivem principalmente nas favelas e nos bairros de periferia. E por quê? Porque são discriminadas pelo fato de serem *mulheres, negras e pobres*.

Este é um trecho de um panfleto distribuído no dia 25 de março de 1984 no morro do Andaraí, onde o Nzinga organizou, em um só evento, a comemoração do 8 de março (Dia Internacional da Mulher) e do 21 de março (Dia Internacional de Luta pela Eliminação da Discriminação Racial). No mesmo panfleto também dizíamos quem foi Nzinga e explicávamos o significado das duas datas.

A escolha do nome de Nzinga tem a ver com a nossa preocupação de resgatar um passado histórico recalcado por uma "história" que só fala dos nossos opressores. A famosa rainha Jinga (Nzinga) teve um papel da maior importância na luta contra o opressor português em Angola. O pássaro que usamos como símbolo tem a ver com a tradição nagô, segundo a qual a ancestralidade feminina é representada por pássaros. E nossas cores têm a ver, o amarelo com Oxum e o roxo com o movimento internacional de mulheres.

Para encerrar, gostaríamos de prestar nossa homenagem a uma grande companheira de movimento negro (pertencíamos ao mesmo grupo, o Luísa Mahin, quando militávamos no MNU) que vem desenvolvendo um trabalho da maior importância com relação aos seus companheiros e companheiras de profissão. Refiro-me a Zezé Motta, que, coerentemente em sua militância de mulher negra, fundou o Centro de Documentação de Artistas Negros (Cedan), que aí está inclusive para desmascarar essa história de que "não existem atores negros" (o que justifica até certos atores de respeito se pintarem de preto) e, fundamentalmente, para que a história passada e presente dos artistas negros fique devidamente registrada. Como se vê, trata-se de um trabalho cujos efeitos só podem trazer benefícios para os negros que trabalham num setor profissional que se destaca pelo seu caráter altamente discriminador do ponto de vista racial.

Pelo exposto, evidencia-se que nossa preocupação, em termos de participação da mulher negra, focalizou especialmente aquelas que atuam sobretudo no movimento negro. Já o trabalho desenvolvido pelas mulheres negras nas associações de moradores, tanto de favelas quanto de bairros periféricos, registra uma história de lutas heroicas cuja análise não poderíamos fazer aqui por questões de espaço e de tempo. Consequentemente num outro texto, dada a riqueza de elementos a serem apresentados para a nossa reflexão.

Axé/ngunzo, muntu!

APÊNDICE

Carta-denúncia

Numa sociedade onde a divisão racial e a divisão sexual do trabalho fazem dos negros e das mulheres trabalhadores de segunda categoria, no conjunto dos trabalhadores já por demais explorados (afinal, sobre quem recai o peso da recessão?); numa sociedade onde o racismo e o sexismo, enquanto fortes sustentáculos da ideologia de dominação, fazem dos negros e das mulheres cidadãos de segunda classe, não é difícil visualizar a terrível carga de discriminação a que está sujeita a mulher negra.

A dimensão racial nos impõe uma inferiorização ainda maior, já que sofremos, como as outras mulheres, os efeitos da desigualdade sexual. Na verdade, ocupamos o polo oposto ao da dominação, representado pela figura do homem branco e burguês. Por isso mesmo constituímos o setor mais oprimido e explorado da sociedade brasileira.

Apesar de um pequeno contingente da população feminina negra (cerca de 17% antes da atual recessão) fazer parte de alguns setores da classe média, é justamente daí que surgem as denúncias de situações em que a discriminação racial e sexual exerce sua violência. Por isso mesmo seu registro e divulgação pelos meios de comunicação de massa são um tanto quanto esporádicos, e daí tão chocantes para a "opinião pública". Quem não se recorda do acontecido com a repórter de televisão Glória Maria ou com a cantora Lecy Brandão? Uma, impedida de entrar num hotel; outra, no edifício onde morava uma amiga que ela fora visitar, acompanhada de sua mãe.

Sofrendo os efeitos dos estereótipos racistas e sexistas da patriarcal "democracia racial" brasileira, essas mulheres negras de classe média a eles reagem exigindo a aplicação da inócua Lei Afonso Arinos, tanto numa iniciativa individual quanto buscando o apoio de instituições como a OAB, a Comissão de Direitos Humanos ou o movimento negro. Neste último caso, fica mais ou menos evidente a consciência de que a violência e humilhação por elas sofridas não são uma exceção. Vejamos alguns exemplos significativos:

a) No dia 31 de janeiro de 1984, Aglaete Nunes Martins (solteira, advogada) foi arrastada para fora de um ônibus por policiais da PM que efetuavam uma "blitz" naquele veículo e "delicadamente" conduzida até a 15ª DP (Gávea). Seu "delito" foi ter indagado a um dos policiais por que eles só revistavam cidadãos negros.

b) No dia 21 de janeiro de 1984, um jornal local de televisão noticiou o caso de discriminação de uma mulher negra que fora levar sua filha para visitar uma amiguinha num edifício da rua Domingos Ferreira, em Copacabana.

c) Vejamos o que aconteceu a Alzira Fidalgo (casada, funcionária pública e membro do Teatro Profissional do Negro), segundo seu próprio relato ao exmo. dr. delegado da 10ª Delegacia de Polícia (Botafogo): "Na sexta-feira passada, dia 23 de dezembro, às 15h30, aproximadamente, fui acusada de ladra quando passava por uma das caixas das Lojas Brasileiras — filial Rio Sul — pela funcionária Dona Rachel, que ordenou que parasse todo o movimento de caixas e me obrigou a revirar bolsas e pacotes para encontrar uma nota de compra de um brinquedo Tamanduá Tatá que eu havia pagado momentos antes na caixa nº 48; porém, como a pressão em volta era grande demais, pois a essas alturas um grande número de pessoas já nos expectavam enquanto eu chorava de nervoso e vergonha, cheguei até a urinar nas calças. As notas estavam na bolsinha canguru que eu conduzia na cintura, mas no momento eu não lembrava, enquanto Dona Rachel, se aproveitando do meu desespero, fazia ironias e acusações; a essas alturas eu senti que as pessoas em volta já acreditavam nas afirmações dela e tive medo de ser linchada antes de ir parar no distrito. Foi quando me lembrei de consultar a moça da caixa 48, que confirmou prontamente que aquelas compras eu já havia pagado; em seguida me lembrei da bolsinha canguru e finalmente encontrei as notas".

d) No dia 8 de junho de 1983, Cíntia, adolescente negra, conversava com um coleguinha na entrada do prédio onde mora (rua Visconde de Morais, nº 167/702 — Ingá, Niterói). O síndico chegou e começou a dizer que ela era responsável por toda a sujeira do prédio etc. etc. Quando Cíntia avisou que relataria as ofensas à sua mãe, Regina Coelli Benedito dos Santos (desquitada, professora de física e matemática), este revidou, passando a ofender Regina ("negra safada, negra suja, ela tem mais é que sair daqui e morar na favela" etc.). Segundo esse "cavalheiro", *negro, homossexual e mulher sozinha* não prestam e não podem residir nos mesmos locais em que vivem as "pessoas de bem".

Por isso, nós do Nzinga — Coletivo de Mulheres Negras viemos a público denunciar as práticas racistas e sexistas a que nossas irmãs e companheiras (Regina e Alzira são militantes negras) foram submetidas, solidarizando-nos com elas e prestando-lhes todo o nosso apoio.

Todavia, não podemos silenciar quanto à violência cotidiana da exploração econômica e da opressão racial a que estão expostas milhares de glórias marias, de lecys, de aglaetes, de alziras e de reginas da vida. Do fundo do poço do seu anonimato — nas favelas, na periferia, nas prisões, nos manicômios, na prostituição, na "cozinha da madame", nas frentes de trabalho nordestinas —, talvez nunca tenham ouvido falar de *direito de cidadania*, mas têm consciência do que significa ser *mulher, negra e pobre*, ou seja, viver acuada, à espreita do próximo golpe a ser recebido, vigiando-se e "saindo de cena" para não ser mais ferida do que já é quando se trata de diferentes agentes da exploração, da opressão e também da repressão. Significa se jogar inteira no desenvolvimento das chamadas "estratégias de sobrevivência", dia após dia, hora após hora, sem deixar, no entanto, de apostar na vida. As conhecidas histórias de Carolina Maria de Jesus, Marli Pereira Soares e Francisca Souza da Silva* aí estão, enquanto testemunhas comoventes do que significa ser *mulher, negra e pobre*.

Rio de Janeiro, 8 de fevereiro de 1984
Axé, muntu!
NZINGA — COLETIVO DE MULHERES NEGRAS

---

* Francisca Souza da Silva é a autora do livro *Ai de vós, diário de uma doméstica*, publicado em 1983 pela editora Civilização Brasileira. Sobre Marli Pereira Soares, ver nota na p. 49. (N. O.)

O Movimento Negro Unificado: Um novo estágio na mobilização política negra*

A FINALIDADE DESTE CAPÍTULO é caracterizar o Movimento Negro contra a Discriminação Racial (MNUCDR) no contexto dos movimentos negros brasileiros em geral e estabelecer sua relação com a Frente Negra Brasileira (FNB) e o Teatro Experimental do Negro (TEN). Embora o MNU tenha surgido a partir desses dois últimos grupos, o período em que surgiu o impregnou com características que o distinguem de seus predecessores.

O processo de industrialização e urbanização do Brasil ocorreu em dois estágios: o capitalismo competitivo e o capitalismo monopolista. O primeiro estágio terminou em meados da década de 1950 e o segundo atingiu seu pico depois de 1968. Os setores conectados com o capitalismo competitivo foram subordinados pelo sistema monopolista hegemônico, cujos tentáculos alcançaram até as regiões mais atrasadas. Esses eventos resultaram na existência de dois mercados de trabalho distintos que exigiam forças de trabalho qualitativamente distintas.[1]

Esse desenvolvimento desigual combinava e integrava diferentes épocas. Grande parte da população excedente se tornou uma massa marginal sob o sistema monopolista e um exército industrial de reserva para o setor competitivo subordinado. Uma vez que a capacidade de absorver mão de obra manual desse setor é muito baixa, uma massa marginal também existe em relação a ele. Claramente, condições relacionadas ao desemprego e ao subemprego tiveram efeitos especialmente severos sobre esse excedente populacional.[2]

---

* Este artigo foi publicado originalmente em inglês, em 1985, com o título "The Unified Black Moviment: A New Stage in Black Political Mobilization". Trata-se de uma versão modificada e resumida do texto "O movimento negro na última década", que integra o livro *Lugar de negro* (Gonzalez e Hasenbalg, 1982). (N. O.)

A novidade do MNU reside no fato de ele reconhecer esses problemas relacionados à integração dos sistemas (relações harmoniosas ou conflituosas entre as partes de um sistema), sua articulação com os problemas da integração social (relações harmoniosas ou conflituosas entre os atores) e os efeitos dessa articulação sobre a população negra. É esse reconhecimento que distingue o MNU da FNB e do TEN, cuja abordagem se preocupava principalmente com os problemas da integração racial. O MNU combina problemas de raça e classe como foco de sua preocupação.

Como é frequente na história brasileira, quando surgem movimentos relacionados à mobilização e à organização popular, os setores dominantes encontram formas de neutralizá-los. Essas formas têm consistido basicamente em duas: a manipulação ideológica e a repressão direta. O paternalismo e o autoritarismo, em suas várias manifestações, são a essência da sociedade brasileira. Isso é especialmente verdadeiro se considerarmos o período de 1930 até o presente.

O golpe militar de 1964 tentou estabelecer uma "nova ordem" na sociedade brasileira, afirmando que o caos, o comunismo e a corrupção a ameaçavam. Era necessário, portanto, substituir o modelo existente por um novo modelo econômico mediante a pacificação da sociedade civil. Para garantir a nova ordem e a organização do Estado, todos os partidos políticos foram dissolvidos e dois novos foram criados: a Aliança Renovadora Nacional (Arena) e o Movimento Democrático Brasileiro (MDB). Como muitos representantes do povo tiveram seus direitos políticos cassados, o Congresso "assumiu funções puramente ritualísticas dentro de um processo latente de legitimação e consolidação das regras do novo contrato social".[3] Por outro lado, houve a desarticulação das Ligas Camponesas, a supressão da guerrilha urbana, a prisão, a tortura, o banimento e a imposição da "paz social". Os atos institucionais, que culminaram no famoso AI-5, foram os instrumentos usados pelo poder militar para impor suas decisões.[4] A base do "milagre econômico brasileiro" havia sido garantida. Como assinalou Fontaine,

> o "milagre" é caracterizado por uma alta taxa de crescimento econômico baseada num alto nível de desenvolvimento doméstico que se tornou possível mediante uma grande concentração de riqueza e a resultante acumulação do capital, um grau muito elevado de investimento público e doses maciças de

empréstimos e investimentos estrangeiros. Isso resultou no que foi chamado de "Tríplice Aliança", juntando o Estado, as multinacionais e o capital local.[5]

Dessa forma, as massas foram totalmente destituídas do poder, tendo sofrido um processo de empobrecimento. Os afetados incluíam a maior parte da população negra do Brasil.

Os anos entre 1964 e 1970 se caracterizaram pela introdução agressiva de capital estrangeiro no país, ampliando sua área industrial, ao mesmo tempo que as empresas nacionais, menores, eram desnacionalizadas ou destruídas (houve uma elevada taxa de falências após 1965). Era por meio dessas pequenas empresas que os negros participavam do mercado de trabalho. Por outro lado, o setor agrícola foi marcado por uma crescente capitalização caracterizada pelo desaparecimento de pequenas propriedades e pela ascensão dos latifúndios formados por poderosas corporações e sustentados pelo governo militar. Essa ofensiva econômica resultou em altos níveis de desemprego nas áreas rurais. Devido a esses fatores e à política de diferenciação regional do salário mínimo (que favoreceu especialmente o Sudeste), o único meio de evitar a miséria e a fome era a migração para as áreas desenvolvidas, os centros urbanos. Isso deu início à inversão da proporção populacional entre as cidades e o interior (hoje em dia, cerca de 60% da população brasileira vive em áreas urbanas, e o restante em zonas rurais).

Com esse amplo influxo de mão de obra barata para as cidades, não foi difícil para o governo implementar seu projeto de desenvolvimento econômico ao utilizá-la na indústria de construção civil. Junto com a indústria automobilística, isso iria empurrar outros setores da economia para o rodamoinho do imperialismo multinacional. O setor de construção era um grande canal para a mão de obra barata, composta principalmente por negros. Não é difícil identificar as grandes obras que caracterizaram o período do "milagre brasileiro", sendo um dos grandes exemplos a ponte Rio-Niterói, que se estende sobre a baía de Guanabara.

A concentração de indústrias em São Paulo criou um novo polo industrial. Até então os centros industriais eram Volta Redonda, Osasco e Contagem, e nos dez últimos anos a região do ABC, perto de São Paulo, com cerca de 500 mil trabalhadores. A sofisticação tecnológica das indústrias do ABC exige certo nível de habilidades especializadas que a grande maioria dos negros não possui. Como resultado, depois de trocarem o interior pela cidade, precisaram se concentrar num mercado de trabalho que requer qualificação profissional; com isso, a maior parte dos trabalhadores negros não foi afetada pelos "benefícios" do "milagre".

A redução dos salários nos últimos quinze anos levou a um declínio assustador do padrão de vida para a maioria dos trabalhadores. Segundo o índice de 1976, o setor mais pobre da população recebeu 18% da renda nacional em 1960, enquanto em 1976 sua parcela caiu para 11%. Ou seja, a maior participação no mercado de trabalho não significou uma melhoria do padrão de vida para a maioria da população negra.

Foi na década de 1970 que novos movimentos de cultura negra começaram a proliferar no Sudeste brasileiro. Isso foi resultado da libertação dos países da África negra e do movimento afro-americano pelos direitos civis, cujos efeitos se fizeram sentir no Brasil. Em 1972, o Grupo Palmares, de Porto Alegre, no Rio Grande do Sul, lançou a ideia de se transferirem todas as tradicionais comemorações do aniversário da abolição (13 de maio de 1888) para 20 de novembro, data da morte de Zumbi, o grande líder da República de Palmares. O 13 de maio foi assim abandonado como a data historicamente mais significativa para os negros no Brasil. Afinal, a verdadeira abolição ainda não ocorreu. Para a maioria da população negra brasileira, o "milagre" se revelou uma ilusão. Mais do que nunca, a expressão "Ninguém segura este país" passou a ser vista como a exteriorização de um orgulho que nada tinha a ver com a realidade do povo negro.

As contradições internas do novo modelo econômico, junto com a crise do petróleo, acabaram explodindo o "milagre". O governo do presidente Geisel foi inaugurado sob o signo da "distensão". Foi quando diferentes setores da sociedade, estudantes, operários e trabalhadores em geral, começaram a contestar o regime. Sob a pressão da Frente pela Redemocratização, a "nova ordem" foi instaurada pelo regime militar. Foi esse o contexto da criação do MNU na cidade de São Paulo.

A criação do MNUCDR

Dois eventos foram os fatores decisivos concretos para a criação do MNUCDR: a tortura e o assassinato de um operário negro, Robson Silveira da Luz, por policiais do 44º Distrito Policial, de Guaianazes, na noite de 28 de abril de 1978 ("Eles me privaram da dignidade", repetiu Robson em seu leito de morte), e a exclusão de quatro adolescentes negros do time de vôlei do Clube Tietê por causa de sua cor (divulgada pela imprensa de São Paulo em 17 de maio de 1978). Um atleta negro contatou membros das organizações negras de São Paulo para manifestar sua raiva e exigir que se fizesse alguma coisa. Seguiram-se reuniões para discutir que ação tomar e como. Em 16 de junho o MNUCDR foi criado na sede do Centro de Cultura e Arte Negra (Cecan). Os procedimentos foram assim descritos pelo jornalista Hamilton Bernardes Cardoso:

> Um grande encontro foi realizado no domingo. Um companheiro do Rio, o filho de um deputado federal, vários representantes e membros de associações, jornais e grupos. Estudantes, "blacks", que não representavam ninguém. Artistas, atletas, a filha de um pintor. Foi uma longa tarde de debates. Em outros lugares, todos assistiam ao jogo de futebol entre Brasil e Argentina. Por fim se decidiu criar um Movimento Unificado contra a Discriminação Racial. Seu primeiro ato já estava marcado: uma manifestação no dia 7 de julho no viaduto do Chá, em São Paulo. Esse movimento reuniria todos os setores da comunidade negra, independente de ideologia, contra o inimigo comum, a discriminação racial.[6]

Foram feitos contatos com o Rio de Janeiro. Um atleta negro de São Paulo foi a um encontro de negros na cidade e os informou do que estava ocorrendo. Agora era tarefa deles acionar as organizações locais. Alguns dias antes, Abdias do Nascimento havia chegado, retornando dos Estados Unidos. As organizações contatadas apoiaram o novo movimento e enviaram mensagens de solidariedade. Enquanto isso, em São Paulo, ocorreram as primeiras deserções, motivadas pelo velho medo da repressão e pelo novo temor do engajamento. Afinal, uma manifestação era algo muito sério, até mesmo audacioso. Mas a determinação e a lucidez dos outros irmãos e companheiros militantes não se enfraqueceram diante desses temores.

O dia 7 de julho de 1978 se tornou o elo entre o protesto e a necessidade de organização política, que já vinha ocorrendo em diferentes estados do país. Declarações de apoio continuaram vindo desses estados, assim como de organizações e grupos não negros. Cartas foram enviadas por presidiários negros da Penitenciária de São Paulo e pelo grupo afro-brasileiro Netos de Zumbi. O mais inesquecível foi um velho negro que se juntou à multidão presente na apresentação do manifesto que condenava o racismo e mal conseguia ler em voz alta. Suas lágrimas dificultavam a leitura. Era como se ele estivesse se referindo à Frente Negra Brasileira da década de 1930.

Numa reunião realizada em 23 de julho num salão da Associação Cristã Beneficente do Brasil, ou ACBB, em São Paulo, decidiu-se adicionar a palavra "negro" ao nome do movimento, que passou a se chamar Movimento Negro Unificado contra a Discriminação Racial. Nesse encontro interestadual (com delegações dos estados de São Paulo e Rio de Janeiro), foi eleita uma comissão temporária de seis membros para preparar os documentos básicos do MNUCDR: a Carta de Princípios, o Programa de Ação e os Estatutos. À medida que as discussões se desenvolviam, surgiram diferentes tendências que iam das mais progressistas às mais conservadoras. As progressistas eram sustentadas pela geração mais jovem, e as conservadoras por pessoas mais velhas ou com melhores posições entre a classe média de São Paulo.

Alguns dias depois, acompanhei Abdias do Nascimento a Salvador para fazer contato com militantes negros de lá. Eles aderiram imediatamente e prometeram comparecer à Assembleia Nacional que aconteceria em setembro daquele ano no Rio. Em agosto um grupo de intelectuais negros do Rio de Janeiro e de São Paulo foi a Belo Horizonte, Minas Gerais, para participar da II Semana de Estudos Afro-Brasileiros, organizada pelo Instituto Estadual do Patrimônio Histórico e Artístico de Minas Gerais. Com exceção de um participante, todos eram do MNUCDR, sendo que dois deles tinham feito parte da comissão provisória já mencionada. Durante a visita, conseguiram a adesão de um casal negro que concordou em organizar o MNUCDR em Belo Horizonte. Minas Gerais também concordou em se fazer representar na assembleia que aconteceria no Rio de Janeiro.

Em 9 e 10 de setembro de 1978, foi realizada no Instituto de Pesquisa das Culturas Negras (IPCN), no Rio de Janeiro, a primeira Assembleia Nacional do MNUCDR. Estiveram presentes delegações dos estados de São Paulo, Bahia, Minas Gerais e Espírito Santo, assim como representantes do Rio de Janeiro. Cerca de trezentas pessoas compareceram para discutir e votar os documentos básicos e determinar a posição do MNU nas eleições legislativas que aconteceriam em 15 de novembro de 1978.

Uma segunda Assembleia Nacional foi realizada em 4 de novembro, em Salvador. Nela se discutiu a ampliação do movimento e o estabelecimento do 20 de novembro como Dia Nacional da Consciência Negra.

Em setembro de 1979, realizou-se em Belo Horizonte um encontro nacional que fez uma avaliação crítica das atividades do MNU e estabeleceu a data do primeiro congresso nacional do movimento. Este aconteceu entre os dias 14 e 16 de dezembro de 1979 no Rio de Janeiro.

Estrutura organizacional e meios de ação do MNU

A criação dos núcleos operacionais básicos, denominados Centros de Luta (CLS), foi proposta no manifesto de 7 de julho de 1978. Esses centros deveriam ser formados por no mínimo cinco pessoas que aceitassem os estatutos e o programa do MNU e promovessem debates, informações, a conscientização e a organização dos negros. Os CLS deveriam ser criados onde quer que houvesse negros, como locais de trabalho, aldeias, prisões, terreiros de candomblé e de umbanda, escolas de samba, afoxés, igrejas, favelas, palafitas e barracos. Cada CL era responsável por escolher o tipo de ação a ser realizada com pessoas negras nessas áreas. Nesse sentido, eles tinham certa autonomia.

Os Comitês Municipais de Coordenação (CMS) são constituídos por representantes de todos os CLS de um município. O papel desses órgãos é puramente organizacional, já que o poder de deliberação pertence às assembleias gerais, constituídas por todos os membros dos CLS.

Acima dos Comitês Municipais ou Regionais de Coordenação, foram criados Comitês Estaduais e, finalmente, uma Comissão Executiva Nacional, composta por três membros de cada estado do Brasil. Esta última é responsável, entre outras coisas, pela elaboração do Boletim Interno do MNU e pela representação do movimento em níveis nacional e internacional. Costuma se reunir a cada três meses.

O principal corpo de elaboração de políticas do MNU é seu congresso nacional, que se reúne uma vez por ano. Ele define a orientação política do movimento, aprova ou altera seus estatutos e avalia as atividades do MNU no ano anterior. Tem o poder de dissolver a organização por decisão unânime ou por dois terços dos votos de todos os seus membros.

A prática tem demonstrado que, devido a diferenças regionais, a estrutura organizacional do MNU se tornou mais ou menos descentralizada. Em alguns estados os CLS são virtualmente nominais e os encontros são organizados pelos Comitês de Coordenação, os famosos grupões, como alguns militantes os chamam. Em outros estados os CLS funcionam de forma autônoma, com os CMS se reunindo mensalmente ou a cada duas semanas. No primeiro congresso nacional foi proposto e aceito que o termo Centro de Luta fosse trocado por Grupo de Ação.

Quanto à Comissão Executiva Nacional (CEN), tem se reunido regularmente em diferentes sedes estaduais e representado o MNU no plano internacional. Os membros da CEN são eleitos pelos militantes dos CLS de cada estado durante o congresso nacional. A CEN também tem um caráter organizativo, embora sua função básica seja a administração do MNU nos níveis nacional e interacional.

O MNU difere da FNB e do TEN por não ter um líder com o poder de controlar o destino da organização. É precisamente para evitar isso que os CLS e o congresso constituem os órgãos mais importantes do movimento.

O MNU se define como um movimento político de reivindicação sem distinção de raça, sexo, educação, crença política ou religiosa e sem fins lucrativos. Seu objetivo é a mobilização e organização da população negra brasileira em sua luta pela emancipação política, social, econômica e cultural, que tem sido obstada pelo preconceito racial e suas práticas. Ao mesmo tempo, o MNU também se propõe denunciar as diferentes formas de opressão e exploração do povo brasileiro como um todo. Tendo como ponto de partida seu programa de ação, tenta articular os problemas específicos dos negros com os problemas gerais do povo brasileiro.

As assembleias nacionais realizadas no Rio de Janeiro e em Salvador apontam para essa combinação de objetivos. Por exemplo, num tópico relacionado à discriminação racial ou à divisão racial do trabalho, as questões do desemprego ou do subemprego, a criação de creches ou a melhoria das condições de moradia nas cidades e nas áreas rurais também vieram à tona. Ao mesmo tempo que denunciam a violência policial contra a população negra e a discriminação racial nas prisões, também atacam a exploração do trabalho prisional, exigindo o direito de organização para os presidiários e a criação de centros de recuperação para sua efetiva reintegração à sociedade. Ao mesmo tempo que denunciam a exploração comercial, a inferiorização e a distorção da cultura negra, eles exigem a criação de teatros nas periferias e rejeitam a colonização cultural como um todo. Enquanto protestam contra a perseguição racial nos locais de trabalho, também reivindicam melhores salários, o direito à sindicalização e o direito de greve.

A militância dos membros do MNU tenta se expressar em diferentes níveis, incluindo não apenas o trabalho em comunidades com o propósito de organizá-las para que defendam seus direitos e tenham atendidas suas necessidades mais concretas, mas também o de enfrentar os problemas mais amplos da sociedade como um todo. Dessa forma, a organização de associações de moradores de favelas, o estabelecimento de cursos de artes criativas para crianças das periferias das grandes cidades, a participação em lutas como as do Movimento pela Anistia e do Movimento em Defesa da Amazônia, a solidariedade expressa aos movimentos dos trabalhadores e o apoio aos direitos dos presidiários são algumas das formas de ação do MNU.

O movimento participou do primeiro e do segundo congressos do Comitê Brasileiro pela Anistia (1978 e 1979) e caracterizou o chamado prisioneiro comum como prisioneiro político:

> Nós constituímos a maioria da população brasileira e, portanto, a maioria nas prisões, nos centros de detenção juvenil e entre os mendigos, os mais oprimidos entre os oprimidos. As reações a essa situação são diversas. O ataque à propriedade privada é a forma mais comum, e as penalidades são, nesse caso, mais severas do que para homicídios. É uma característica desse sistema que se garanta mais proteção a "coisas" pertencentes a outras pessoas. Cada um tem o que lhe pertence, ou melhor, a minoria tem o que lhe pertence, enquanto o "resto" não tem nada. O ataque à propriedade privada, embora seja um ato político (uma forma de contestação), permanece no plano individual. É por isso que, quando nos referimos a prisioneiros políticos, que na maioria pertencem à classe média, também deveríamos considerar como prisioneiros políticos aqueles que são vistos como prisioneiros "comuns".

O MNU também participou da trigésima e da trigésima primeira reuniões da Sociedade Brasileira para o Progresso da Ciência (SBPC), expondo o racismo e a discriminação racial presentes em todos os níveis da sociedade no país.

No Encontro Nacional pela Democracia (ocorrido em dezembro de 1978), foi apresentada uma moção que situava os negros e sua luta política no contexto geral da sociedade brasileira.

Devemos também mencionar os manifestos de denúncia do racismo e da violência policial que atinge os negros, e também as manifestações em praça pública. Um exemplo disso foi o enterro simbólico, em 1979, da Lei Afonso Arinos, realizado em São Paulo. Na mesma linha, em 20 de novembro de 1979, Dia Nacional da Consciência Negra, manifestações e protestos tiveram lugar no Rio de Janeiro, São Paulo, Belo Horizonte, Salvador e João Pessoa.

A campanha realizada pelo MNU em 1979 se concentrou basicamente em denunciar a violência policial. Seus efeitos foram sentidos pela sociedade mais ampla: o caso Aézio* — uma repetição da experiência de Robson da Luz — foi divulgado e levantou a opinião pública contra a tortura e o assassinato de trabalhadores pobres e negros, objetos de um processo sistemático de discriminação racial. É importante salientar uma vez mais que o cidadão negro brasileiro não é apenas discriminado em função da divisão racial do trabalho, mas é também privado de sua dignidade humana pela polícia, que o considera um criminoso por não ter uma carteira de trabalho assinada por um patrão branco. Isso é resultado do desemprego e do subemprego de que padece a maioria da população negra.

O primeiro congresso do MNU

De 14 a 16 de dezembro de 1979, realizou-se no município de Caxias, no Rio de Janeiro, o I Congresso Nacional do MNU, com militantes representando os estados de São Paulo, Minas Gerais, Bahia, Rio Grande do Sul e Rio de Janeiro. Foi um momento decisivo para todos os envolvidos, já que uma série de modificações e aperfeiçoamentos se mostrou necessária, especialmente com relação a documentos, estratégia e táticas básicas a serem elaboradas.

A respeito dos estatutos, foram feitas algumas modificações. Foi discutida e aprovada a redução do nome do movimento, que passou de Movimento Negro Unificado contra a Discriminação Racial para Movimento Negro Uni-

---

* Sobre Aézio, ver nota p. 85.

ficado. A expressão "discriminação racial" foi retirada como redundante, já que o principal objetivo do movimento é obviamente a luta contra o racismo. Também foi decidido que as sedes do MNU seriam sempre os locais de reunião dos Comitês de Coordenação Municipais ou Estaduais, assim como os Centros de Luta. Estes últimos tiveram o nome alterado para Grupos de Ação. De fato, havíamos chegado à conclusão de que o nome anterior tinha um efeito negativo em diferentes comunidades negras. Como resultado das pressões psicológicas a que sempre haviam sido submetidas, elas se sentiam ameaçadas e tinham medo de estabelecer essas unidades básicas. O antigo medo da repressão policial era responsável por essa reação. Ao mesmo tempo, também desejávamos evitar sermos associados, nas mentes das pessoas, a outras organizações já conhecidas.

Nossa experiência histórica com essas outras organizações não tem sido a mais satisfatória, pois, quando não nos boicotam totalmente, elas sustentam que nossos objetivos só serão atingidos com a solução da luta de classes. Esse tipo de reducionismo tem caracterizado o conservadorismo da esquerda brasileira em relação à questão racial.

No congresso, foi feita uma análise estrutural da sociedade brasileira no período pós-abolição, seguida de uma análise da atual conjuntura. A campanha do governo contra a violência de rua nas principais cidades se mostrou uma forma de desviar a atenção da crise econômica que o país atravessava. Concentrando-se no "problema da violência", o governo se preparava para tomar uma série de medidas que cairiam mais repressivamente sobre a população negra. Além da questão da segurança nacional, ele apresentou como seus objetivos a lei e a ordem. A redução do limite de idade para a responsabilidade criminal de dezoito para dezesseis anos e o estabelecimento da prisão preventiva indicam claramente quem serão as principais vítimas do sistema. Nos jornais, na televisão e no rádio, o principal tema apresentado é o da violência.

Por outro lado, o "pacote de dezembro" de 1979 afetou diretamente a classe média, cujo empobrecimento continua aumentando. Quanto mais insatisfeita se sente a classe média, mais reacionária ela se torna, apoiando medidas como a pena de morte na esperança de que isso vá resolver o "problema da violência". Como manifestação dessa tendência, frequentes linchamentos de ladrões e assaltantes têm ocorrido nos últimos tempos.

A inclusão da pena de morte na legislação criminal brasileira já é aceita como normal. Uma pequena criança negra abandonada é mostrada na televisão como um futuro marginal ou uma ameaça à sociedade. Em face de tudo isso, "Mais empregos para negros" foi o principal tema de campanha do MNU em 1980. Desse modo pretendemos trazer à tona o que o governo brasileiro tenta obscurecer: a crise econômica e a crescente taxa de desemprego que atinge principalmente a população negra (nossa campanha de 1979 denunciou a violência policial).

Outro tema importante discutido no congresso foi a situação da mulher negra. Finalmente aprovamos uma resolução sobre o que se poderia chamar de "dupla militância". Isso significa que, externamente, nossa prioridade é a luta contra a discriminação racial. Nesse nível, as mulheres estão lado a lado com seus irmãos. Internamente, porém, as atividades das mulheres serão direcionadas à denúncia do machismo de nossos companheiros e ao aprofundamento das discussões sobre nós mesmas. Se realmente quisermos provocar o nascimento de uma nova sociedade, isso só pode ocorrer na medida em que nós próprias nos tornemos novos seres humanos; ou seja, apenas se resolvermos nossa alienação seremos capazes de transformar a sociedade que estamos denunciando.

Em relação aos novos partidos políticos, o MNU não tem apoiado oficialmente nenhum, pois eles não descartaram suas antigas estruturas a despeito de sua retórica "modernizante". Em vez disso, foi decidido que, individualmente, os militantes podem aderir ao grupo político de sua escolha, mas sempre chamando atenção para a questão racial.

O congresso também se envolveu em intensos debates de natureza ideológica. Entretanto, embora o quilombismo tenha sido um dos temas discutidos, a comissão encarregada de elaborar o documento pertinente não conseguiu apresentar seu trabalho à assembleia devido à falta de tempo. Foi decidido, então, que os aspectos não discutidos na assembleia seriam desenvolvidos pelas respectivas organizações estaduais. O resultado seria sintetizado no próximo encontro pela Comissão Executiva Nacional. Não obstante, foi feita uma série de críticas ao quilombismo. Basicamente, concordou-se que seus pontos mais fracos eram o personalismo e o paternalismo. Além disso, a proposta de uma "ciência quilombola" pareceu desprovida de uma base epistemológica séria.

As discussões mais elaboradas foram relativas a mudanças nas ações dirigidas contra imigrantes. Estes eram vistos como brancos estrangeiros que tomaram o lugar dos negros no mercado de trabalho, mas, como sempre se passa do específico para o geral, tentamos baseá-las numa perspectiva política mais madura e profunda. A visão do caráter internacional de nossa luta foi amplamente simplificada, sem jamais perder de vista a necessidade de caracterizar e denunciar a situação do negro brasileiro. Afinal, o racismo e a discriminação racial não são atributos exclusivos da sociedade brasileira.

O MNU e seus predecessores

Existem diferenças fundamentais entre o MNU, a FNB e o TEN. Apesar de seus extraordinários esforços, a Frente Negra Brasileira se tornou um instrumento do governo Getúlio Vargas por reproduzir seu nacionalismo autoritário e sua manipulação das massas. Em última instância, seu protesto assumiu características moralizadoras por sua identificação com movimentos políticos reacionários (a Ação Integralista e setores de direita da comunidade imigrante). Sua liderança, apesar da incansável denúncia do racismo e do preconceito racial, não conseguiu perceber a necessidade de desafiar as contradições do próprio sistema. A FNB não lutou pela inclusão dos negros no mundo do trabalho [enquanto classe operária].* Isso se torna claro, por exemplo, quando observamos o tipo de denúncia que fizeram contra imigrantes. Estes eram vistos como brancos estrangeiros que tomaram o lugar dos negros no mercado de trabalho, mas nunca foram considerados como classe trabalhadora. Nesse sentido, se analisarmos o decreto nº 19.482 de 12 de dezembro de 1930, assim como sua justificativa, vamos perceber que o próprio Getúlio entendeu esse tipo de crítica (dirigindo-se a todos os trabalhadores da nação sem, evidentemente, especificar suas origens étnicas). Esse decreto pode ser considerado o "registro de nascimento" do populismo brasileiro, com o qual a população negra brasileira iria se comprometer totalmente. Os líderes da FNB não perceberam as manipulações ideológicas utilizadas pelo governo Vargas em

---

* Inserção das organizadoras para tornar a frase compreensível e coerente com o pensamento da autora e com o histórico da FNB. (N. O.)

relação à classe trabalhadora brasileira, especialmente nos setores emergentes dos trabalhadores situados fora do alcance dos discursos "subversivos" dos anarcossindicalistas, dos socialistas e dos comunistas. (O anarcossindicalismo e o socialismo foram introduzidos no Brasil por imigrantes, especialmente italianos.) Vargas substituiu as outras tendências ideológicas entre esses novos setores de trabalhadores urbanos. Após o golpe de 1937, ele também tomou o lugar da FNB aos olhos dos negros, e com muita eficiência. A legislação trabalhista que ele criou durante o Estado Novo beneficiou principalmente os trabalhadores negros. Estes mantiveram um pacto de aliança com Vargas, sobretudo quando ele fundou o Partido Trabalhista Brasileiro (PTB). Com o Estado Novo, veio um longo período de cooptação e manipulação das massas negras pelo populismo brasileiro.

Nesse contexto é que foi criado no Rio de Janeiro, na década de 1940, o Teatro Experimental do Negro. No que se refere à mobilização da população negra, o TEN teve um caráter bem mais limitado que a FNB — ela é até hoje o maior movimento negro de massas criado no Brasil. Tal como a FNB, o TEN não abordava a integração dos sistemas. Além disso, quando ele surgiu, em 1944, a população negra já estava comprometida com Getúlio Vargas.

Por não se preocuparem com a integração dos negros ao mercado de trabalho brasileiro denunciando as contradições do sistema, por assumirem uma atitude paternalista em relação aos negros, por suas lideranças serem paternalistas e autoritárias e por não conseguirem combinar o específico com o geral, esses dois movimentos não foram capazes de motivar a população negra como um todo e muito menos a sociedade brasileira em geral. Nesse sentido, é importante ressaltar a forte resistência da sociedade em relação à questão racial. Como Fontaine habilmente sintetizou, as relações de raça no Brasil apresentam um triplo aspecto: miscigenação biológica, integração social e assimilação cultural.[7] Sendo também politicamente paternalista e autoritária, a sociedade brasileira prefere acreditar que é uma "democracia racial". Isso é muito mais confortável e refinado. Hoje, o MNU enfrenta dificuldades semelhantes, embora num contexto diferente. Dezessete anos de autoritarismo militar, o surgimento de movimentos de massa de oposição ao regime, o retorno de exilados (que só descobriram a existência de discriminação racial no Brasil quando estavam no exterior), a libertação das nações africanas e os movimentos negros pelos direitos civis nos Estados Unidos são sinais de alerta que não podem ser ignorados. A internalização de uma luta entre opressores e oprimidos em que estes são pessoas de cor não pode passar despercebida por aqueles que estão nos setores mais progressistas de qualquer sociedade. Pois os setores que têm algo novo a oferecer e a dizer são exatamente aqueles que estão conectados com os oprimidos, antes incapacitados de se expressar e mantidos num estado de infantilismo sustentado pelo opressor.

Nós do MNU não poderíamos ter nos engajado em nossa luta sem a consciência de quem somos e do que desejamos. A FNB e o TEN são momentos de nossa história, contraditórios, falhos e cheios de erros; mas, precisamente por isso, nos legaram uma riqueza de experiências. Nossa história continua. É nossa responsabilidade agora levar adiante a luta iniciada por nossos companheiros do passado que estão presentes em todos nós, em outro momento dialético. Graças a eles agora compreendemos que a luta do povo negro no Brasil é um aspecto de uma luta muito mais ampla: a luta dos negros no mundo. Também sabemos que ela está presente e continua.

A categoria político-cultural de amefricanidade[*]

Introdução

Este texto resulta de uma reflexão que vem se estruturando em outros que o antecederam[1] e que se enraíza na retomada de uma ideia de Betty Milan desenvolvida por M. D. Magno.[2] Trata-se de um olhar novo e criativo no enfoque da formação histórico-cultural do Brasil que, por razões de ordem geográfica e, sobretudo, da ordem do inconsciente, não vem a ser o que geralmente se afirma: um país cujas formações do inconsciente são exclusivamente europeias, brancas. Ao contrário, ele é uma América Africana cuja latinidade, por inexistente, teve trocado o T pelo D para, aí sim, ter o seu nome assumido com todas as letras: *Améfrica Ladina* (não é por acaso que a *neurose cultural* brasileira tem no *racismo* o seu sintoma por excelência). Nesse contexto, todos os brasileiros (e não apenas os "pretos" e os "pardos" do IBGE) são *ladino-amefricanos*. Para um bom entendimento das artimanhas do racismo acima caracterizado, vale a pena recordar a categoria freudiana de *denegação (Verneinung)*: "Processo pelo qual o indivíduo, embora formulando um de seus desejos, pensamentos ou sentimentos, até aí recalcado, continua a defender-se dele, negando que lhe pertença".[3] Enquanto denegação de nossa ladino-amefricanidade, o racismo "à brasileira" se volta justamente contra aqueles que são o testemunho vivo da mesma (os negros), ao mesmo tempo que diz não o fazer ("democracia racial" brasileira). Para melhor entendimento dessa questão, numa perspectiva lacaniana, é recomendável a leitura do texto brilhante de M. D. Magno.[4]

---

[*] Este trabalho é dedicado a Marie-Claude e Shawna, irmãs e companheiras amefricanas, que muito me incentivaram no desenvolvimento da ideia em questão. É também uma homenagem ao honorável Abdias do Nascimento.

Graças a um contato crescente com manifestações culturais negras de outros países do continente americano, tenho tido a oportunidade de observar certas similaridades que, no que se refere aos falares, lembram o nosso país. É certo que a presença negra na região caribenha (aqui entendida não só como a América Insular, mas incluindo a costa atlântica da América Central e o norte da América do Sul) modificou o espanhol, o inglês e o francês falados na região (quanto ao holandês, por desconhecimento, nada posso dizer). Ou seja, aquilo que chamo de "pretuguês" e que nada mais é do que marca de africanização do português falado no Brasil (nunca esquecendo que o colonizador chamava os escravos africanos de "pretos", e de "crioulos" os nascidos no Brasil) é facilmente constatável sobretudo no espanhol da região caribenha. O caráter tonal e rítmico das línguas africanas trazidas para o Novo Mundo, e também a ausência de certas consoantes (como o L ou o R, por exemplo), apontam para um aspecto pouco explorado da influência negra na formação histórico-cultural do continente como um todo (e isso sem falar nos dialetos "crioulos" do Caribe). Similaridades ainda mais evidentes são constatáveis se o nosso olhar se volta para as músicas, as danças, os sistemas de crenças etc. Desnecessário dizer o quanto tudo isso é encoberto pelo véu ideológico do branqueamento, é recalcado por classificações eurocêntricas do tipo "cultura popular", "folclore nacional" etc. que minimizam a importância da contribuição negra.

Um outro aspecto, e bem inconsciente, do que estamos abordando diz respeito a outra categoria freudiana, a de *objeto parcial* (*Partialobjekt*), e que é assim definida:

> Tipo de objetos visados pelas pulsões parciais, sem que tal implique que uma pessoa, no seu conjunto, seja tomada como objeto de amor. Trata-se principalmente de partes do corpo, reais ou fantasmadas [...], e dos seus equivalentes simbólicos. Até uma pessoa pode identificar-se ou ser identificada com um objeto parcial.[5]

Pois bem. Pelo menos no que se refere ao Brasil, que se atente não só para toda uma literatura (Jorge Amado, por exemplo) como para as manifestações das fantasias sexuais brasileiras. Elas se concentram no objeto parcial por excelência da nossa cultura: a bunda.[6] Recorrendo ao *Aurélio*, pode-se constatar que essa palavra se inscreve no vocabulário de uma língua africana, o quimbundo (*mbunda*), que muito influenciou os nossos falares. Além disso, vale ressaltar que os *bundos* constituem uma etnia banto de Angola que, além do supracitado quimbundo, falam outras duas línguas: bunda e ambundo. Se atentarmos para o fato de que Luanda foi um dos maiores portos de exportação de escravos para a América... Em consequência, além de certos modismos (refiro-me, por exemplo, ao biquíni fio dental) que buscam evidenciar esse objeto parcial, note-se que o termo deu origem a muitos outros em nosso "pretuguês". Por essa razão, gosto de fazer um trocadilho, afirmando que o português, o lusitano, "não fala e nem diz bunda" (do verbo desbundar).

Essas e muitas outras marcas que evidenciam a presença negra na construção cultural do continente americano me levaram a pensar a necessidade de elaboração de uma categoria que não se restringisse apenas ao caso brasileiro e que, efetuando uma abordagem mais ampla, levasse em consideração as exigências da interdisciplinaridade. Desse modo, comecei a refletir sobre a categoria de amefricanidade.

Racismo, colonialismo, imperialismo e seus efeitos

Sabemos que o colonialismo europeu, nos termos com que hoje o definimos, configura-se no decorrer da segunda metade do século XIX. Nesse mesmo período, o racismo se constituía como a "ciência" da superioridade eurocristã (branca e patriarcal), na medida em que se estruturava o *modelo ariano* de explicação[7] que viria a ser não só o referencial das classificações triádicas do evolucionismo positivista das nascentes ciências do homem como ainda hoje direciona o olhar da produção acadêmica ocidental. Vale notar que tal processo se desenvolveu no terreno fértil de toda uma tradição etnocêntrica pré-colonialista (séculos XV-XIX) que considerava absurdas, supersticiosas ou exóticas as manifestações culturais dos povos "selvagens".[8] Daí a "naturalidade" com que a violência etnocida e destruidora das forças do pré-colonialismo europeu se fez abater sobre esses povos. No decurso da segunda metade do século XIX, a Europa transformaria tudo isso numa tarefa de explicação racional dos (a partir de então) "costumes primitivos", numa questão de racionalidade administrativa de suas colônias. Agora, em face da resistência dos colonizados, a violência assumirá novos contornos, mais sofisticados;

chegando, às vezes, a não parecer violência, mas "verdadeira superioridade". Os textos de um Fanon ou de um Memmi demonstram os efeitos de alienação que a eficácia da dominação colonial exerceria sobre os colonizados.

Quando se analisa a estratégia utilizada pelos países europeus em suas colônias, verifica-se que o racismo desempenhará um papel fundamental na internalização da "superioridade" do colonizador pelos colonizados. E ele apresenta, pelo menos, duas faces que só se diferenciam enquanto táticas que visam ao mesmo objetivo: exploração/opressão. Refiro-me, no caso, ao que comumente é conhecido como *racismo aberto* e *racismo disfarçado*. O primeiro, característico das sociedades de origem anglo-saxônica, germânica ou holandesa, estabelece que negra é a pessoa que tenha tido antepassados negros ("sangue negro nas veias"). De acordo com essa articulação ideológica, miscigenação é algo impensável (embora o estupro e a exploração sexual da mulher negra sempre tenham ocorrido), na medida em que o grupo branco pretende manter sua "pureza" e reafirmar sua "superioridade". Em consequência, a única solução, assumida de maneira explícita como a mais coerente, é a segregação dos grupos não brancos. A África do Sul, com a sua doutrina do desenvolvimento "igual" mas separado, com o seu apartheid, é o modelo acabado desse tipo de teoria e prática racistas. Já no caso das sociedades de origem latina, temos o racismo disfarçado ou, como eu o classifico, o *racismo por denegação*. Aqui, prevalecem as "teorias" da miscigenação, da assimilação e da "democracia racial". A chamada América Latina, que, na verdade, é muito mais ameríndia e amefricana do que outra coisa, apresenta-se como o melhor exemplo de racismo por denegação. Sobretudo nos países de colonização luso--espanhola, onde as pouquíssimas exceções (como a Nicarágua e o seu *Estatuto de Autonomia de las Regiones de la Costa Atlántica*) confirmam a regra. Por isso mesmo, creio ser importante voltar o nosso olhar para a formação histórica dos países ibéricos.[9] Trata-se de uma reflexão que nos permite compreender como esse tipo específico de racismo pode se desenvolver para se constituir numa forma mais eficaz de alienação dos discriminados do que a anterior.

A formação histórica de Espanha e Portugal se deu no decorrer de uma luta plurissecular (a Reconquista) contra a presença de invasores que se diferenciavam não só pela religião que professavam (o islã); afinal, as tropas que invadiram a Ibéria em 711 não só eram majoritariamente negras (6700 mouros para trezentos árabes) como eram comandadas pelo negro general ("Gabel")

Tariq ibn Ziyad (a corruptela do termo Gabel Tariq resultou em Gibraltar, palavra que passou a nomear o estreito até então conhecido como Colunas de Hércules). Por outro lado, sabemos que não só os soldados como o ouro do reino negro de Gana (África Ocidental) tiveram muito a ver com a conquista moura da Ibéria (ou Al-Andalus). Vale notar, ainda, que as duas últimas dinastias que governaram Al-Andalus procediam da África Ocidental: a dos almorávidas e a dos almóadas. Foi sob o reinado desses últimos que nasceu, em Córdoba (1126), o mais eminente filósofo do mundo islâmico, o aristotélico Averróis.[10] Desnecessário dizer que, tanto do ponto de vista racial quanto civilizacional, a presença moura deixou profundas marcas nas sociedades ibéricas (como, de resto, na França, Itália etc.). Por aí se entende por que o racismo por denegação tem, na América Latina, um lugar privilegiado de expressão, na medida em que Espanha e Portugal adquiriram uma sólida experiência quanto aos processos mais eficazes de articulação das relações raciais.[11]

Sabemos que as sociedades ibéricas se estruturam a partir de um modelo rigidamente hierárquico, onde tudo e todos tinham seu lugar determinado (até mesmo o tipo de tratamento nominal obedecia às regras impostas pela legislação hierárquica). Enquanto grupos étnicos diferentes e dominados, mouros e judeus eram sujeitos a violento controle social e político. As sociedades que vieram a constituir a chamada América Latina foram as herdeiras históricas das ideologias de classificação social (racial e sexual) e das técnicas jurídico-administrativas das metrópoles ibéricas. Racialmente estratificadas, dispensaram formas abertas de segregação, uma vez que as hierarquias garantem a superioridade dos brancos enquanto grupo dominante.[12] A expressão do humorista Millôr Fernandes, ao afirmar que "não existe racismo no Brasil porque o negro conhece o seu lugar", sintetiza o que acabamos de expor.[13]

Por isso mesmo, a afirmação de que todos são iguais perante a lei assume um caráter nitidamente formalista em nossas sociedades. O racismo latino-americano é suficientemente sofisticado para manter negros e índios na condição de segmentos subordinados no interior das classes mais exploradas, graças à sua forma ideológica mais eficaz: a ideologia do branqueamento. Veiculada pelos meios de comunicação de massa e pelos aparelhos ideológicos tradicionais, ela reproduz e perpetua a crença de que as classificações e os valores do Ocidente branco são os únicos verdadeiros e universais. Uma vez estabelecido, o mito da superioridade branca demonstra sua eficácia pelos efeitos de estilhaçamento, de fragmentação da identidade racial que ele produz: o desejo de embranquecer (de "limpar o sangue", como se diz no Brasil) é internalizado, com a simultânea negação da própria raça, da própria cultura.[14]

Retomando a outra forma de racismo, a de segregação explícita, constata-se que seus efeitos sobre os grupos discriminados, ao contrário do racismo por denegação, reforça a identidade racial dos mesmos. Na verdade, a identidade racial própria é facilmente percebida por qualquer criança desses grupos. No caso das crianças negras, elas crescem sabendo que o são e sem se envergonharem disso, o que lhes permite desenvolver outras formas de percepção no interior da sociedade onde vivem (nesse sentido, a literatura negro-feminina dos Estados Unidos é uma fonte de grande riqueza; e Alice Walker, praticamente a única conhecida no Brasil, é um belo exemplo). Que se atente, no caso, para os quadros jovens dos movimentos de liberação da África do Sul e da Namíbia. Ou, então, para o fato de o movimento negro (MN) dos Estados Unidos ter conseguido conquistas sociais e políticas muito mais amplas do que o MN da Colômbia, do Peru ou do Brasil, por exemplo. Por aí se entende, também, por que Marcus Garvey, esse extraordinário jamaicano e legítimo descendente de Nanny,[15] tenha sido um dos maiores campeões do pan-africanismo ou, ainda, por que o jovem guianense Walter Rodney tenha produzido uma das análises mais contundentes contra o colonialismo-imperialismo, demonstrando *Como a Europa subdesenvolveu a África* e, por isso mesmo, tenha sido assassinado na capital de seu país em 13 de junho de 1980 (tive a honra de conhecê-lo e de receber o seu estímulo em um seminário promovido pela Universidade da Califórnia em Los Angeles, em 1979). Por tudo isso, bem sabemos das razões de outros assassínios, como o de Malcolm X ou o de Martin Luther King Jr.

A produção científica dos negros desses países do nosso continente tem se caracterizado pelo avanço, autonomia, inovação, diversificação e credibilidade nacional e internacional; o que nos remete a um espírito de profunda determinação, dados os obstáculos impostos pelo racismo dominante. Mas, como já disse antes, é justamente a consciência objetiva desse racismo sem disfarces e o conhecimento direto de suas práticas cruéis que despertam esse empenho, no sentido de resgate e afirmação da humanidade e competência de todo um grupo étnico considerado "inferior". A dureza dos sistemas fez com que a comunidade negra se unisse e lutasse, em diferentes níveis, contra todas as formas de opressão racista.

Já nas nossas sociedades de racismo por denegação o processo é diferente, como também foi dito. Aqui, a força do cultural se apresenta como a melhor forma de resistência. O que não significa que vozes solitárias não se ergam, efetuando análises/denúncias do sistema vigente. Foram os efeitos execráveis do assimilacionismo francês que levaram o psiquiatra martiniquenho Frantz Fanon a produzir suas análises magistrais sobre as relações socioeconômicas e psicológicas entre colonizador/colonizado.[16] No caso brasileiro, temos a figura do Honorável (título recebido em conferência internacional do mundo negro, em 1987) Abdias do Nascimento, cuja rica produção (análise/denúncia, teatro, poesia e pintura) não é reconhecida por muitos de seus irmãos e absolutamente ignorada pela intelectualidade "branca" do país (acusam-no de sectarismo ou de "racista às avessas", o que, logicamente, pressupõe um "racismo às direitas"). É interessante notar que tanto Fanon quanto Nascimento só foram reconhecidos e valorizados internacionalmente, e não em seus países de origem (Fanon só mereceu as homenagens de seu país após sua morte prematura; daí ter expressado, em seu leito de morte, o desejo de ser sepultado na Argélia). Desnecessário ressaltar a dor e a solidão desses irmãos, desses exemplos de efetiva militância negra.

Todavia, na minha perspectiva, uma grande contradição permanece quando se trata das formas político-ideológicas de luta e de resistência negra no Novo Mundo. Continuamos passivos em face da postura político-ideológica da potência imperialisticamente dominante da região: os Estados Unidos. Foi também por esse caminho que comecei a refletir sobre a *categoria de amefricanidade*.

Como vimos anteriormente, o Brasil (país de maior população negra do continente) e a região caribenha apresentam grandes similaridades no que diz respeito à africanização do continente. Todavia, quando se trata dos Estados Unidos, sabemos que os africanos escravizados sofreram uma duríssima repressão em face da tentativa de conservação de suas manifestações culturais (mão amputada caso tocassem atabaque, por exemplo). O puritanismo do colonizador anglo-americano, preocupado com a "verdadeira fé", forçou-os à conversão e à evangelização, ou seja, ao esquecimento de suas *Raízes* africanas (o comovente texto de Alex Haley nos revela todo o significado desse processo). Mas a resistência cultural se manteve, e clandestinamente, sobretudo em comunidades da Carolina do Sul. E as reinterpretações, as recriações culturais dos negros daquele país ocorreram fundamentalmente no interior das igrejas do protestantismo cristão. A Guerra de Secessão lhes trouxe a abolição do escravismo, e com esta a Ku Klux Klan, a segregação e o não direito à cidadania. As lutas heroicas desse povo discriminado culminaram com o Movimento pelos Direitos Civis, que comoveu o mundo inteiro e que inspirou os negros de outros lugares a também se organizarem e lutarem por seus direitos.

Minoria ativa e criadora, vitoriosa em suas principais reivindicações, a coletividade negra dos Estados Unidos aceitou e rejeitou uma série de termos de autoidentificação: "colored", "negro", "black", "afro-american", "african-american". Foram esses últimos dois termos que nos chamaram atenção para a contradição neles existente.

A categoria de amefricanidade

Os termos "afro-american" (afro-americano) e "african-american" (africano-americano) nos remetem a uma primeira reflexão: a de que só existiriam negros nos Estados Unidos, e não em todo o continente. E a uma outra, que aponta para a reprodução inconsciente da posição imperialista dos Estados Unidos, que afirmam ser "A AMÉRICA". Afinal, o que dizer dos outros países da AMÉRICA do Sul, Central, Insular e do Norte? Por que considerar o Caribe como algo separado, se foi ali, justamente, que se iniciou a história dessa AMÉRICA? É interessante observar alguém que sai do Brasil, por exemplo, dizer que está indo para "a América". É que *todos nós*, de qualquer região do continente, efetuamos a mesma reprodução, perpetuamos o imperialismo dos Estados Unidos, chamando seus habitantes de "americanos". E nós, o que somos, asiáticos?

Quanto a nós, negros, como podemos atingir uma consciência efetiva de nós mesmos enquanto descendentes de africanos se permanecemos prisioneiros, "cativos de uma linguagem racista"? Por isso mesmo, em contraposição aos termos supracitados, eu proponho o de *amefricanos* ("amefricans") para designar a *todos nós*.[17]

As implicações políticas e culturais da categoria de amefricanidade (*Amefricanity*) são, de fato, democráticas; exatamente porque o próprio termo nos permite ultrapassar as limitações de caráter territorial, linguístico e ideológico, abrindo novas perspectivas para um entendimento mais profundo dessa parte do mundo onde ela se manifesta: A AMÉRICA como um todo (Sul, Central, Norte e Insular). Para além do seu caráter puramente geográfico, a categoria de amefricanidade incorpora todo um processo histórico de intensa dinâmica cultural (adaptação, resistência, reinterpretação e criação de novas formas) que é afrocentrada, isto é, referenciada em modelos como: a Jamaica e o akan, seu modelo dominante; o Brasil e seus modelos iorubá, banto e ewe-fon. Em consequência, ela nos encaminha no sentido da construção de toda uma identidade étnica. Desnecessário dizer que a categoria de amefricanidade está intimamente relacionada àquelas de *pan-africanismo*, *négritude*, *afrocentricity* etc.

Seu valor metodológico, a meu ver, está no fato de permitir a possibilidade de resgatar uma *unidade específica*, historicamente forjada no interior de diferentes sociedades que se formaram numa determinada parte do mundo. Portanto, a *Améfrica*, enquanto sistema etnogeográfico de referência, é uma criação nossa e de nossos antepassados no continente em que vivemos, inspirados em modelos africanos. Por conseguinte, o termo *amefricanas/amefricanos* designa toda uma descendência: não só a dos africanos trazidos pelo tráfico negreiro como a daqueles que chegaram à AMÉRICA muito antes de Colombo. Ontem como hoje, *amefricanos* oriundos dos mais diferentes países têm desempenhado um papel crucial na elaboração dessa amefricanidade que identifica na diáspora uma experiência histórica comum que exige ser devidamente conhecida e cuidadosamente pesquisada. Embora pertençamos a diferentes sociedades do continente, sabemos que o sistema de dominação é o mesmo em todas elas, ou seja: o *racismo*, essa elaboração fria e extrema do modelo ariano de explicação, cuja presença é uma constante em todos os níveis de pensamento, assim como parte e parcela das mais diferentes instituições dessas sociedades.

Como já foi visto no início deste trabalho, o racismo estabelece uma hierarquia racial e cultural que opõe a "superioridade" branca ocidental à "inferioridade" negro-africana. A África é o continente "obscuro", sem uma história própria (Hegel); por isso a Razão é branca, enquanto a Emoção é negra. Assim, dada a sua "natureza sub-humana", a exploração socioeconômica dos amefricanos por todo o continente é considerada "natural". Mas, graças aos trabalhos de *autores africanos e amefricanos* — Cheikh Anta Diop, Théophile Obenga, Amílcar Cabral, Kwame Nkrumah, W. E. B. Du Bois, Chancellor Williams, George G. M. James, Yosef A. A. Ben-Jochannan, Ivan Van Sertima, Frantz Fanon, Walter Rodney, Abdias do Nascimento e tantos outros —, sabemos o quanto a violência do racismo e de suas práticas nos despojou do nosso legado histórico, da nossa dignidade, da nossa história e da nossa contribuição para o avanço da humanidade nos níveis filosófico, científico, artístico e religioso; o quanto a história dos povos africanos sofreu uma mudança brutal com a violenta investida europeia, que não cessou de subdesenvolver a África;[18] e como o tráfico negreiro trouxe milhões de africanos para o Novo Mundo...

Partindo de uma perspectiva histórica e cultural, é importante reconhecer que a experiência amefricana se diferenciou daquela dos africanos que permaneceram em seu próprio continente. Ao adotarem a autodesignação de afro/africano-americanos, nossos irmãos dos Estados Unidos também caracterizam a *denegação* de toda essa rica experiência vivida no Novo Mundo e da consequente criação da Améfrica. Além disso, existe o fato concreto de os nossos irmãos da África não os considerarem como verdadeiros africanos. O esquecimento ativo de uma história pontuada pelo sofrimento, pela humilhação, pela exploração, pelo etnocídio aponta para uma perda de identidade própria, logo reafirmada alhures (o que é compreensível em face das pressões raciais no próprio país). Só que não se pode deixar de levar em conta a heroica resistência e a criatividade na luta contra a escravização, o extermínio, a exploração, a opressão e a humilhação. Justamente porque, enquanto descendentes de africanos, a *herança africana* sempre foi a grande fonte revificadora de nossas forças. Por tudo isso, enquanto amefricanos, temos nossas contribuições específicas para o mundo pan-africano. Assumindo nossa amefricanidade, podemos ultrapassar uma visão idealizada, imaginária ou mitificada da África e, ao mesmo tempo, voltar o nosso olhar para a realidade em que vivem *todos os amefricanos* do continente.

"Toda linguagem é epistêmica. Nossa linguagem deve contribuir para o entendimento de nossa realidade. Uma linguagem revolucionária não deve embriagar, não pode levar à confusão", ensina Molefi Kete Asante, criador da perspectiva afrocentrada. Então, quando ocorre a autodesignação de afro/africano-americano, o real dá lugar ao imaginário e a confusão se estabelece (afro/africano-*americanos*, afro/africano-*colombianos*, afro/africano-*peruanos* e por aí afora), assim como uma espécie de hierarquia: os afro/africano--*americanos* ocupando o primeiro plano, ao passo que os garífunas da América Central ou os "índios" da República Dominicana, por exemplo, situam-se no último (afinal, eles nem sabem que são afro/africanos...). E fica a pergunta: o que pensam os afro/africano-*africanos*?

Vale notar que, na sua ansiedade de ver a África em tudo, muitos dos nossos irmãos dos Estados Unidos que agora descobrem a riqueza da criatividade cultural baiana (como muitos latinos do nosso país) acorrem em massa para Salvador, buscando descobrir "sobrevivências" de culturas africanas. E o engano se dá num duplo aspecto: a visão evolucionista (e eurocêntrica) com relação às "sobrevivências" e a cegueira em face da explosão criadora de algo desconhecido, a nossa amefricanidade. Por tudo isso, e muito mais, acredito que politicamente é muito mais democrático, culturalmente muito mais realista e logicamente muito mais coerente nos identificarmos a partir da categoria de amefricanidade e nos autodesignarmos amefricanos: de Cuba, do Haiti, do Brasil, da República Dominicana, dos Estados Unidos e de todos os outros países do continente.

"Uma ideologia de libertação deve encontrar sua experiência em nós mesmos; ela não pode ser externa a nós e imposta por outros que não nós próprios; deve ser derivada da nossa experiência histórica e cultural particular."[19] Então, por que não abandonar as reproduções de um imperialismo que massacra não só os povos do continente mas de muitas outras partes do mundo e reafirmar a particularidade da nossa experiência na AMÉRICA como um todo, sem nunca perder a consciência da nossa dívida e dos profundos laços que temos com a África?

Num momento em que se estreitam as relações entre os descendentes de africanos em todo o continente, em que nós, amefricanos, mais do que nunca, constatamos as grandes similaridades que nos unem, a proposta de M. K. Asante me parece da maior atualidade. Sobretudo se pensamos naqueles que, num passado mais ou menos recente, deram o seu testemunho de luta e de sacrifício, abrindo caminhos e perspectivas para que, hoje, nós possamos levar adiante o que eles iniciaram. Daí a minha insistência com relação à categoria de amefricanidade, que floresceu e se estruturou no decorrer dos séculos que marcam a nossa presença no continente.

Já na época escravista ela se manifestava nas revoltas, na elaboração de estratégias de resistência cultural, no desenvolvimento de formas alternativas de organização social livre, cuja expressão concreta se encontra nos *quilombos, cimarrones, cumbes, palenques, marronages* e *maroon societies*, espraiadas pelas mais diferentes paragens de todo o continente.[20] E mesmo antes, na chamada América pré-colombiana, ela já se manifestava, marcando decisivamente a cultura dos olmecas, por exemplo.[21] Reconhecê-la é, em última instância, reconhecer um gigantesco trabalho de dinâmica cultural que não nos leva para o outro lado do Atlântico, mas que nos traz de lá e nos transforma no que somos hoje: *amefricanos*.

Por um feminismo afro-latino-americano

Neste ano de 1988, o Brasil, o país com a maior população negra das Américas, comemora o centenário da lei que estabeleceu o fim da escravidão no país. As celebrações estão espalhadas por todo o território nacional, promovidas por inúmeras instituições, públicas e privadas, que celebram os "cem anos de abolição".

Mas, para o movimento negro, o momento é muito mais de reflexão do que de comemoração. Reflexão porque o texto da lei de 13 de maio de 1888 (conhecida como Lei Áurea) simplesmente declarou a escravidão extinta, revogando todas as disposições contrárias e... nada mais. Para nós, homens e mulheres negros, nossa luta pela libertação começou muito antes desse ato de formalidade legal e continua até hoje. Nosso compromisso, portanto, é no sentido de que, ao refletir sobre a situação do segmento negro como parte constitutiva da sociedade brasileira (ocupando todos os espaços possíveis para que isso ocorra), ela possa olhar para si e reconhecer, em suas contradições internas, as profundas desigualdades raciais que a caracterizam. Nesse sentido, as outras sociedades que também compõem essa região, esse continente chamado América Latina, dificilmente diferem da sociedade brasileira.

E este trabalho, como uma reflexão sobre uma das contradições internas do feminismo latino-americano, tenta ser, com suas limitações evidentes, uma contribuição modesta para seu avanço (afinal, sou feminista). Destacando a ênfase colocada na dimensão racial (quando se trata da percepção e compreensão da situação das mulheres no continente), tentarei mostrar que, dentro do movimento de mulheres, as negras e indígenas são o testemunho vivo dessa exclusão. Por outro lado, com base em minhas experiências como mulher negra, tentarei destacar as iniciativas de aproximação, solidariedade e respeito à diferença por camaradas brancas efetivamente comprometidas com a causa feminista. A essas mulheres-exceções eu chamo de irmãs.

Quando falo de experiência, quero dizer um processo de aprendizado difícil na busca de minha identidade como mulher negra dentro de uma sociedade que me oprime e me discrimina justamente por isso. Mas uma questão de ordem ético-política prevalece imediatamente. Não posso falar na primeira pessoa do singular de algo dolorosamente comum a milhões de mulheres que vivem na região; refiro-me às ameríndias e *amefricanas*,[1] subordinadas a uma latinidade que legitima sua inferioridade.

Feminismo e racismo

É inegável que o feminismo, como teoria e prática, desempenhou um papel fundamental em nossas lutas e conquistas, na medida em que, ao apresentar novas questões, não apenas estimulou a formação de grupos e redes mas também desenvolveu a busca por uma nova maneira de ser mulher. Ao centralizar suas análises em torno do conceito de capitalismo patriarcal (ou patriarcado capitalista), ele revelou as bases materiais e simbólicas da opressão das mulheres, o que constitui uma contribuição de importância crucial para a direção de nossas lutas como movimento. Ao demonstrar, por exemplo, o caráter político do mundo privado, desencadeou um debate público no qual emergiu a tematização de questões completamente novas — sexualidade, violência, direitos reprodutivos etc. —, revelando sua articulação com as relações tradicionais de dominação/submissão. Ao propor a discussão sobre sexualidade, o feminismo estimulou a conquista de espaços por homossexuais de ambos os sexos, discriminados por sua orientação sexual.[2] O extremismo estabelecido pelo feminismo tornou irreversível a busca de um modelo alternativo de sociedade. Graças à sua produção teórica e à sua ação como movimento, o mundo não é mais o mesmo.

Mas, apesar de suas contribuições fundamentais para a discussão da discriminação com base na orientação sexual, o mesmo não ocorreu diante de outro tipo de discriminação, tão grave quanto a sofrida pela mulher: a de caráter racial. Aqui, se nos reportarmos ao feminismo norte-americano, a relação foi inversa; ele foi consequência de importantes contribuições do movimento negro: "A luta dos anos 1960 [...] sem a irmandade negra, não haveria irmandade das mulheres (*sisterhood*); sem Black Power, não haveria poder gay e orgulho gay".[3] A feminista Leslie Cagan afirma: "O fato de o movimento dos direitos civis ter quebrado os pressupostos sobre igualdade e liberdade na América abriu um espaço para questionarmos a realidade de nossa liberdade como mulheres".

Mas o que geralmente encontramos ao ler os textos e a prática feminista são referências formais que denotam um tipo de esquecimento da questão racial. Vamos dar um exemplo da definição de feminismo: ela se baseia na "resistência das mulheres em aceitar papéis, situações sociais, econômicas, políticas, ideológicas e características psicológicas baseadas na existência de uma hierarquia entre homens e mulheres, a partir da qual a mulher é discriminada".[4] Seria suficiente substituir os termos "homens e mulheres" por "brancos e negros" (ou indígenas), respectivamente, para se ter uma excelente definição de racismo.

Exatamente porque tanto o sexismo como o racismo partem de *diferenças biológicas* para se estabelecerem como ideologias de dominação. Surge, portanto, a pergunta: como podemos explicar esse "esquecimento" por parte do feminismo? A resposta, em nossa opinião, está no que alguns cientistas sociais caracterizam como *racismo por omissão* e cujas raízes, dizemos, estão em uma visão de mundo eurocêntrica e neocolonialista.

Vale lembrar aqui duas categorias do pensamento lacaniano que ajudam nossa reflexão. Intimamente articuladas, as categorias de *infans* e de *sujeito suposto saber* nos levam à questão da alienação. A primeira designa aquele que não é sujeito de seu próprio discurso, na medida em que é falado pelos outros. O conceito de *infans* é constituído a partir da análise da formação psíquica da criança, que, quando falada por adultos na terceira pessoa, é, consequentemente, excluída, ignorada, ausente, apesar de sua presença. Esse discurso é então reproduzido e ela fala de si mesma na terceira pessoa (até o momento em que aprende a mudar pronomes pessoais). Do mesmo modo, nós, mulheres e não brancas, somos convocadas, definidas e classificadas por um *sistema ideológico de dominação* que nos infantiliza. Ao nos impor um lugar inferior dentro de sua hierarquia (sustentado por nossas condições biológicas de sexo e raça), suprime nossa humanidade precisamente porque nos nega o direito de ser sujeitos não apenas de nosso próprio discurso, mas de nossa própria história. Não será necessário dizer que, com todas essas características, estamos nos referindo ao *sistema patriarcal-racista*. Consequentemente, o feminismo coerente consigo mesmo não pode enfatizar a dimensão racial.

Se assim fosse, seria contraditório aceitar e reproduzir a infantilização desse sistema; e isso é alienação.

A categoria de *sujeito suposto saber* se refere a identificações imaginárias com determinadas figuras, às quais é atribuído um conhecimento que elas não possuem (mãe, pai, psicanalista, professor etc.). E aqui relatamos as análises de Frantz Fanon e Albert Memmi, que descrevem a psicologia do colonizado frente ao colonizador. Em nossa opinião, a categoria de sujeito suposto saber enriquece ainda mais a compreensão dos mecanismos psíquicos inconscientes que são explicados na superioridade que o colonizado atribui ao colonizador. Nesse sentido, o eurocentrismo e seu efeito neocolonialista, mencionados acima, também são formas alienadas de uma teoria e prática que são percebidas como libertadoras.

Por tudo isso, o feminismo latino-americano perde muito de sua força abstraindo um fato da maior importância: o caráter multirracial e pluricultural das sociedades da região. Lidar, por exemplo, com a divisão sexual do trabalho sem articulá-la com a correspondente ao nível racial é cair em uma espécie de racionalismo universal abstrato, típico de um discurso masculinizante e branco. Falar de opressão à mulher latino-americana é falar de uma generalidade que esconde, enfatiza, que tira de cena a dura realidade vivida por milhões de mulheres que pagam um preço muito alto por não serem brancas. Concordamos plenamente com Jenny Bourne, quando ela afirma: "Eu vejo o antirracismo como algo que não está fora do movimento de mulheres, mas como algo intrínseco aos melhores princípios feministas".

Mas esse olhar que não vê a dimensão racial, essa análise e essa prática que a "esquecem" não são características que se tornam evidentes apenas no feminismo latino-americano. Como veremos em seguida, a questão racial na região foi escondida dentro de suas sociedades hierárquicas.

A questão racial na América Latina

Cabe aqui um mínimo de reflexão histórica para se ter uma ideia desse processo na região. Especialmente nos países de colonização ibérica.

Em primeiro lugar, não se pode esquecer que a formação histórica da Espanha e de Portugal foi feita a partir da luta secular contra os mouros, que invadiram a península Ibérica no ano de 771. Além disso, a guerra entre mouros e cristãos (ainda lembrada em nossos festivais populares) não teve sua única força motriz na dimensão religiosa. Constantemente silenciada, a dimensão racial desempenhou um importante papel ideológico nas lutas da Reconquista. De fato, os mouros invasores eram predominantemente negros. Além disso, as duas últimas dinastias de seu império — a dos almorávidas e a dos almóadas — vieram da África Ocidental.[5] Com base no exposto, gostaríamos de dizer que os espanhóis e portugueses adquiriram sólida experiência em relação à maneira de articular as relações raciais.

Em segundo lugar, as sociedades ibéricas foram estruturadas de maneira altamente hierárquica, com muitas camadas sociais diferentes e complementares. A força da hierarquia era tal que ficava explícita nas formas nominais de tratamento, transformadas em lei pelo rei de Portugal e da Espanha em 1597. Não é preciso dizer que, nesse tipo de estrutura, onde tudo e todos têm um lugar certo, não há espaço para a igualdade, especialmente para diferentes grupos étnicos, como os mouros e os judeus, sujeitos a um controle social e político violento.[6]

Herdeiras históricas das ideologias da classificação social (racial e sexual), bem como das técnicas legais e administrativas das metrópoles ibéricas, as sociedades latino-americanas não puderam deixar de se caracterizar como hierárquicas. Estratificadas racialmente, elas apresentam um tipo de contínuo de cor que se manifesta em um verdadeiro arco-íris classificatório (no Brasil, por exemplo, existem mais de cem denominações para designar a cor das pessoas). Nesse contexto, a segregação de mestiços, índios ou negros se torna desnecessária, porque *as hierarquias garantem a superioridade dos brancos como grupo dominante.*

Desse modo, a afirmação de que todos são iguais perante a lei assume um caráter claramente formalista em nossas sociedades. O racismo latino-americano é sofisticado o suficiente para manter negros e índios na condição de segmentos subordinados dentro das classes mais exploradas graças à sua forma ideológica mais eficaz: *a ideologia do branqueamento*, tão bem analisada pelos cientistas brasileiros. Transmitida pelos meios de comunicação de massa e pelos aparatos ideológicos tradicionais, reproduz e perpetua a crença de que as classificações e valores da cultura ocidental branca são os únicos verdadeiros e universais. Uma vez estabelecido, o mito da superioridade branca prova sua eficácia pelos efeitos da violenta desintegração e fragmentação da identidade étnica produzida por ele; o desejo de se tornar branco ("limpar o sangue", como se diz no Brasil) é internalizado com a consequente negação da própria raça, da própria cultura.

Não são poucos os países latino-americanos que aboliram o uso de indicadores raciais em seus censos e em outros documentos desde sua independência. Alguns deles reabilitaram o índio como um *símbolo místico* de resistência contra a agressão colonial e neocolonial, apesar de, ao mesmo tempo, manterem a subordinação da população indígena. Em relação aos negros, existem estudos abundantes sobre sua condição durante o regime escravista. Mas historiadores e sociólogos silenciam sua situação desde a abolição da escravidão até o presente, estabelecendo uma prática que torna esse segmento social invisível. O argumento usado por alguns cientistas sociais é que a ausência da variável racial em suas análises se deve ao fato de os negros terem sido absorvidos pela população em condições de relativa igualdade com outros grupos raciais.[7]

Essa postura tem muito mais a ver com estudos em língua espanhola, uma vez que o Brasil é colocado quase como uma exceção dentro desse quadro; sua literatura científica sobre o negro na sociedade atual é bastante significativa.

Com base no exposto, não é difícil concluir a existência de grandes obstáculos no estudo e encaminhamento das relações raciais na América Latina, com base em suas configurações regionais e variações internas, em comparação com outras sociedades multirraciais fora do continente. Na verdade, esse silêncio ruidoso no que diz respeito às contradições raciais se baseia, nos tempos modernos, em um dos mitos mais eficazes de dominação ideológica: o da democracia racial.

Na sequência da suposta igualdade de todos perante a lei, ele afirma a existência de grande harmonia racial... desde que estejam sob o escudo do grupo branco dominante, o que revela sua articulação com a ideologia do branqueamento. Em nossa opinião, quem melhor sintetizou esse tipo de dominação racial foi um humorista brasileiro, quando afirmou: "No Brasil não existe racismo porque o negro conhece o seu lugar". Vale a pena notar que mesmo as esquerdas absorveram a tese da "democracia racial", na medida em que suas análises sobre nossa realidade social nunca vislumbraram alguma coisa além das contradições de classe.

Metodologicamente mecanicistas (porque eurocêntricas), elas acabaram se tornando cúmplices de uma dominação que pretendiam combater. No Brasil, esse tipo de perspectiva começou a sofrer uma reformulação com o retorno dos exilados que haviam combatido a ditadura militar no início dos anos 1980. Isso porque muitos deles (considerados brancos no Brasil) sofreram discriminação racial no exterior.

Apesar disso, em um único país do continente encontramos a grande e única exceção no que diz respeito a uma ação concreta no sentido de abolir as desigualdades raciais, étnicas e culturais. É um país geograficamente pequeno, mas gigantesco na busca de um encontro consigo mesmo: a Nicarágua. Em setembro de 1987, a Assembleia Nacional aprovou e promulgou o Estatuto da Autonomia das Regiões da Costa Atlântica da Nicarágua. Nelas há uma população de 300 mil habitantes, divididos em seis grupos étnicos caracterizados por diferenças linguísticas: 182 mil mestiços, 75 mil misquitos, 26 mil creoles (negros), 9 mil sumus, 1750 garífunas (negros) e 850 ramas. Composto por seis títulos e cinco artigos, o Estatuto da Autonomia implica uma nova reordenação política, econômica, social e cultural que responde às demandas de participação das comunidades costeiras. Além de garantir a eleição das autoridades locais e regionais, o Estatuto garante a participação da comunidade na definição de projetos que beneficiem a região e reconhece o direito de propriedade sobre as terras comuns. Por outro lado, não só garante a igualdade absoluta dos grupos étnicos mas também reconhece seus direitos religiosos e linguísticos, repudiando todos os tipos de discriminação. Um de seus grandes efeitos foi o repatriamento de 19 mil indígenas que deixaram o país. Coroação de um longo processo em que erros e sucessos se acumularam, o Estatuto da Autonomia é uma das grandes conquistas de um povo que luta "para construir uma nova nação multiétnica, multicultural e multilíngue, baseada na democracia, no pluralismo, no anti-imperialismo e na eliminação da exploração e opressão social em todas as suas formas ".

É importante insistir que, dentro da estrutura das profundas desigualdades raciais existentes no continente, a desigualdade sexual está inscrita e muito bem articulada. Trata-se de uma dupla discriminação de mulheres não brancas na região: as amefricanas e as ameríndias. O caráter duplo de sua condição biológica — racial e/ou sexual — as torna as mulheres mais oprimidas e exploradas em uma região de capitalismo patriarcal-racista dependente.

Precisamente porque esse sistema transforma diferenças em desigualdades, a discriminação que sofrem assume um caráter triplo, dada a sua posição de classe: as mulheres ameríndias e amefricanas são, na maioria, parte do imenso proletariado afro-latino-americano.

Por um feminismo afro-latino-americano

É Virginia Vargas quem nos diz:

> A presença de mulheres no cenário social tem sido um fato incontestável nos últimos anos, buscando novas soluções para os problemas impostos por uma ordem social, política e econômica que historicamente as marginalizou. Nessa presença, a crise econômica, política, social e cultural [...] tem sido um elemento desencadeador que acelera os processos que estavam se formando. De fato, se por um lado a crise acentuou a evidência do esgotamento do modelo de desenvolvimento do capitalismo dependente, por outro expôs como seus efeitos são recebidos diferentemente em amplos setores sociais, de acordo com as contradições específicas nas quais estão submersos, incentivando assim o surgimento de novos campos de conflito e novos atores sociais. Assim, no campo das relações sociais, o efeito da crise foi nos dar uma visão muito mais complexa e heterogênea da dinâmica social, econômica e política. É nessa complexidade que se localizam o surgimento e o reconhecimento de novos movimentos sociais, inclusive o das mulheres, que avançaram a partir de suas contradições específicas, de um profundo questionamento da lógica estrutural da sociedade e potencialmente contêm uma visão alternativa da sociedade.[8]

Ao caracterizar diferentes modalidades de participação, ela aponta para três aspectos dentro do movimento, diferenciados por uma expressão: popular, político-partidário e feminista. E é precisamente no popular que encontraremos maior participação de mulheres afro-americanas e ameríndias que, preocupadas com o problema da sobrevivência familiar, procuram se organizar coletivamente; por outro lado, sua presença sobretudo no mercado informal de trabalho as remete a novas demandas. Dada a sua posição social, articulada com a discriminação racial e sexual, são elas que sofrem mais brutalmente os efeitos da crise. Se se pensa no tipo de modelo econômico adotado e no tipo de modernização que decorre dele — conservador e excludente, devido aos seus efeitos de concentração de renda e benefícios sociais —, não é difícil concluir a situação dessas mulheres, como no caso brasileiro, em tempos de crise.[9]

Nessa perspectiva, não podemos ignorar o importante papel dos movimentos étnicos como movimentos sociais. Por um lado, o movimento indígena, cada vez mais forte na América do Sul (Bolívia, Brasil, Peru, Colômbia, Equador) e América Central (Guatemala, Panamá e Nicarágua, como já vimos), não apenas propõe novas discussões sobre estruturas sociais tradicionais mas busca a reconstrução de sua identidade ameríndia e o resgate de sua própria história. Por outro lado, o movimento negro — e vamos falar sobre o caso brasileiro, esclarecendo a articulação entre as categorias de raça, classe, sexo e poder — desmascara as estruturas de dominação de uma sociedade e de um Estado que considera "natural" o fato de que quatro quintos da força de trabalho negra são mantidos presos em uma espécie de cinto socioeconômico que "lhes oferece a oportunidade" de trabalho manual e não qualificado. Desnecessário dizer que, para o mesmo trabalho realizado por brancos, os rendimentos são sempre mais baixos para trabalhadores negros de qualquer categoria profissional (especialmente aquelas que exigem qualificações mais altas). Enquanto isso, a apropriação lucrativa da produção cultural afro-brasileira (transfigurada em brasileira, nacional etc.) também é vista como "natural".

Cabe aqui um fato importante de nossa realidade histórica: para nós, amefricanas do Brasil e de outros países da região — e também para as ameríndias —, a consciência da opressão ocorre antes de tudo por causa da raça. A exploração de classe e a discriminação racial constituem as referências básicas da luta comum de homens e mulheres pertencentes a um grupo étnico subordinado. A experiência histórica da escravidão negra, por exemplo, foi terrível e sofridamente vivida por homens e mulheres, sejam crianças, adultos ou idosos. E foi dentro da comunidade escrava que se desenvolveram formas político-culturais de resistência que hoje nos permitem continuar uma luta plurissecular pela libertação. O mesmo reflexo é válido para as comunidades indígenas. Por tudo isso, nossa presença nos movimentos étnicos é bastante visível; lá nós, amefricanas e ameríndias, temos participação ativa e, em muitos casos, somos protagonistas.

Mas é exatamente essa participação que nos leva à consciência da discriminação sexual. Nossos parceiros do movimento reproduzem as práticas sexistas do patriarcado dominante e tentam nos excluir da esfera de decisão do movimento. E é justamente por esse motivo que buscamos o movimento de mulheres, a teoria e a prática feministas, acreditando poder encontrar ali uma solidariedade tão cara à questão racial: a irmandade. Contudo, o que realmente encontramos são as práticas de exclusão e dominação racistas com as quais lidamos na primeira seção deste trabalho. Nós somos invisíveis nos três aspectos do movimento de mulheres; mesmo naquele em que nossa presença é maior, somos descoloridas ou desracializadas e colocadas na categoria popular (os poucos textos que incluem a dimensão racial apenas confirmam a regra geral). Um exemplo ilustrativo: duas famílias pobres — uma negra e uma branca — cuja renda mensal é de 180 dólares (o que corresponde a três salários mínimos no Brasil hoje); a desigualdade se faz evidente pelo fato de a taxa de atividade da família negra ser maior que a da família branca.[10] Isso explica nossa presença escassa nos outros dois aspectos.

Portanto, não é difícil entender que nossa alternativa, em termos de movimento de mulheres, foi nos organizarmos como grupos étnicos. E, na medida em que lutamos em duas frentes, estamos contribuindo para o avanço dos movimentos étnicos e do movimento de mulheres (e vice-versa, obviamente). No Brasil, já em 1975, por ocasião do encontro histórico das latinas, que marcaria o início do movimento de mulheres no Rio de Janeiro, as mulheres amefricanas estavam presentes e distribuíram um manifesto que evidenciava a exploração econômico-racial sexual e o consequente tratamento "degradante, sujo e sem respeito" do qual somos objeto. Seu conteúdo não difere muito do Manifesto da Mulher Negra Peruana no Dia Internacional da Mulher de 1987, assinado por duas organizações do movimento negro desse país: Linha de Ação Feminina do Instituto de Investigações Afro-Peruanas e Grupo de Mulheres do Movimento Negro Francisco Congo. Denunciando sua situação de discriminadas entre os discriminados, elas afirmam: "Fomos moldadas como uma imagem perfeita em tudo o que se refere a atividades domésticas, artísticas e servis; fomos consideradas 'especialistas em sexo'. É dessa maneira que foi se alimentando o preconceito de que a mulher negra apenas atende a essas necessidades". Vale ressaltar que os doze anos que separam os dois documentos não significam nada comparados aos quase cinco séculos de exploração que ambos denunciam. Além disso, observa-se que a situação das amefricanas em dois países é praticamente a mesma sob todos os pontos de vista. Um dito "popular" brasileiro resume essa situação, afirmando: "Branca para casar, mulata para fornicar, negra para trabalhar". Atribuir às mulheres amefricanas (pardas e mulatas) tais papéis é abolir sua humanidade, e seus corpos são vistos como corpos animalizados: de certa forma, são os "burros de carga" do sexo (dos quais as mulatas brasileiras são um modelo). Desse modo, verifica-se como a superexploração socioeconômica se alia à superexploração sexual das mulheres amefricanas.

Nos dois grupos de mulheres africanas no Peru se confirma uma prática que também é comum para nós: é a partir do movimento negro que nos organizamos, e não do movimento de mulheres. No caso da dissolução de qualquer grupo, a tendência é continuar a militância dentro do movimento negro, onde, apesar de tudo, nossa rebelião e nosso espírito crítico ocorrem em um clima de maior familiaridade histórica e cultural. Já no movimento de mulheres, essas manifestações nossas, muitas vezes, foram caracterizadas como antifeministas e até como "racismo às avessas" (o que pressupõe um "racismo às direitas", ou seja, legítimo); daí nossos desacordos e ressentimentos. De qualquer forma, os grupos de mulheres amefricanas se organizaram em todo o país, especialmente nos anos 1980. Também realizamos nossas reuniões regionais, e este ano teremos o I Encontro Nacional de Mulheres Negras. Enquanto isso, nossas irmãs ameríndias também estão organizadas na União das Nações Indígenas, a maior expressão do movimento indígena em nosso país.

Nesse processo, é importante destacar que as relações dentro do movimento de mulheres não são apenas compostas de discordâncias e ressentimentos com as latinas. Já nos anos 1970, algumas se aproximaram de nós e nos ajudaram e aprenderam conosco, em uma troca eficaz de experiências, consistente em seu igualitarismo. O entendimento e a solidariedade se expandiram na década de 1980, graças às próprias mudanças ideológicas e comportamentais dentro do movimento de mulheres: um novo feminismo foi delineado em nossos horizontes, aumentando nossas esperanças de expansão de suas perspectivas. A criação de novas redes, como a Taller de Mujeres de las Américas (que prioriza a luta contra o racismo e o patriarcalismo sob uma perspectiva anti-imperialista) e a Dawn/Mudar, são exemplos de uma nova maneira de olhar feminista, brilhante e iluminada por ser inclusiva, por estar aberta à participação de mulheres étnica e culturalmente diferentes. E Nairóbi foi a estrutura para essa mudança, esse aprofundamento, para esse encontro do feminismo consigo mesmo.

Prova disso foram duas experiências muito fortes que tivemos o privilégio de compartilhar. A primeira, em novembro de 1987, no II Encuentro del Taller de Mujeres de las Américas na Cidade do Panamá, onde as análises e discussões acabaram derrubando barreiras — no reconhecimento do racismo pelas feministas — e preconceitos antifeministas por parte das ameríndias e amefricanas dos setores populares. A segunda foi no mês seguinte, em La Paz, no Encuentro Regional de Dawn/Mudar, com a participação das mulheres mais representativas do feminismo latino-americano, tanto pela produção teórica quanto pela prática efetiva. E uma única presença amefricana discutiu ao longo de todo o encontro sobre as contradições já apontadas neste trabalho. Foi realmente uma experiência extraordinária para mim, diante dos testemunhos francos e honestos das latinas ali presentes, diante da questão racial. Saí de lá revigorada, confiante de que uma nova era estava se abrindo para todas nós, mulheres da região. Mais do que nunca, meu feminismo foi fortalecido. E o título deste trabalho foi inspirado nessa experiência. É por isso que dedico a Neuma, Leo, Carmen, Virginia, Irma (seu cartão de Natal me fez chorar), Taís, Margarita, Socorro, Magdalena, Stella, Rocío, Gloria e às ameríndias Lucila e Marta. Boa sorte, mulheres!

Nanny: Pilar da amefricanidade*

O BRASIL — POR RAZÕES DE ORDEM GEOGRÁFICA, histórico-cultural e, sobretudo, da ordem do inconsciente — é uma América Africana cuja latinidade, por inexistente, teve trocado o T pelo D para, aí sim, nomear o nosso país com todas as letras: *Améfrica Ladina* (cuja *neurose cultural* tem no *racismo* o seu *sintoma por excelência*). Nesse contexto, todos os brasileiros (não apenas os pretos e pardos do IBGE) são ladino-amefricanos. Para entendermos as artimanhas do racismo acima caracterizado, temos que nos reportar à categoria freudiana de *denegação* (*Verneinung*): é o "processo pelo qual o indivíduo, embora formulando um de seus desejos, pensamentos ou sentimentos, até aí recalcado, continua a defender-se dele, negando que lhe pertença".[1] Enquanto denegação dessa ladino-amefricanidade, o racismo se volta justamente contra aqueles que, do ponto de vista étnico, são os testemunhos vivos da mesma, tentando tirá-los de cena, apagá-los do mapa. Deixando para os especialistas as análises lacanianas da ladinidade (que constitui um veio de grande potencial heurístico), nosso olhar se volta para a categoria de *amefricanidade*. Exatamente porque ela nos permite ultrapassar limitações de caráter territorial, linguístico e ideológico, abrindo novas perspectivas para melhor entendimento dessa parte do mundo onde ela se manifesta: a América como um todo (austral, central, insular e setentrional).

Para além de seu caráter geográfico, ela designa todo um processo histórico de intensa dinâmica cultural (resistência, acomodação, reinterpretação, criação de novas formas) referenciada em modelos africanos e que remete à construção de toda uma identidade étnica. Desnecessário dizer que essa categoria está intimamente relacionada àquelas de *pan-africanismo, négri-*

---

* Este texto reproduz algumas passagens também presentes em "A categoria político-cultural de amefricanidade". Ambos foram publicados em 1988. (N. O.)

tude, blackness, afrocentrity etc. Seu valor metodológico, a nosso ver, está no fato de resgatar uma *unidade específica*, historicamente forjada no interior de diferentes sociedades que formaram uma determinada parte do mundo. Em consequência, o termo *amefricanas/amefricanos* nomeia a descendência não só dos africanos "gentilmente" trazidos pelo tráfico negreiro como daqueles chegados à América antes de seu "descobrimento" por Cristóvão Colombo.[2] A presença amefricana constitui marca indelével na elaboração do perfil do chamado Novo Mundo, apesar da denegação racista que habilmente se desloca, manifestando-se em diferentes níveis (político-ideológico, socioeconômico e psicocultural).

E é na chamada América Latina (muito mais ameríndio-améfrica do que outra coisa) que essa denegação se torna amplamente verificável. Como sistema de dominação muito bem estruturado, o racismo na região demonstra sua eficácia ao veicular noções de "integração", "democracia racial", "mestiçagem" etc. Em outro texto,[3] chamamos atenção para a necessidade de um mínimo de reflexão sobre a formação histórica dos países ibéricos se quisermos chegar a algum entendimento sobre esse modo de articulação das desigualdades raciais.

A formação histórica de Espanha e Portugal se deu no decorrer de uma luta plurissecular (a Reconquista) contra a presença de invasores que se diferenciavam não só pela religião que professavam (o islã); afinal, as tropas que invadiram a Ibéria em 711 não só eram majoritariamente negras (6700 mouros para trezentos árabes) como eram comandadas pelo negro general ("Gabel") Tariq ibn Ziyad (a corruptela do termo Gabel Tariq resultou em Gibraltar, palavra que passou a nomear o estreito até então conhecido como Colunas de Hércules). Por outro lado, sabemos que não só os soldados como o ouro do reino negro de Gana (África Ocidental) tiveram muito a ver com a conquista moura da Ibéria (ou Al-Andalus). Vale notar, ainda, que as duas últimas dinastias que governaram Al-Andalus procediam da África Ocidental: a dos almorávidas e a dos almóadas. Foi sob o reinado desses últimos que nasceu, em Córdoba (1126), o mais eminente filósofo do mundo islâmico, o aristotélico Averróis.[4] Desnecessário dizer que, tanto do ponto de vista racial quanto civilizacional, a presença moura deixou profundas marcas nas sociedades ibéricas (como, de resto, na França, Itália etc.). Por aí se entende por que o racismo como denegação tem, na América Latina, um lugar privilegiado de expressão, na medida em que Espanha e Portugal adquiriram uma sólida experiência quanto aos processos mais eficazes de articulação das relações raciais.

Sabemos que as sociedades ibéricas se estruturam a partir de um modelo rigidamente hierárquico, onde tudo e todos tinham seu lugar determinado (até mesmo o tipo de tratamento nominal obedecia às regras impostas pela legislação hierárquica). Enquanto grupos étnicos diferentes e dominados, mouros e judeus eram sujeitos a violento controle social e político. As sociedades que vieram a se constituir na chamada América Latina foram as herdeiras históricas das ideologias de classificação social (racial e sexual) e das técnicas jurídico-administrativas das metrópoles ibéricas. Racialmente estratificadas, dispensaram formas abertas de segregação (e isso é válido, também, para aquelas de colonização francesa), uma vez que as hierarquias garantem a superioridade dos brancos enquanto grupo dominante.[5] A expressão do humorista Millôr Fernandes, ao afirmar que "não existe racismo no Brasil porque o negro conhece o seu lugar", sintetiza o que acabamos de expor.

E foi no interior das novas sociedades que se formaram no Novo Mundo (sejam de segregação aberta ou disfarçada) que a amefricanidade floresceu e se estruturou. Já na época colonial escravista, ela se manifestava nas revoltas, na elaboração de estratégias de resistência cultural, no desenvolvimento de formas alternativas de organização social livre, cuja expressão concreta está nos *quilombos, cimarrones, cumbes, palenques, marronages* e *maroon societies*, que surgiram nas mais distintas paragens geográficas da América.[6] E é aqui que deteremos o nosso olhar para melhor apreendermos a importância das mulheres nas lutas das comunidades amefricanas de ontem e de hoje. Quem de nós desconhece o papel de grandes guerreiras quilombolas como Dandara, Aqualtune ou Maria Felipa? Mas pouco ou nada sabemos das quilombolas de outras regiões da América. Uma grande irmã e companheira, amefricana da Jamaica, foi quem nos despertou para esse aspecto essencial de nossa história comum: a dra. Lucille Mathurin Mair (historiadora, ex-embaixadora de seu país na ONU, secretária-geral da ONU para a Conferência de Copenhague e nossa companheira no Dawn/Mudar) foi quem nos falou pela primeira vez de Nanny. E a conclusão a que chegamos foi: *Nanny está para a Jamaica assim como Zumbi está para o Brasil.*

Ancestralidade mítica

Os termos "marronage" (francês) e "maroon society" (inglês) provêm do espanhol "cimarrón", todos significando o mesmo que "quilombo" para nós. E o que vamos expor em seguida se baseia em dois textos: o de Lucille Mathurin Mair[7] e o de Kenneth Bilby e Filomina Chioma Steady.[8] Esta última é também grande irmã e companheira africana de Serra Leoa.

Na parte leste da Jamaica, precisamente nas Blue Mountains, existe uma comunidade rural que, aparentemente, não difere de qualquer outra, mas que, na verdade, é a maior comunidade maroon da ilha: Moore Town (atente-se para a coincidência: Moore, como Murray e outros, são nomes que derivam de "moor", mouro; do mesmo modo, para nós, Moura, Morais, Mauro etc.). Resultante da expansão de uma comunidade mais antiga, destruída pelos *bakras* (ingleses), suas origens datam da primeira metade do século XVIII. Nanny Town foi o berço de New Nanny Town, atual Moore Town. A maioria dos escravos que, na Jamaica, se tornaram maroons era africana de origem akan (sobretudo fântis e axântis) e cujas sociedades eram matrilineares. Se se pensa no caráter militar das comunidades maroon, articulado com suas estratégias de sobrevivência, as instituições e os valores mais compatíveis com tais exigências só poderiam desembocar num tipo de organização matrifocal com uma grande valorização das mulheres. Em termos econômicos, elas tiveram um papel fundamental, na medida em que garantiam a produção agrícola da comunidade. Sua participação cotidiana na luta pela sobrevivência, contribuindo em diferentes níveis, fez delas a principal fonte de estabilidade e continuidade grupais. Sobretudo se se pensa que, além da ameaça externa, existiam as tensões internas (entre africanos de procedências diferentes), que só se estabilizaram com a intensa presença dos créoles (americanos), socializados por essas mulheres (responsáveis, portanto, pelo desenvolvimento de uma cultura créole, americana). Assim sendo, a matrifocalidade foi um elemento-chave para a continuidade das *maroon societies*.

É no contexto de um grande corpus de história oral maroon da Moore Town de hoje que emerge, como um brilho intenso e único, a figura de Nanny, ou "Grandy Nanny", como a maior heroína de seu povo. Ultrapassando os limites da mera liderança mortal, transformou-se em ancestral mítica originária de quem todos os maroons se consideraram descendentes (também os akans acreditam descender de uma ancestral mítica comum). Dizendo-se pertencentes a uma família ou a um clã, afirmam sua consanguinidade pelo fato de serem *Nanny yoyo*. Este último termo significa progênie, "filhos", e também sinônimo de "maroon" na linguagem secreta das danças kromanti, ritual de possessão cuja figura central deve ser especialista na dança e no conhecimento das ervas medicinais; o *fete-man* ou a *fete-woman* é possuído por um espírito ancestral maroon para efeitos de cura. Desnecessário dizer que, entre as *fete-women*, Nanny foi a maior de todas.

As lendas a seu respeito sublinham o caráter sobrenatural de Nanny; seus grandes poderes derivavam do seu contato e conhecimento íntimo do mundo do espírito, isto é, do reino dos ancestrais. Nesse sentido, enquanto mediadora entre vivos e mortos, ela simboliza a continuidade das sociedades maroons no espaço e tempo. Vejamos três histórias que tratam de seus poderes sobrenaturais. A primeira se refere à destruição das provisões dos maroons pelos *bakras*, a fim de derrotá-los pela fome; Nanny recebeu uma mensagem espiritual exigindo que não se entregasse, ao mesmo tempo em que lhe foi entregue um punhado de sementes com as devidas instruções para o plantio. Em menos de um dia as sementes sobrenaturais resultaram numa generosa colheita de abóboras-morangas. A segunda história fala de um caldeirão mágico, cujo conteúdo fervia continuamente, sem necessidade de fogo para tal, e que foi colocado por Nanny no caminho de acesso à aldeia maroon para atrair a curiosidade do inimigo. Bastava uma simples olhadela para que os curiosos fossem puxados para dentro do caldeirão e desaparecessem para sempre. A terceira, e a mais popular, conta que Nanny encontrou inesperadamente uma grande tropa de *bakras*. Ela então parou, inclinou-se e, com escárnio, mostrou o traseiro para suas armas: assim que atiraram, ela surpreendentemente atraiu, para o meio das nádegas, toda uma carga pesada de chumbo, o que os deixou perplexamente sem ação.

A primeira história, simbolicamente, remeteria ao papel da mulher que assegura a regeneração e a continuidade de uma sociedade que, sob condições adversas, se encontra numa luta constante pela sobrevivência. A segunda apontaria para a perspicácia feminina no desenvolvimento de táticas absolutamente inesperadas para o inimigo, cuja fonte está no saber próprio do grupo. Já a terceira, a nosso ver, simbolizaria a profunda radicalidade de uma posição anticolonialista. O significado de seu gesto implica uma rejeição total da ordem que põe por terra o conjunto dos valores, instituições e práticas do colonizador. E este, supondo-se superior, é quem fica literalmente "desbundado" em face de tanta contundência.

E Nanny não é exaltada apenas por seus poderes sobrenaturais, mas por sua liderança militar, que se impõe na questão da paz com os ingleses. Tendo-lhe proposto a paz, num primeiro encontro os *bakras* tiveram suas condições rejeitadas por Nanny. Mas, numa segunda vez, ela aceitou um tratado de paz, o que despertou forte oposição de seu mais importante capitão, que, inutilmente, tentou fazê-la voltar atrás. Não aceitando o fracasso, ele se atirou num rio próximo, onde desapareceu. Que se pense na decisão de Nanny como uma crítica ao militarismo extremado que acaba por ameaçar a existência do próprio grupo. E só poderia ter partido de uma mulher a significativa atitude de aceitar a paz, sobretudo num momento em que a comunidade corria sério risco em face do avanço *bakra*, como sugere a história.

No conjunto de narrativas sobre Nanny não poderia faltar aquela que trata de duas irmãs trazidas como escravas da África. Uma delas, Nanny, rebelou-se e fugiu para as montanhas, onde iniciou uma feroz guerrilha contra os *bakras*; a outra, Sekesu, incapaz de enfrentar os rigores da guerra, preferiu ficar como escrava numa plantação. Os filhos de Nanny tornaram-se maroons e lutaram contra os *bakras*, conquistando sua liberdade; os de Sekesu, ao contrário, permaneceram como escravos, esperando passivamente por uma liberdade concedida muito mais tarde, quando os *bakras* assim decidiram. Duas questões emergem dessa história. A afirmação de uma identidade maroon, orgulhosa de si por seu passado de lutas; os *Nanny yoyo*, que se distinguem dos outros, dos que aceitaram a dominação escravista. Por outro lado, ao tratar de duas irmãs, ela remete a uma antiga ideologia matrilinear, talvez parcialmente derivada da cultura akan, numa comunidade que hoje é patrilinear. A insistência dos maroons em, às vezes, designar Nanny como a "mãe" de seu povo e de se diferenciarem por essa ascendência parece confirmar esse tipo de possibilidade.

Até aqui tratamos de narrativas que, aparentemente, não têm fundamento histórico. Todavia, não se duvida da real existência de uma importante personagem chamada Nanny, cujas origens étnicas remeteriam aos akans e que era africana de nascimento. Interessante sublinhar que a literatura inglesa da época se refere a ela como uma poderosa feiticeira, ou *obeah-woman*.

Vale aqui uma observação relativa ao *Standard Dictionary of English Language, international edition*,[9] onde fomos buscar o significado da expressão acima reproduzida e encontramos o seguinte:

> obi[1] [...] s.1. Tipo de feitiçaria praticada por negros das Índias Ocidentais no sudeste dos Estados Unidos: ressurgimento ou reminiscência de ritos africanos, especializado em venenos e no poder do terror. 2. Encantamento ou amuleto usado nessas práticas de magia. Também chamado *obe, obeah*.

Hoje como ontem, a visão eurocêntrica e racista de práticas religiosas pertencentes a culturas não europeias só faz confirmar o quanto a ideologia do supremacismo branco se perpetua, ela sim, como terrorismo cultural imperialista.

Apesar do tratamento depreciativo dos ingleses (nós, mulheres, sabemos o que significa ser chamada de feiticeira, sobretudo no século XVIII), sua força de mulher guerreira nunca foi esquecida por seus descendentes, por seus *yoyo*; e isso a ponto de o governo da Jamaica ter erguido um monumento em sua homenagem no centro de Moore Town após a ter declarado heroína nacional (a semelhança com Zumbi seria mera coincidência?). Opondo-se aos *bakras* na defesa de seu povo na Jamaica, ela se antecipou à ação de uma grande herdeira sua na África — a axânti Yaa Asantewaa (rainha-mãe de Ejisu) — que, no século seguinte, lideraria o mesmo tipo de luta contra os mesmos ingleses. O fato é que Nanny, espécie de Oiá/Iansã, constituiu-se num dos grandes pilares dessa amefricanidade que nos alerta e sustenta nossas lutas atuais, amefricanas de todas as regiões. Axé, mulher!

A mulher negra no Brasil

Como introdução ao meu tema, cito uma passagem de um trabalho recente, de acordo com o qual

> a primeira metade da década foi o auge do "milagre brasileiro". [...] A força de trabalho feminina praticamente dobra de 1970 para 1976. Mais interessante ainda: em 1969 havia 100 mil mulheres na universidade para 200 mil homens. Em 1975 este número tinha subido para cerca de 500 mil mulheres (para 508 mil homens), passando a proporção de 1:2, em 1969, para 1:1 em 1975. O número de mulheres na universidade havia quintuplicado em cinco anos! Vemos aí como se conjugam, então, os fatores econômicos reforçando os comportamentais e vice-versa. Isso pode explicar, ao menos em parte, que nesses primeiros cinco anos da década, mesmo sem haver movimento organizado, tenha surgido interesse tão agudo para o problema da mulher. Foi nesses cinco anos, mesmo, que se processou a maior transformação da condição da mulher na história de nosso país.[1]

Obviamente a passagem acima não tem nada a ver com mulheres negras, apesar de fazer referência a *mulheres*. Um outro livro corrobora o que acabei de afirmar:

> As mulheres definitivamente tendem não apenas a alcançar uma melhor distribuição na estrutura ocupacional como também a abandonar os setores de atividades que absorvem força de trabalho menos qualificada e mal remunerada, ao mesmo tempo que progressivamente buscam colocação na indústria e nos serviços modernos.[2]

Ambas as referências remetem a mulheres brancas.

No que diz respeito a mulheres negras, a inclusão no mercado de trabalho é, assim como para homens negros (92,4%), majoritariamente concentrada no trabalho manual (83%). Isso implica que mais de quatro quintos da força de trabalho negra ocupam ofícios caracterizados por níveis baixos de remuneração e escolarização. Mulheres negras são colocadas em ocupações manuais rurais (da agricultura à indústria extrativista vegetal) e nos serviços. São contratadas ou são autônomas e não remuneradas. Em contraste, a proporção de mulheres brancas que realizam trabalhos manuais é significativamente menor (61,5%).

Em ocupações não manuais (ocupações de colarinho-branco), trabalhadores negros representam percentuais menores: 16,8%, em comparação com 38,5% brancos. Tais ocupações estão divididas em dois níveis de atividades — médio e superior — cuja análise revela aspectos interessantes no que concerne às dificuldades de mobilidade e ascensão social para a mulher negra. No nível médio (serviço administrativo, professoras de escola primária, serviços de enfermagem, recepcionistas etc.), a concentração de mulheres é maior do que a de homens. Mas se considerarmos a dimensão racial, percebemos que a proporção de mulheres negras (14,4%) é também muito menor do que a de mulheres brancas (29,7%). Mulheres negras encontram óbvias dificuldades em ser contratadas por esse setor porque muitas dessas atividades de nível médio requerem contato direto com o público, como testemunham os anúncios para tais cargos, que mencionam o requisito da "boa aparência". Na prática, "boa aparência" significa que a candidata pertence ao grupo racial dominante.

A presença de mulheres negras é ainda mais limitada quando lidamos com o nível superior (profissionais especializadas, administradoras e empresárias): a proporção é de 8,8% brancas para 2,5% negras.

Em relação à diferença na média salarial, o Censo de 1980 revela os seguintes dados: recebem até um salário mínimo mensal (cerca de cinquenta dólares americanos), 23,4% de homens brancos, 43% de mulheres brancas, 44,4% de homens negros e 68,5% de mulheres negras. De um a três salários mínimos mensais, 14,6% de homens brancos, 9,5% de mulheres brancas, 8% de homens negros e 3,1% de mulheres negras. Entre aqueles que recebem mais de dez salários mínimos a proporção é: 8,5% de homens brancos, 2,4% de mulheres brancas, 1,4% de homens negros e 0,3% de mulheres negras.[3]

Com tais dados, pode-se concluir que discriminação de sexo e raça faz das mulheres negras o segmento mais explorado e oprimido da sociedade brasileira, limitando suas possibilidades de ascensão. Em termos de educação, por exemplo, é importante enfatizar que uma visão depreciativa dos negros é transmitida nos textos escolares e perpetuada em uma estética racista constantemente transmitida pela mídia de massa. Se adicionarmos o sexismo e a valorização dos privilégios de classe, o quadro fica então completo.

Começando por essas articulações ideológicas adotadas pelas escolas, nossas crianças são induzidas a acreditar que ser um homem branco e burguês constitui o grande ideal a ser conquistado. Em contraste, elas são também induzidas a considerar que ser uma mulher negra e pobre é um dos piores males. Devem-se levar em conta os efeitos da rejeição, da vergonha e da perda de identidade às quais nossas crianças são submetidas, especialmente as meninas negras. Um dos fatores que contribuem para as altas taxas de evasão escolar é justamente esse tipo de ideologia promovida nas escolas (de modo que, para mil crianças que ingressam nas escolas primárias, apenas sessenta chegam ao terceiro ano). O outro fator é econômico e se relaciona com o trabalho de menores de idade. Nossas crianças aderem à força de trabalho muito cedo, devido às condições de pobreza e miséria em que a grande maioria da população negra vive. Seu trabalho, que se inicia na idade de oito a nove anos, contribui para os baixos rendimentos familiares.

Em comparação com famílias brancas pobres, a situação das famílias negras que moram em favelas e zonas periféricas das cidades não é de igualdade. De acordo com a Pnad 1976, esta era a situação de famílias vivendo com até três salários mínimos mensais: cerca de 50% das famílias brancas, em comparação com 75% das famílias negras. As diferenças se seguem no que se refere às taxas de atividade: a das famílias negras é maior que a de famílias brancas. Isso significa que uma proporção muito maior de membros de famílias negras integra a força de trabalho em relação aos de famílias brancas para obter a mesma média salarial familiar.

Em uma pesquisa recente realizada com mulheres negras de baixa renda (1983), constatou-se que poucas eram as entrevistadas que haviam começado a trabalhar na idade adulta. A grande maioria começou por volta dos oito ou nove anos de idade nas "casas de família" (isto é, como empregadas domésticas), especialmente no caso das filhas mais velhas. E isso significava abandonar a escola. Uma das mulheres que entrevistei, Maria, relatou as dificuldades de uma menina negra pobre, de pai desconhecido, confrontada com o sistema de ensino unidimensional (isto é, eurocêntrico), centrado em valores que não os dela. Quando falou das dificuldades no aprendizado, Maria também criticou a atitude dos professores (autoritários e colonialistas), que já de saída desprezavam a pobreza e a negritude em favor das práticas e métodos de "conhecimento *par excellence*": aqueles da classe, raça e sexo dominantes.

Apesar da situação de extrema inferiorização, a mulher negra exerceu um importante papel no âmbito da estrutura familiar ao unir a comunidade negra para resistir aos efeitos do capitalismo e aos valores de uma cultura ocidental burguesa. Como mãe (real ou simbólica), ela foi uma grande geradora na perpetuação dos valores culturais afro-brasileiros e em sua transmissão para a próxima geração.[4]

A participação da mulher negra na luta sociopolítica

O desenvolvimento e a expansão dos movimentos sociais na segunda metade dos anos 1970 tornaram possíveis a mobilização e a participação de amplos setores da população brasileira, não apenas em termos de reivindicação de direitos mas de uma intervenção mais direta na política, especialmente no movimento negro e no movimento de favelas.

O movimento negro teve (e continua a ter) um papel extremamente relevante na luta antirracista em nosso país, inclusive sensibilizando setores não negros, e buscou mobilizar diferentes grupos da comunidade afro-brasileira para uma discussão sobre o racismo e suas práticas.

> Importa dizer que os principais protagonistas dos movimentos políticos negros atuais são os filhos dos primeiros negros a ingressarem de forma definitiva na classe operária e nas classes médias, dos heróis da migração interna; são mesclados entre os primeiros estudantes negros a ingressarem na universidade, jovens operários e trabalhadores negros e dançarinos de soul — símbolo moderno da contestação da juventude negra à dominação branca e da miopia dos liberais ante o racismo e sua falsa consciência nacional.[5]

O epicentro dessas lutas são as cidades de São Paulo e Rio de Janeiro, grandes centros urbanos do Sudeste onde as contradições do "milagre brasileiro" logo se tornaram evidentes. Entre os movimentos políticos negros vale mencionar o Movimento Negro Unificado (MNU), que em seus primeiros dois anos de existência (1978-80) não apenas alcançou outros estados do Sudeste, Sul e Nordeste como desenvolveu uma série de atividades que contribuíram enormemente para o avanço da consciência democrática (antirracista e anticolonialista) em nosso país. A presença da mulher negra, não apenas em sua criação mas também em sua direção, não pode ser esquecida.[6]

Enquanto o movimento negro teve origem nos setores da classe média negra, o movimento de favelas foi criado pelo subproletariado urbano, habitante das favelas e regiões periféricas, em associações de moradores. Vimos antes que a população das favelas, em especial nos grandes centros urbanos do Sudeste (Rio e São Paulo), cresceu enormemente e hoje constitui uma parcela significativamente alta dessas populações urbanas. Suas reivindicações dizem respeito a melhores condições de transporte, moradia, educação, saúde etc. e a questões sobre os títulos de propriedade das terras que ocupam. Desnecessário dizer que a presença de mulheres negras no movimento negro tem sido muito significativa.

Dado o seu caráter inovador em termos da sociedade brasileira, o movimento de favelas (como o movimento negro, que iniciou o processo de germinar uma consciência nacional antirracista) também influenciou setores da classe média branca na organização do que veio a ser conhecido como os movimentos de bairros. Em termos de Rio de Janeiro, por exemplo, temos dois tipos de organização que correspondem a ambos os movimentos: a Federação das Associações de Favelas do Rio de Janeiro (Faferj), um movimento de favelas, e a Federação das Associações de Moradores do Rio de Janeiro (Famerj), um movimento de bairros.

Agora chego à questão da participação das mulheres negras propriamente dita. Os primeiros grupos organizados de mulheres negras emergiram dentro do próprio movimento negro. Isso pode ser explicado primeiro pelo fato de que os setores não manuais da população negra que competem no mercado de trabalho são os mais expostos a práticas de discriminação.[7] Há portanto, no movimento negro, uma crescente consciência política do racismo, sua manifestação e relação com a exploração de classe. Em segundo lugar, o movimento de mulheres, originado nos setores mais progressistas da classe média branca, frequentemente "se esquece" da questão racial.

A exploração sexual das mulheres é também outro fator de grande importância no entendimento da relação de opressão e dominação em nossa sociedade. As mulheres que participaram do renascimento do movimento negro no Rio de Janeiro, por exemplo, costumavam se encontrar separadamente para discutir seus problemas específicos antes de apresentá-los ao grupo como um todo, com a intenção de desenvolver práticas não sexistas. Importante notar que esse processo de reorganização do movimento negro nos anos 1970* se deveu à iniciativa de diversas mulheres negras sob a liderança da historiadora Beatriz Nascimento.

Em 1975, quando as feministas se reuniram na Associação Brasileira de Imprensa para comemorar o Ano Internacional da Mulher, as mulheres negras estavam presentes para denunciar a superexploração e a opressão da mulher negra.[8] Entretanto, dadas as muitas tendências diferentes dentro do movimento negro, esse grupo pioneiro se separou e suas integrantes continuaram ativas em outras organizações que surgiram a partir então, mas apenas como ativistas do movimento negro.

Os anos que se seguiram testemunharam a criação de outros grupos de mulheres negras — Aqualtune (1979), Luísa Mahin (1980), Grupo de Mulheres Negras do Rio de Janeiro (1982) — que, apesar dos esforços de suas integrantes, acabaram sendo absorvidos pelo movimento negro como um todo, assim como aquele grupo inicial. Ou seja, todas as mulheres voltaram à sua condição de ativistas negras que, em várias organizações — tais como o Instituto de Pesquisa das Culturas Negras (IPCN), o Movimento Negro Unificado (MNU), o Grupo de Estudos André Rebouças, a Sociedade de Intercâmbio Brasil-África (Sinba) etc. —, buscaram denunciar as práticas machistas de nossos irmãos, que muitas vezes nos excluíam dos processos de tomada de decisão ao nos designarem tarefas mais "femininas".

O engajamento no movimento de liberação das mulheres provocou reações contraditórias. Nos encontros e congressos feministas brancos, mulheres

---

* Lélia Gonzalez se refere à formação do Grupo de Trabalho André Rebouças, o GTAR, na Universidade Federal Fluminense, que começou a se esboçar desde 1973, sob a liderança de Beatriz Nascimento. (N. O.)

negras eram frequentemente consideradas "agressivas" ou "não feministas" por conta de sua insistência em que o racismo precisava ser parte da luta feminista, já que, assim como o sexismo, era igualmente uma forma estrutural de opressão e exploração. A questão da exploração das trabalhadoras domésticas majoritariamente negras por suas empregadoras tampouco foi bem recebida na agenda do movimento de libertação das mulheres; argumentava-se que ao receberem remuneração elas estariam "liberadas" para o engajamento na luta das mulheres. E se a violência policial perpetrada contra homens negros era denunciada, a resposta era que a violência da repressão contra organizações políticas de esquerda era muito mais importante. Em última análise, apenas setores específicos do movimento tornaram-se apoiadores das reivindicações das mulheres negras. De todo modo, como notou Bourne, o movimento brasileiro de mulheres, na medida em que emergiu do movimento ocidental de liberação das mulheres, ainda reproduz seu "imperialismo cultural".[9]

A *mulata* brasileira: uma categoria própria

Carnaval. Rio de Janeiro. Como sempre, o leitmotiv é bebida, mulheres e samba. É mágico, como um conto de fadas, dizem os comentaristas de rádio e televisão. Há penachos, lantejoulas, muita extravagância e luxúria, imperadores, bandeirantes e exploradores, deuses africanos e indígenas, animais, gays, reis e rainhas, marajás, escravos, soldados, baianas, ciganos, havaianos — todos sob o comando dos toques de tambor e do remexer dos quadris das mulatas que, na opinião de muitos, são de "outro mundo".

"Olha elas naquele carro alegórico chique ali."

"Que pernas, cara!"

"Olha aquela passista remexendo. Que bunda! E olha como ela mexe o umbigo. Ela deve ser muito boa de cama! Está me enlouquecendo!"

E assim vão, a ginga e o sorriso das rainhas que mandam beijos como se fossem bênçãos para seus famintos súditos, naquele show de mágica e encantamento. Como um conto de fadas.

O mito que descrevemos aqui é o da democracia racial, já que é exatamente no momento do ritual do Carnaval que o mito assume todo o seu impacto simbólico. É nesse momento que a mulher afro-brasileira se transforma em uma soberana, naquela "mulata, minha rainha do samba", como diz a música:

> Que passa com graça
> Fazendo pirraça
> Fingindo inocente
> Tirando o sossego da gente.

É durante os desfiles das escolas de samba que a mulata, em seu esplendor máximo, perde o anonimato e se transforma em uma Cinderela: adorada, desejada e devorada por aqueles que foram até lá justamente para cobiçá-la. Sabendo que amanhã sua fotografia estará nas páginas de todos os jornais e revistas internacionais, elogiada e admirada pelo mundo inteiro, ela segue magicamente, mais e mais brilhante naquele espetáculo luminoso.[10]

Como acontece com todos os mitos, o da democracia racial oculta mais do que revela, especialmente no que diz respeito à violência simbólica contra as mulheres afro-brasileiras. Segundo Sahlins, é devido à conexão com o sistema simbólico que o lugar da mulher negra em nossa sociedade como um lugar de inferioridade e pobreza é codificado em uma perspectiva étnica e racial.[11] Essa mesma lógica simbólica determina a inclusão da mulata na categoria de *objeto sexual*.

Assim, não é coincidência que Ilma Fátima de Jesus e O. Oluwafemi Ogunbiyi nos contem que historicamente "o ato sexual entre o homem branco e a mulher negra não é encarado como sexo normal; essa é a razão da palavra 'trepar' (copular, transar), que qualifica o coito como um *ato animal*. Supomos que o termo 'mulata' tem sua origem na grotesca visão do sistema dominante na sociedade".[12] Além disso, sabemos que a palavra "mulata" vem de *mula — animal híbrido*, produto do acasalamento de um jumento (macho ou fêmea) e um cavalo ou égua.

Quando se analisa a presença da mulata na literatura brasileira e na música popular, sua aparência física, suas qualidades eróticas e exóticas é que são exaltadas. Essa é a razão pela qual ela nunca é uma *musa*, que é uma categoria da cultura. No máximo — como alguém já disse — ela pode ser uma *fruta a ser degustada*, mas de todo modo é uma prisioneira permanente da natureza. O estabelecimento definitivo do capitalismo na sociedade brasileira produziu seus efeitos na mulata: ela se tornou uma profissional. Mesmo agora não é reconhecida como um ser humano e nenhum movimento foi efetivado para restaurar sua dignidade como mulher. Ela foi claramente transformada em uma mercadoria para consumo doméstico e internacional. Hoje, mulatas são treinadas para se apresentarem em shows em casas noturnas. Essa é a demanda do mercado.

Os trechos que se seguem são extremamente claros no que diz respeito à lógica da dominação/exploração imposta às mulheres negras. São retirados de um artigo publicado em um jornal do Rio de Janeiro, *O Globo*, em 10 de julho de 1986 (os grifos são meus):[13]

> Para Maria Luzacir, 22 anos, *empregada doméstica* do Nordeste, nenhuma hesitação ou tropeço no palco podia comprometer o brilho da noite. Era terça e estava muito frio do lado de fora, mas ela transpirava e explodia de orgulho... *A partir daquela noite ela seria transformada em uma mulata*, quer dizer, uma mulata profissional.
>
> Foram necessárias noventa horas de treinamento para que Luzacir e outras 41 garotas brasileiras, entre dezesseis e trinta anos, nenhuma completamente branca ou completamente negra, se enquadrassem na *categoria nacional de pele para exportação*: mulata. Mas, para se tornar um produto finalizado, não bastava nascer com a *cor abençoada por Deus, europeus e americanos*; para ser reconhecida como a *agência de distribuição de mulatas* do Rio, a Oba Oba se transformou em uma escola de treinamento profissional.
>
> A autorização institucional para que a Oba Oba operasse foi dada pelo Senac (Serviço Nacional de Aprendizagem Comercial), que coordenou a iniciativa, e pela Riotur (agência oficial de turismo do Rio), o que deu o apoio necessário ao programa. Afinal das contas, *o empreendimento mulata é um negócio muito lucrativo*.
>
> Durante o show de duas horas, as performers exibiram suas melhores formas e habilidades. Em biquínis mínimos e sutiãs adornados com lantejoulas ou em elaboradas e requintadas fantasias, sempre em saltos extremamente altos, as mulatas, destaques das escolas de samba, dançaram *contorcendo seus corpos como filhas de Oxum e alongaram-se como em uma aula de ginástica, como garotas de Ipanema*.
>
> *Era delirante para o cinegrafista Hermann Engle*, que fez um videoclipe para a *emissora de TV alemã ZDF. Ele estava certo de que o clipe levaria seus compatriotas à loucura...*

Apesar da ausência de seu namorado garçom, que se recusou a assistir ao show, Rosemary afirmou entusiasmada:

"Ah! Quando entramos no palco nosso *sangue ferve*... Não há saída! Não quero nada além de rebolar. É tão fantasticamente delicioso! Às vezes alguém fica sem saber o que fazer além de se perder entre as garotas, mas nós sempre improvisamos algo."

Se a *chefe das mulatas* ouvisse isso ela não aprovaria. A produtora do show e professora de modelagem do Senac Ilan Amaral ficava quase histérica toda vez que alguma aluna ficava confusa no palco. Aos 34 anos, *morando em Paris* há quatro, onde trabalha *como modelo para a Paco Rabanne*, a srta. Amaral confessa ter vindo ao Brasil apenas para ajudar no show. Durante a apresentação ela controlava a entrada e saída das mulatas e as ajudava a cantar no microfone.

No fim do espetáculo, quando cada garota tinha de dizer "boa noite" em diferentes idiomas, Nazareth Claudina paralisou ao enfrentar o público e o microfone. Quase chorou quando o público exigiu que ela se juntasse às mulatas fantasiadas com roupas japonesas, africanas ou espanholas. Pena isso ter acontecido com Nazareth, que queria tanto se sair bem e assim conseguir um contrato com a Oba Oba. Pois, quem sabe? *Ela podia ter uma vida melhor com sua mãe* em uma casa na Ilha do Governador. Fora uma das melhores candidatas do grupo e aprendera muitas coisas, incluindo um jeito especial de andar...

Marcia Andreia, dezoito anos, e Leonora Vidal, vinte, mal notaram o que Nazareth estava fazendo. *Elas são todas altas e bonitas*. De acordo com a srta. Amaral, seriam candidatas maravilhosas para oportunidades na Itália e no Japão. Mas Marcia não quer se tornar uma mulata profissional. Seu maior sonho é ser modelo...

Gloria Cristal, um típico exemplo de mulata bem-sucedida (ela tem dois empregos excelentes: na Oba Oba e na TV Globo), diz: "Ser uma mulata é *a melhor profissão do mundo*, pois temos a oportunidade de nos tornarmos damas. Todos nos tratam com carinho e cuidado. *Às vezes penso que sou uma boneca de porcelana e gosto muito disso*".

Acontece que as bonecas de porcelana ganham muito pouco dinheiro no começo de suas carreiras. É esse o caso das mulatas que estão concluindo sua formação. As casas noturnas do Rio pagam um salário mínimo mensal para as iniciantes. O empresário Elias Abifadel, dono da Oba Oba, afirma que todo começo é difícil. Entretanto, no caso de Maria Luzacir, por exemplo, seu salário é duas vezes maior do que ela ganha atualmente como empregada doméstica em Copacabana, ou seja, menos de quarenta dólares por mês.

Apenas para se ter uma ideia da demanda em um mercado que sofre com a escassez de mulatas capacitadas, duzentas candidatas se apresentaram para o treinamento. De acordo com Marcia Andreia, as candidatas eram rigorosamente examinadas *"como se fossem cavalos"*. É absolutamente necessário que estejam fisicamente perfeitas...

Por fim, há o *pré-requisito mais importante*, sem o qual o grupo estaria reduzido a três alunas. *Uma mulata deve ter delicados traços brancos se espera sucesso garantido*, o que, é preciso dizer, não é fácil de encontrar, observa Ilan Amaral. Em sua opinião, mesmo se a mulata não tiver um nariz fino e lábios bem desenhados, ela pode se destacar no palco e ser invencível em sua profissão se *"aprender como ser uma mulher"*. Isso, diz Amaral, pode ser ensinado. Como? *"Com aulas de etiqueta social"*, diz ela.

Esse eloquente artigo dispensa comentários. Expressa habilmente o que significa ser uma mulata no "paraíso racial" chamado Brasil.

A mulher negra como objeto no Brasil: contexto ideológico

Duas tendências ideológicas definem a identidade negra na sociedade brasileira: por um lado, a noção de *democracia racial* e, por outro, a ideologia do *branqueamento*, resultando em um tipo de *duplo nó*. Segundo Marilena Chaui,

> o duplo nó consiste em afirmar e negar, proibir e consentir alguma coisa ao mesmo tempo (os lógicos afirmam que o duplo nó conduz à impossibilidade da decisão, os psiquiatras o consideram causa maior da esquizofrenia e os antipsiquiatras o consideram a prática típica da família e da ciência médica.[14]

A noção de democracia racial, desenvolvida por Gilberto Freyre nos anos 1930, constituiu a visão pública e oficial dessa identidade. Assim, negros são cidadãos como quaisquer outros e, como tais, não estão sujeitos a preconceito ou discriminação. As imagens do Carnaval e futebol brasileiros são largamente utilizadas (especialmente no exterior) como "provas concretas" da "harmonia racial" brasileira. O que predomina na "democracia racial" brasileira é *o preconceito de não ter preconceito*.

Antes da noção de democracia racial, a ideologia do branqueamento serviu como justificativa para uma política desenvolvida pelos governos brasileiros para branquear a população do país ao encorajar uma massiva imigração europeia, sobretudo no período 1890-1930. Isso se deveu diretamente ao resultado do primeiro censo brasileiro de 1872 (e confirmado por um posterior, em 1890) que indicou que a maioria da população era negra.

Deve-se notar que o período histórico mencionado acima (que corresponde à chamada "grande imigração") foi uma época em que os ideólogos do branqueamento elaboravam suas teses sobre a superioridade da raça branca chamando a atenção, acima de tudo, para os perigos que ameaçavam o Brasil de não se tornar um país civilizado por conta de seus negros, índios e mestiços. Herdeiros colonizados das teorias racistas europeias, era comum que esses ideólogos fossem eles mesmos de ascendência africana.

As mudanças que ocorreram na sociedade brasileira durante os anos 1930 resultaram em certos rearranjos políticos e ideológicos e, entre eles, a elaboração do *mito da democracia racial*. Entretanto, apesar do fato de a política do branqueamento não ter se materializado em termos demográficos (embora tenha resultado no genocídio de uma grande parte da população negra), ideologicamente ela se manteve efetiva em outros níveis: a projeção do Brasil como um país racialmente branco e culturalmente europeu. Promovida junto com o mito da democracia racial e dessa forma produzindo um duplo nó, segue ainda hoje definindo a identidade dos negros no contexto social brasileiro.

Enquanto o mito da democracia racial funciona nos níveis público e oficial, o branqueamento define os afro-brasileiros no nível privado e em duas outras esferas. Numa dimensão consciente, ele reproduz aquilo que os brancos dizem entre si a respeito dos negros e constitui um amplo repertório de expressões populares pontuadas por imagens negativas dos negros: "Branco correndo é atleta, negro correndo é ladrão"; "O preto, quando não suja na entrada, suja na saída"; "Branca para casar, mulata para fornicar, negra para trabalhar" etc. Essa última expressão aponta para o segundo nível em que atuam os mecanismos do branqueamento: um nível mais inconsciente que corresponde aos papéis e lugares estereotipados atribuídos a um homem ou mulher negros. Assim, ele (ou ela) é representado como um trabalhador braçal, não qualificado, ou como alguém que conseguiu ascender socialmente, mas sempre pelos canais de mobilidade social considerados adequados para ele ou ela. Imagens positivas são aquelas em que os negros desempenham papéis sociais a eles atribuídos pelo sistema: cantor e/ou compositor de música popular, jogador de futebol, mulata. Em todas essas imagens, há um elemento comum: a pessoa negra é vista como um objeto de entretenimento. Essa tipificação cultural dos negros também assinala outro elemento comum condensado em atributos corporais: força/resistência física, ritmo/sexualidade. Não é preciso dizer aqui que o homem ou mulher negros que não se adequam a esses parâmetros são rejeitados pelo estereótipo.[15]

Nesse contexto, as experiências das mulheres negras são bastante significativas: não é raro que uma dona de casa negra de classe média, quando atende a porta, seja surpreendida por um vendedor que insiste em falar com sua patroa. Ou, ainda mais comum, quando porteiros de prédios de classe média alta ou burguesa impeçam mulheres negras de usarem a entrada principal, insistindo para que usem a porta de serviço. Em ambos os exemplos, o estereótipo estabelece a relação: mulher negra = trabalhadora doméstica. O ditado "Branca para casar, mulata para fornicar e negra para trabalhar" é exatamente como a mulher negra é vista na sociedade brasileira: como um corpo que trabalha e é superexplorado economicamente, ela é a faxineira, arrumadeira e cozinheira, a "mula de carga" de seus empregadores brancos; como um corpo que fornece prazer e é superexplorado sexualmente, ela é a mulata do Carnaval cuja sensualidade recai na categoria do "erótico-exótico".

> Numa sociedade que separou espírito e corpo, fez do primeiro algo superior ao segundo, valoriza a razão contra a paixão, a inteligência contra a sensibilidade, o elogio da sensualidade rítmica dos negros e das mulatas é a forma acabada e perfeita do duplo nó: elogia-se aquilo mesmo que a sociedade inferioriza e condena.[16]

Em contraste com o que geralmente ocorre nos Estados Unidos, negros e brancos *de fato* vivem juntos no Brasil. Assim, à primeira vista pode-se ter a impressão de que é um país onde as relações raciais são harmoniosas. Mas, como um humorista brasileiro disse certa vez: "Não existe racismo no Brasil porque o negro conhece *o seu lugar*" (grifo meu). A lógica que rege nosso sistema de classificação social, herdado de Portugal, é tal que determina "um lugar para cada coisa, cada coisa em seu lugar". Ou, como DaMatta observou: "O *homem branco* está sempre unido e em cima, enquanto o *negro* e o *índio* formam as duas pernas da nossa sociedade, estando sempre embaixo e sendo sistematicamente abrangidos (ou emoldurados) pelo homem branco".[17]

PARTE II

Intervenções

Mulher negra: Um retrato

VEIO DE MINAS, ainda menina que gostava de brincar, de correr pelos espaços amplos e livres da fazenda do interior. Veio com a mãe e os irmãos. Seu pai? Ficara por lá mesmo, com a esposa legal e os filhos idem. Rio de Janeiro, cidade grande onde a gente pode ganhar dinheiro e viver bem: assim dissera sua mãe, cansada de trabalhar na fazenda e cansada daquele homem que lhe fizera três filhos, mas que nunca vivera com ela na mesma casa. Mas como chamar de casa aquilo onde moravam? Se era de sopapo, de pau a pique, de chão de terra batida, de telhado de sapê? No Rio eles teriam uma casa de verdade, pois ninguém ali tinha medo de trabalho; as crianças já estavam acostumadas com o trabalho na roça.

Além disso, a menina já estava com dez anos, ficando mocinha. Muito trabalhadeira, sabe? Daquele tamaninho, ela trepava num banquinho pra mexer doce naqueles tachos grandes, na cozinha da fazenda. Desde cedo já sabia lavar, passar, cozinhar e varrer o terreiro que nem um brinco. Tinha lá suas manias de correr que nem uma cabritinha no meio das outras, coisa de criança, né? Escola, não. Era muito longe, quase meio dia de viagem a pé; e o trabalho na roça, na cozinha da fazenda, as miudezas pra fazer em casa não deixavam não. Se a gente tem saúde pra trabalhar, não precisa de mais nada. Deus ajuda a gente. De vez em quando chegava uma carta da prima, contando tanta coisa bonita do Rio que dava vontade de conhecer, de viver, de ter casa de verdade...

Foram morar numa favela que disseram que tinha sido um quilombo. A vista lá de cima é linda. Dá pra ver o mar, o Cristo, as casas grã-finas das madames lá de baixo e também quando o camburão vem pra dar uma blitz no morro. Primeiro a gente fica com medo, mas depois se acostuma. Que que se pode fazer, né? Triste foi quando houve aquele tiroteio e mataram o filho da vizinha ali de cima. Só tinha dezoito anos. Custaram pra levar pro necrotério e ele ficou ali, caído, uma porção de moscas em cima. Marginal, sabe? Coitada da mãe, tanto sacrifício pra nada. A irmã dela, que mora naquele barraco perto do barranco, o marido está preso há uns cinco anos e tem mais uns dez pela frente. A coitada dá um duro danado pra sustentar os filhos. Trabalha de cozinheira num botequim lá perto da Central, carteira assinada e tudo. O emprego é bom porque sempre dá pra trazer umas coisinhas pras crianças comerem.

E a prima, muito animada, ia contando como era a vida ali. Parecia conhecer todo mundo. Trabalhava de arrumadeira numa das mansões do bairro aristocrático em que se situa a favela. Tinha quatro filhos e o marido trabalhava como servente de pedreiro numa obra também próxima. Graças a ela, os recém-chegados conseguiram trabalho sem maiores dificuldades. A mãe como passadeira, um dos meninos com o marido da prima, o outro como entregador numa lojinha de ferragens e a menina como babá.

Quase tão criança quanto as crianças de quem cuidava, seu primeiro emprego foi uma aventura deliciosa. A madame era muito boa e suas crianças tão alegrinhas que dava gosto brincar com elas. Não era nem tomar conta. Dar banho, comida na boca, lavar e passar umas pecinhas era a coisa mais fácil do mundo perto do trabalho na fazenda. Além disso, agora morava numa casa tão bonita que nem tinha saudade das correrias, das frutas tiradas do pé das mangueiras, jabuticabeiras, romãzeiras da fazenda. É certo que, uma vez por mês, tinha folga pra visitar a família. Mas o barraco de madeira, com chão de terra batida, nem dava pra se sentir incomodada com ele, pois sua casa era outra e a alegria de rever a mãe e os irmãos compensava o desconforto. Se só voltaria ali no mês seguinte, por que se aborrecer?

Mas um dia, tempos depois, teve de voltar pra valer. Tinha treze anos já e se tornara demasiado saudável e atraente para os olhos do irmão mais moço da madame, que tentou agarrá-la. Quando a viu assustada, chorando e contando o ocorrido, a patroa olhou-a desconfiada, pegou suas roupas e a devolveu à mãe. Não conseguia entender por que a madame ficara tão zangada com ela. Que foi que fizera de mais pra ser chamada de assanhada? Ah, essas madames são mesmo complicadas...

O novo emprego era muito bom porque era muito próximo de casa. O trabalho de arrumadeira dava tempo até pra assistir à novela das oito na televisão bonita que o doutor comprara para os empregados. Aos sábados eram as festas ou os bailes junto com as colegas. E a vida corria gostosa que nem o riacho no qual se banhava lá na fazenda. Ficou melhor ainda quando, naquele baile em Niterói, conheceu aquele moço de terno branco e que dançava tão bem. O namoro começou naquele dia mesmo. O problema era a mãe dele, sabe? Tinha um salão de alisar cabelo lá pros lados de Realengo. Ela se achava dona do filho e dizia que ele tinha de ajudar em casa, que era muito moço pra se amarrar com a primeira que aparecesse.

Nem chegaram a se casar; ela se perdeu com ele. Sua mãe e seus irmãos encararam com naturalidade o crescimento daquele ventre jovem e bonito. A criança nasceu e o pai a registrou de boa vontade. Mas o mesmo não aconteceu quando o segundo filho nasceu, pois ele se enrabichara por outra, com quem fora morar, deixando-a com a responsabilidade total das duas crianças. Mas a gente nunca está sozinha se tem família que apoia e se tem bons patrões. Eles eram tão bons pras crianças que nem valia a pena pensar que nunca se ofereceram pra assinar a carteira. Também, de que adiantaria? Ela nem sabia ler. Como é que iria reclamar de alguém pra assinar uma carteira que ela nem sabia como ou onde tirar?

Mas criança muda tanto a vida da gente, né? O tempo dos bailes e das festas, assim como veio, se foi. A gente muda tanto que começa a pensar no futuro, a ficar preocupada com uma porção de coisas. Não conseguia entender por que a mãe e os irmãos passaram a beber daquele jeito. O mais velho, que tinha até se casado direitinho com uma moça muito boa e trabalhadeira, seu ordenado mal dava pra beber tanto. Está certo que ele nunca conseguiu emprego melhor do que em obra, mas a mulher trabalhava, ajudava ele a sustentar a casa. A mulher acabou se cansando de tanto ir buscar ele na birosca lá de baixo, caindo de porre. Foi embora de vez. Aí ele deixou de comer pra beber o tempo todo. Ainda se lembra do dia em que, já doente, ele foi tomar aquela injeção na farmácia do seu Antônio. Teimou em beber depois da injeção. Deu complicação e ele mal teve tempo de chegar em casa pra morrer. Tão moço ainda...

Graças a Deus que o mais novo não tinha se enrabichado por ninguém, pois estava no mesmo caminho do outro. A mãe passava um bom tempo sem tomar uma gota, mas de vez em quando dava o seu desconto e sumia por uma semana. Ia lá pra casa da irmã, naquela favela que fica mais pra cima daqui. Nessas horas a vizinha do barraco do lado quebrava o galho, tomando conta das crianças enquanto ela ia pro trabalho. Agora as crianças já eram três. O pai da última é um rapaz que trabalha de gari. Responsável, deu seu nome não só para o filho como também para a outra criança que, até então, não tinha sido registrada. Viver junto não dá não, sabe? A gente briga que nem cão e gato por causa da mãe da gente. A mãe dele parece até com a mãe do outro. É pior, até. Faz tudo que pode pra ver a gente separado. Parece que o filho é só dela. Minha mãe também vive implicando com ele. Às vezes a gente fica um tempão sem se falar, sabe? É muito ciumento. Principalmente quando bebe. Aí a gente briga e fica sem se falar.

Graças a Deus não é igual ao marido daquela prima que é mãe de oito filhos. Quando ele toma suas canas, bate nela pra valer. Às vezes sobra até pras crianças. A sorte dela é que o filho mais velho, aquele pequenininho (nem parece ter doze anos), já está trabalhando de entregador na farmácia. Meio expediente, sabe? De manhã ele vai pra escola e de tarde trabalha na farmácia; nas férias é que ele trabalha o dia inteiro. É muito caprichoso, sabe? Guardou do seu ordenadinho durante o ano inteiro, e quando começaram as aulas ele comprou uniforme, caderno e lápis pros irmãos menores. Dá gosto de ver. A menina que vem abaixo dele cuida da casa que nem gente grande. Lava, passa, cozinha, cuida dos irmãos menores e ainda vai pra escola. Está um pouco atrasadinha, pois não sai do segundo ano; mas também quem é que aguenta? Esse negócio de escola puxa muito pela cabeça da gente.

A minha mais velha também não gosta muito não. A professora vive reclamando que ela não presta atenção, que faz bagunça e que não vai passar. Disse até que vai mandar ela pra (como é que se diz mesmo?) psicóloga, que ela tem problemas. Mas burra ela não é não, sabe? Ninguém engana ela no troco quando vai comprar as coisas pra casa. Pode ser é preguiçosa, isso sim. Tanto que não quis saber de aprender a música de Natal que a professora ensinou e ficou de bagunça perturbando a aula. Agora, pede pra ela cantar o samba do bloco daqui do morro que ela canta direitinho a primeira e a segunda parte. Se o samba que é grande ela aprendeu logo, como é que não ia aprender uma musiquinha desse tamaninho? Só de preguiça, né? E olha que não é por falta da gente ensinar em casa.

A gente que é pobre tem de estudar pra ver se melhora de vida. A gente vê pelos filhos dos patrões da gente. Todo mundo estuda e vira doutor. Por que então a gente não ia querer que os filhos da gente estudem? Ao menos o primário completo, né? Aí já dá pra conseguir um empreguinho melhor, ganhar o salário, carteira assinada e até fazer o ginásio depois. Tem muita gente que estuda de noite e trabalha de dia. Aqui mesmo no morro tem muita gente que faz isso. Eu até que tentei também. Mas não deu não. Já estou muito velha pra aprender essas coisas de escola; vou fazer vinte e sete anos. Criança é que tem cabeça fresca pra isso.

Acorda cedinho todos os dias. Põe a lata na fila da bica, adianta o almoço, prepara o café, acorda as crianças, lava a roupa mais pesada e desce pra ir pro emprego. Antes, deixa as crianças na escola. Quando é preciso levar as crianças ao médico, acorda de madrugada. Se a gente chega no posto às sete, a fila já está enorme, a gente pega número alto e só é atendida lá pro meio-dia. Então tem que ir bem cedo, né? E olha que aquela gente lá já não trata a gente muito direito não, sabe? Trata que nem cachorro. Só porque a gente é preto e pobre. Noutro dia, levei a minha mais nova lá porque estava tossindo muito, com febre e sem querer comer. A doutora nem pôs a mão nela pra examinar. Ficou de longe, perguntando uma porção de coisas e sem tocar na criança. Fiquei com tanta raiva que disse pra ela que minha filha não era leprosa não. Será que a gente tem culpa de ter nascido assim?

Até aqui no morro a gente vê dessas coisas. Noutro dia meu garoto saiu no braço com o filho da dona Maricota. Coisa de criança que briga agora pra estar brincando depois. Mas ela tomou as dores do filho e veio reclamar dizendo que não gostava de preto por causa disso. Disse pra ela que quando precisasse de uma caneca de açúcar ou de uns dentinhos de alho, que não viesse pedir emprestado em casa de preto não. Que quando ela precisa, a gente é vizinha pra lá vizinha pra cá; que quando não precisa mais a gente vira negra suja, piranha e por aí afora. A sorte dela foi que o marido chegou e puxou ela pra casa. Numa hora dessas a gente pode perder a cabeça, né?

E ficou ali pensando no irmão que estava desempregado há um ano, tinha passado a viver de biscates e estava bebendo cada vez mais; na mãe idosa que de tarde tomava conta das crianças quando voltavam da escola, enquanto ela estava no emprego; na patroa bonita e cheirosa indo pra faculdade no carro novinho que o marido lhe dera; no barraco com uma parede caída desde a última chuva e em como arranjar dinheiro pra comprar umas madeiras naquela demolição lá de baixo.

E ainda chamam a gente de orgulhosa só porque a gente traz os filhos limpinhos, não vive por aí mostrando os dentes pra qualquer um e não pede nada a ninguém. Só porque a gente vive do trabalho da gente, sem homem pra ajudar nem nada e tendo que sustentar mãe e três filhos. Só porque a gente se dá com um vizinho ou outro, afora os parentes, chamam a gente de besta. Só porque a gente não se mete na casa dos outros pra bisbilhotar. Só porque a gente não fuma e nem bebe, a gente é orgulhosa? Como é que a gente pode ir pros ensaios do bloco se a gente vem tão cansada do trabalho e nem lembra mais o que é dançar? Ainda mais agora, com aquela quadra fora do morro, cheia de gente bacana que nunca soube o que é vida de favela, pra que é que a gente vai lá? As crianças bem que gostam, mas são crianças. Pra elas tudo é motivo de brinquedo. Mas a gente que tem responsabilidade de cuidar delas, do futuro delas, da escola, da casa, da comida e da saúde delas, a gente não pode ficar aí igual quando a gente era mocinha.

E, sentada na porta do barraco, continuou mergulhada naqueles pensamentos, perguntando pelo porquê de tantas coisas. Quem a visse de longe talvez se perguntasse o que aquela figura trágica lembraria. E a resposta não era difícil de encontrar: a mulher-sentada-na-porta-do-barraco era a própria Solidão.

Alô, alô, Velho Guerreiro! Aquele abraço!

PRA QUEM NÃO SABE, o dia 21 de março é dedicado à luta contra a discriminação racial, conforme estabelecido pela ONU. Pois bem, no Brasil ele praticamente passou em brancas nuvens, exceto pelo que ocorreu no programa diário de Cidinha Campos, na Rádio Nacional do Rio de Janeiro. Ela resolveu entrevistar uma série de pessoas, negras na maioria, para responder à seguinte pergunta: "Existe ou não discriminação racial em nosso país?". Os depoimentos foram desde o posicionamento medroso e complexado de certa cantora negra, que disse "ainda estar se preparando" para enfrentar o problema, até aquele que mais nos impressionou: o de Abelardo Chacrinha Barbosa.

Quanto a essa irmã negra, damos o seguinte recado: nesse compasso de espera, teremos que esperar mais outros noventa anos para o negro ser tratado como gente neste país. Quanto a Chacrinha, ele pôs os pingos nos is ou, se quiser, o preto no branco. Da maneira mais incisiva e decidida, afirmou a existência concreta da discriminação no Brasil, especificamente no campo de suas atividades profissionais. E declarou que nas emissoras de televisão onde trabalhou anteriormente (Globo e Tupi) programas de auditório como o seu sofriam uma série de restrições: proibia-se que as câmeras focalizassem diretamente o auditório, para que os negros não fossem mostrados. Eram proibidos os closes dos/as negros/as componentes desse público fiel que, na sua humilde espontaneidade, procura ver de perto os seus ídolos e lhes prestar suas homenagens. Os negros ou negras só podiam ser focalizados de passagem ou de costas. E Chacrinha continuou denunciando o absurdo de tais restrições, uma vez que o Brasil é um país de negros; e, com suas metáforas incríveis, afirmou: "Eu sou negro, nós todos somos negros e até mesmo essas louras ou morenas que vemos por aí também são negras". Foram as declarações mais vigorosas e contundentes que ouvimos naquele 21 de março. Axé pra você, Velho Guerreiro, que nas suas supostas loucuras tem apontado para muitas verdades que as autoridades governamentais, os políticos "progressistas" e os intelectuais idem não têm a honestidade de assumir.

Todos eles falam do "povo", dos interesses e das necessidades do "povo". Mas o "povo" de que falam nada tem a ver com aqueles que a gente conhece, porque nunca chegaram perto dele. Por conseguinte, nunca viram que ele é pobre, "feio", desnutrido porque faminto, marginalizado e *negro*. E o que você tem mostrado, por anos a fio, é exatamente a face desse povo. Com suas organizações e seu surrealismo, você tem sido, na verdade, o porta-voz desse povo. Não foi à toa que Gilberto Gil (atualmente tão criticado pelos defensores "progressistas" do "povo") lhe dedicou "Aquele abraço", né? E também não é sem razão que, nesses últimos quinze anos, o seu programa tem sido podado pelas emissoras de televisão, né? Afinal, você é *povo* demais para elas. Na verdade, "progressistas" e "regressistas" não querem saber desse povo real do qual a gente veio e cujas manifestações mais autênticas a gente não está disposto a trair, né? Pensam que o povo é burro, que pode ser manipulado por eles. No seu liberal-paternalismo, querem impor ao povo os seus valores (deles) decadentes. E quando esse povo expressa suas aspirações, suas exigências ou sua sabedoria, sabe o que eles fazem? Reprimem violentamente ou então inventam mecanismos mais ou menos sofisticados para tentar enganá-lo.

Nesse sentido, é muito bom que a gente preste atenção para um novo programa "de qualidade" inventado pela Rede Globo. Intitula-se *Alerta geral* (?), é apresentado em horário "nobre" e numa *sexta-feira*. A animadora é uma grande sambista negra: Alcione. Só tive oportunidade de ver a estreia, pois tive que vir para este país "racista e discriminador" que são os Estados Unidos (com essa acusação, eles procuram mascarar o racismo e a discriminação racial tupiniquins; o xavante Juruna que o diga). Mas isso é um papo pra depois. Pois bem; o programa apresentou grandes valores da música popular brasileira, negros em sua grande maioria. Muito samba, muito jogo de cintura, muito molho (até aí, um barato!). Mas comecei a ficar meio cabreira, sabe, Chacrinha? Em primeiro lugar, porque o cenário era praticamente *branco*. Em segundo lugar, porque todos os crioulos estavam vestidos de *branco*. Até o piano em que o Tom Jobim acompanhou a Alcione (de peruca ruiva e de vestido *branco*) era *branco*, assim como a roupa do dito Jobim. Será porque sexta-feira é dia de Oxalá ou será uma questão de pura assepsia? Fiquei me perguntando.

Alô, alô, Velho Guerreiro! Aquele abraço!

Mas a máscara daquela brancura toda caiu no momento em que se iniciou um diálogo entre a Alcione e o Emílio Santiago. O papo era a respeito de terem "recebido o cartão vermelho" (sido discriminados por serem negros) em vários lugares onde se apresentaram (clubes, boates etc.). E sabe qual foi a "lúcida", a "inteligentíssima" conclusão da conversa? A seguinte: "Realmente, estão todos contra o *samba*". Sacou? Pois é...

Eles pensam que o povo pode ser enganado dessa maneira; sofisticada, é claro, mas sempre mentirosa. Pensam que convencem o povo de que somos uma "democracia racial". Afinal, um programa com uma porção de crioulos, comandado por uma grande cantora negra, só pode ser a prova patente de que depoimentos como o seu não passam de uma grande calúnia, né? Pensam que o povo vai engolir essa nova mentira que nada mais é do que uma das astúcias da *ideologia do branqueamento e do mito da democracia racial*. Pensam que realmente estão mostrando o Brasil como modelo do "paraíso racial". Que o negro é muito bem considerado e respeitado em nosso país. Mas a gente sabe o preço que ele tem que pagar pra dar essa falsa impressão, pra fazer esse teatro, né? Ele tem que trair as suas origens, o seu povo, e se transformar num "preto de alma branca", num "preto, sim senhor" que, em última instância, é mais *suportado* do que *aceito enquanto negro*. Na verdade, ele tem que virar "branco" (?). E a gente sabe, né, Chacrinha, que esses irmãos negros são manipulados e transformados em "cartões de visitas" da minoria branca dominante, daquela que proíbe de falar em discriminação racial. São utilizados para dar uma falsa imagem da nossa realidade e para que no exterior, principalmente num mercado como o africano, essa minoria possa aumentar os seus lucros e perpetuar seus privilégios. Afinal, a Nigéria tem petróleo, né?

O que não sacam é que a gente sabe muito bem quais são os seus interesses; que a gente sabe muito bem que o povo negro brasileiro tem sido massacrado, perseguido e espoliado. Que sua cultura tem sido comercializada, folclorizada e vendida como "autêntico produto nacional". Que a mulher negra, ao exercer a profissão de *mulata*, por eles inventada, é apresentada como *"produto de exportação"* (não é, Sargentelli?). Que as escolas de samba têm sido objeto de especulação financeira das "Riotur" da vida.

Enquanto isso, o negro, o nosso povo, continua marginalizado nas favelas, alagados, conjuntos "habitacionais", invasões etc. Continua sendo discriminado na admissão aos empregos, racialmente perseguido no trabalho e sofrendo a sistemática repressão da polícia, que o prende como vadio (desemprego, no caso do negro, é sinônimo de vadiagem, sabia?) e o tortura para confessar crimes que não praticou (por falar em anistia...). Enquanto isso, as crianças negras que vão à escola sofrem o estigma do pecado de serem negras, pois o discurso pedagógico as submete a diferentes maneiras de se envergonharem de si mesmas. Você sabia que a maioria das crianças consideradas desajustadas, com problemas psicológicos e/ou psiquiátricos na rede escolar oficial são negras? Etc. etc.

E quando a gente denuncia esse cinismo todo, eles, cinicamente, nos chamam de racistas às avessas (pois o certo é ser racista às direitas, né?). Escondem para o nosso povo, para as nossas crianças (não importando a cor), por exemplo, que o primeiro Estado livre que existiu em todo o continente americano surgiu no Brasil. Só porque esse Estado foi a República Negra dos Palmares. Sacou? Não se apercebem do quanto são colonizados ao reproduzirem tantas mentiras sobre eles e sobre nós. Não se apercebem (ou não desejam fazê-lo) de que, ao servirem aos interesses do lucro, do capital internacional, estão enxovalhando sua dignidade de brasileiros. Não se apercebem de que, na medida em que se consideram tão "brancos" no seu eurocentrismo (bobeia que na sua árvore genealógica sempre tem um negro ou um índio que fazem questão de ocultar), estão negando a nossa possibilidade, enquanto povo brasileiro, de assumir nossa própria identidade, nosso próprio destino e nosso próprio futuro. E o mais engraçado em tudo isso é que eles costumam chamar o negro de "macaco". E eu lhe pergunto, Velho Guerreiro, quem *efetivamente* são os macacos, eles ou nós? Nós, pelo menos, não estamos preocupados em fingir que não somos negros ou que a cultura brasileira é europeia. Também não nos envergonhamos da nossa ancestralidade negra/indígena, né?

No fundo, no fundo, a gente sabe que de nada adianta essa ginástica toda que eles fazem: está fadada ao fracasso. Mas nem por isso vamos ficar passivamente calados assistindo à decadência desse império romano de hoje que é a chamada civilização ocidental. Afinal, somos os bárbaros que o derrubarão. Por isso mesmo temos que assumir nossos bárbaros valores, lutar por eles e anunciar uma nova era. Nova era de que somos os construtores.

Aquele abraço e muito axé pra ti, Velho Guerreiro.

A questão negra no Brasil*

Introdução

A dependência em relação aos "centros" do modo de produção capitalista indica de que maneira o Brasil se situa em termos de mercado mundial. Além disso, a perpetuação de formas produtivas anteriores se acrescenta como um dos fatores que, em termos de limitação externa, condicionam o nosso desenvolvimento econômico desigual e combinado. A partir dessa situação de fato podemos verificar que uma grande massa marginal caracteriza a maneira como ocorrem as relações produtivas em termos de realidade brasileira.

Em outras palavras, a coexistência de diferentes processos de acumulação (o do capital comercial, o do capital industrial competitivo e o do capital monopolista) qualitativamente distintos determina, de um lado, a fixação da mão de obra (à terra, ao instrumento de trabalho, ao fundo de consumo, à própria exploração) e, de outro, a satelitização e a estabilidade no que se refere ao mercado de trabalho. Como só podemos falar de mercado a partir da emergência do trabalhador livre e do capitalismo industrial competitivo, também constatamos, em termos de força de trabalho, a existência de dois mercados de trabalho distintos (capitalismo industrial competitivo e capitalismo industrial monopolista) que acabam por determinar uma elevada taxa de dispersão de salários.

A presença dos três processos de acumulação, sob a hegemonia do capital industrial monopolista, aponta inclusive para o fato de que o desenvolvimento desigual e dependente mistura e integra momentos históricos diferentes. E se

---

* Decidimos pela manutenção deste artigo porque apresenta argumentos novos, apesar de reproduzir passagens já presentes no texto "Cultura, etnicidade e trabalho", estudo inédito publicado pela primeira vez nesta coletânea. (N. O.)

se fala de momentos históricos diferentes, fala-se de relações produtivas também diferentes. Partindo daí, verifica-se que grande parte da superprodução relativa se torna supérflua, transformando-se numa *massa marginal* em face do processo de acumulação hegemônico, representado pelas grandes empresas monopolistas. Sua composição constitui-se de: a) uma parte da mão de obra ocupada pelo capital industrial competitivo; b) a maioria dos trabalhadores que buscam "refúgio" em atividades terciárias de baixa remuneração; c) a maioria dos desocupados; d) a totalidade da força de trabalho que, mediata ou imediatamente, está submetida ao capital comercial. Se considerarmos o conceito de exército industrial de reserva, verificamos que ele está constituído por elementos dos contingentes a, b e c no que se refere ao sistema hegemônico e de elementos dos contingentes b, c e d se nos reportarmos ao capital industrial competitivo. Em suma, se abordarmos a questão da superpopulação relativa, verificamos que ela subsume dois tipos de marginalidade: a funcional (exército industrial de reserva) e a não funcional (massa marginal). Até aqui, nossas esquemáticas observações se desenvolvem no campo da instância econômica. Mas, se quisermos tratar do problema da participação, abandonaremos essa instância e passaremos para a das práticas sociais, a fim de evitarmos o risco do economicismo.

Caberia uma indagação mais ampla, dirigida às instâncias que, juntamente com a econômica, limitam objetivamente os diversos comportamentos possíveis dos atores; referimo-nos às instâncias política e ideológica. Nos reportaremos a elas na segunda parte de nosso trabalho, embora algumas observações se façam necessárias.

A primeira se refere à distinção entre integração social (relações harmoniosas ou conflitantes entre os atores) e integração dos sistemas (relações harmoniosas ou conflitantes entre as partes de um sistema social). Com essa distinção como base podemos afirmar que, em um sistema cujas partes apresentam condições estruturais que o ameaçam, a manutenção do equilíbrio consistirá exatamente na minimização da interdependência dessas partes, numa certa fragmentação do conjunto. Desse modo, a não funcionalidade da massa marginal acaba por se converter em afuncionalidade, o que favorece os diferentes níveis de autonomia dos subsistemas em que se acha contida.

Pensemos, como no caso brasileiro, na combinação parcial dos três sistemas produtivos sob a emergência do capital monopolista; como o econômico é o determinante em última instância, o índice de denominação manifesto será diferente em cada um deles. Ora, a manutenção do equilíbrio, mediante a autorização relativa de cada setor, demonstrará seu caráter complicado e instável, uma vez que a interação de diferentes índices de dominação não pode deixar de ocorrer. Se, de um lado, a instância ideológica predomina ao nível das relações pré-capitalistas, de outro prevalece a instância econômica se se trata do capitalismo competitivo; mas, em termos de capitalismo monopolista, o nível político intervém de maneira crescente em todas as esferas. Em outras palavras, o liberalismo econômico (capitalismo competitivo) corrói o paternalismo ideológico (no capital comercial, ambos são ameaçados pela lógica planificadora do capitalismo monopolista), que, por sua vez, sofre-lhes a influência. Numa tal situação, surge o Estado como o mediador necessário que impede a desarticulação sistêmica através da coerção aberta.

Se colocarmos a temática do dualismo sociológico (sociedade tradicional/sociedade moderna coexistindo num mesmo país), constatamos, a partir da inteligibilidade dessa lógica da incoerência, a necessidade de reequacionar certas análises: se o sistema enquanto um todo exige a redução da interdependência de suas partes, é claro que, se a autonomia relativa de uma delas for ameaçada, o sistema também o será. Que se atente, por exemplo, para o "realismo sociológico" da burguesia paulista durante o governo Goulart: as campanhas de alfabetização do Nordeste se tornaram ameaçadoras para ela, na medida em que se traduziam em custos econômicos e riscos políticos. É nesse tipo de contexto que se inscreve o mito da democracia brasileira.

As relações raciais no Brasil

O racismo, enquanto construção ideológica e um conjunto de práticas, passou por um processo de perpetuação e reforço após a abolição da escravatura, na medida em que beneficiou e beneficia determinados interesses.

> Nas sociedades de classes, a ideologia é uma representação do real, mas *necessariamente falseada,* porque é necessariamente orientada e tendenciosa — e é tendenciosa porque seu objetivo não é dar aos homens o *conhecimento objetivo* do sistema social em que vivem, mas, ao contrário, oferecer-lhes uma represen-

tação mistificada desse sistema social, para mantê-lo em seu "lugar" no sistema de exploração de classe.[1]

Vale ressaltar que a eficácia do discurso ideológico é dada pela sua internalização por parte dos atores (tanto os beneficiados quanto os prejudicados), que o reproduzem em sua consciência e em seu comportamento.

Importante colocar nesse momento a proposição de Hasenbalg, apoiada na distinção estabelecida por Poulantzas entre os dois aspectos da reprodução ampliada das classes sociais:[2] de um lado, o aspecto principal — o da reprodução dos lugares das classes — e, de outro, o aspecto subordinado, o da reprodução dos atores e sua distribuição entre esses lugares.

> A raça, como atributo socialmente elaborado, está relacionada principalmente ao aspecto subordinado da reprodução das classes sociais, isto é, a reprodução (formação-qualificação-submissão) e a distribuição dos agentes. Portanto, as minorias raciais não estão fora da estrutura de classes das sociedades multirraciais em que as relações de produção capitalistas — ou outras relações de produção, no caso — são as dominantes. Outrossim, o racismo, como articulação ideológica incorporada em e realizada através de um conjunto de práticas materiais de discriminação, é o determinante primário da posição dos não brancos dentro das relações de produção e distribuição. Como se verá se o racismo (bem como o sexismo) torna-se parte da estrutura objetiva das relações ideológicas e políticas do capitalismo, então a reprodução de uma divisão racial (ou sexual) do trabalho pode ser explicada sem apelar para preconceito e elementos subjetivos.[3]

Relembramos que, no caso brasileiro, pode-se caracterizar a coexistência de três processos distintos de acumulação, sob a hegemonia daquele referente ao capitalismo monopolista. Um dos legados concretos da escravidão diz respeito à distribuição geográfica da população negra, isto é, à sua localização em relação às regiões e setores econômicos hegemônicos. Em outras palavras, a maior concentração da população negra ocorre exatamente no chamado Brasil subdesenvolvido, nas regiões em que predominam as formas pré-capitalistas de produção com sua autonomia relativa. Poder-se-ia, a partir dessa constatação, afirmar que o racismo não passaria de um arcaísmo cuja persistência histórica, mais dia menos dia, acabaria por se esfacelar diante das exigências da sociedade capitalista moderna. Mas, como já vimos na introdução, os problemas relacionados à integração dos sistemas impõem padrões específicos de integração social.[4] É nesse sentido que o racismo, enquanto articulação ideológica e conjunto de práticas, denota sua eficácia estrutural na medida em que estabelece uma divisão racial do trabalho e é compartilhado por todas as formações socioeconômicas capitalistas e multirraciais contemporâneas. Em termos de manutenção do equilíbrio do sistema como um todo, ele é um dos critérios de maior importância na articulação dos mecanismos de recrutamento para as posições na estrutura de classe e no sistema de estratificação social. Desnecessário dizer que a população negra, em termos de capitalismo monopolista, é que vai constituir, em sua grande maioria, a massa marginal crescente; em termos de capitalismo industrial competitivo (satelitizado pelo setor hegemônico), ela se configura como exército industrial de reserva.

Nesse momento, se poderia colocar a questão típica do economicismo: tanto brancos quanto negros pobres sofrem os efeitos da exploração capitalista. Mas, na verdade, a opressão racial nos faz constatar que mesmo os brancos sem propriedade dos meios de produção são beneficiários do seu exercício. Claro que, enquanto o capitalista branco se beneficia diretamente da exploração ou superexploração do negro, a maioria recebe seus dividendos do racismo a partir de sua vantagem competitiva no preenchimento das posições que, na estrutura de classes, implicam as recompensas materiais e simbólicas mais desejadas. Isso significa, em outros termos, que se pessoas possuidoras dos mesmos recursos (origem de classe e educação, por exemplo) excetuando sua afiliação racial entram no campo competitivo, o resultado desta última será desfavorável aos não brancos.

Em termos históricos, sabemos que o regime escravista teve sua ação mais ampla e profunda nas regiões brasileiras onde a plantation e as atividades mineradoras se desenvolveram. E foi nessas regiões que se iniciaram os processos simultâneos de mestiçagem e de emergência de uma população de cor livre. Ora, na medida em que a população escrava sofreu deslocamentos geográficos que obedeciam às exigências da produção econômica (ciclos do açúcar, da mineração etc.), a população de cor livre permaneceu nas regiões de origem e reverteu para as atividades de subsistência ou mesmo de desvinculação econômica e social. Na verdade, não só essa população de cor livre como os poucos escravos libertos em 1888 nessas regiões vieram a constituir a grande massa marginalizada no momento da emergência do capitalismo, posto que "fixados" às formas de produção pré-capitalistas (como parceiros, lavradores, moradores/assalariados rurais, trabalhadores de mineração etc.).

Sabemos também que a região foi a última a exigir deslocamentos da massa escrava e que o regime escravista ali se instalou tardiamente. Com isso, verificamos que os processos de mestiçagem e de emergência de uma população de cor livre foram muito limitados, assim como a proporção menor do elemento negro ou de cor na constituição da totalidade da população na região. Por outro lado, é a partir da cultura cafeeira que se desenvolverá o processo de acumulação primitiva necessária à estruturação do capitalismo. Consequentemente, a questão da mão de obra livre foi colocada. O movimento abolicionista se situou exatamente a partir das exigências do novo estado de coisas. Todavia, é importante ressaltar que o 13 de maio libertou apenas 10% da população de cor no Brasil, uma vez que 90% já viviam em estado de liberdade e concentrado no "restante do país".[5] Temos, portanto, uma polarização em termos de distribuição racial que deverá ser devidamente reforçada e reinterpretada no modo de produção que se estabelecerá hegemonicamente. Note-se que a existência de um Brasil subdesenvolvido, que concentra a maior parte da população de cor de um lado, e de um Brasil desenvolvido, que concentra a população branca de outro, não é algo que esteja desarticulado de toda uma política oficial que, de meados do século XIX até 1930, estimulou o processo de imigração europeia, destinada a solucionar o problema da mão de obra do Sudeste. É exatamente a partir de 1930 que a população negra dessa região começa a participar efetivamente na vida econômica e social, o que a situará em condições melhores do que aquela do resto do país, apesar da manutenção dos critérios de subordinação hierárquica em face do grupo branco. Até então, como o diz Florestan Fernandes, fora completamente marginalizada do processo competitivo quanto ao mercado de trabalho, posto que substituída pela mão de obra imigrante. É no período que se estende de 1930 a 1950 que teremos o processo de urbanização e proletarização do negro no Sudeste.[6]

Do ponto de vista do acesso à educação, verificamos que a população de cor, apesar da elevação do nível de escolaridade da população brasileira em geral no período 1950-73, continua a não ter acesso aos níveis mais elevados do sistema educacional (segundo grau* e universidade). Em sua grande maioria, ela permanece nas diferentes fases do primeiro grau. Se relacionarmos esse aspecto ao de acesso aos níveis ocupacionais diversos, constataremos não só que a população de cor se situa majoritariamente nos mais baixos, mas que ela é muito menos beneficiária dos recursos da educação — em termos de vantagens ocupacionais — do que o grupo branco. Em outros termos, se compararmos a relação nível educacional/nível de renda entre os dois grupos raciais, constataremos que é bem acentuado o diferencial de renda entre brancos e negros, mesmo possuindo o mesmo nível educacional. No grupo branco, a relação entre educação e renda é praticamente linear, enquanto no grupo negro o incremento educacional não é acompanhado por um aumento proporcional de renda.[7] A discriminação ocupacional se constitui como a explicação mais plausível, a partir do momento em que, concretamente, temos quase que cotidianamente notícias da não aceitação de pessoas de cor em determinadas atividades profissionais. A existência da Lei Afonso Arinos é prova cabal da existência dos processos de discriminação em nosso país, uma vez que, no nível de sua aplicação, ironicamente se constate que funciona muito mais contra do que na defesa de pessoas de cor (recordemos aqui o resultado do processo impetrado por aquele estudante de medicina contra a direção da clínica que abertamente declarou não o aceitar em seu quadro de estagiários pelo fato de ser negro: acabou sendo ameaçado de o acusarem por crime de calúnia).

Tais contradições nos remetem ao mito da democracia racial enquanto modo de representação/discurso que encobre a trágica realidade vivida pelo negro no Brasil. Na medida em que somos todos iguais perante a lei, que o negro é um "um cidadão igual aos outros" graças à Lei Áurea, nosso país é o grande exemplo da harmonia inter-racial a ser seguido por aqueles em que a discriminação racial é declarada. Com isso, o grupo racial dominante justifica sua indiferença e sua ignorância em relação ao grupo negro. Se o negro não ascendeu socialmente e se não participa com maior efetividade nos processos políticos, sociais, econômicos e culturais, o único culpado é ele próprio. Dadas as suas características de "preguiça", "irresponsabilidade", "alcoolismo" etc., ele só pode desempenhar, naturalmente, os papéis sociais mais inferiores. O

---

* Atual ensino médio. (N. O.)

interessante a se ressaltar nessas formas racionalizadas da dominação/opressão racial é que até as correntes ditas progressistas também refletem, no seu economicismo reducionista, o processo de interpretação etnocêntrica. Ou seja, apesar de suas denúncias em face das injustiças socioeconômicas que caracterizam as sociedades capitalistas, não se apercebem como reprodutoras de uma injustiça racial paralela que tem por objeto exatamente a reprodução/perpetuação daquelas. A pergunta que se coloca é: até que ponto essas correntes, ao reduzirem a questão do negro a uma questão socioeconômica, não estariam evitando de assumir o seu papel de agentes do racismo disfarçado que cimenta nossas relações sociais? Nesse sentido, seu discurso difere muito pouco daquele das correntes conservadoras que, por razões óbvias, desejam manter seus privilégios intocáveis. Em outros termos, o paternalismo/liberalismo racial que permeia o discurso revolucionário na sua luta contra o monopólio do capital nos aponta para um modo não consciente de perpetuação dos mecanismos de dominação utilizados pelo sistema que combate. E, na medida em que um discurso não é consciente de seus fundamentos e de seus efeitos, ele não pode se dizer científico, já que não conseguiu se aperceber das armadilhas da ideologia.

Pesquisa: Mulher negra

O FATO DE TER HAVIDO, na última reunião da SBPC em Salvador, uma mesa-redonda sobre a mulher negra não deixou de ter a sua importância histórica. Pela primeira vez o tema era discutido em tão prestigioso evento. E lá estávamos nós, duas negras e duas brancas, tentando apresentar um quadro da situação de desigualdade vivida por nós, mulheres negras. Efeitos de alguma concessão paternalizante ou de uma longa caminhada no sentido de se assumir como sujeito da própria fala?

O longo processo de marginalização do povo negro, imposto pelas práticas discriminatórias de uma sociedade marcada pelo autoritarismo, relegou-nos à condição de setor mais oprimido e explorado da população brasileira. E é por aí que se pode entender certo atraso político do movimento negro em face de outros movimentos sociais. Mas o desconhecimento ou a não consciência desse tipo de efeito tem levado muitas pessoas de "boa vontade", e até mesmo progressistas, a reproduzirem aquele julgamento tão bem caracterizado por Florestan Fernandes: os negros são os únicos responsáveis pela situação em que se encontram.

Trata-se de uma bela prática da política do avestruz (ou de "l'autruiche", como diria Lacan) que tem caracterizado certo tipo de racismo envergonhado de si mesmo: finge que o problema racial não existe e reafirma a inferioridade do negro mediante esse papo de que somente ele é responsável pelo que lhe acontece. É por aí que se desenvolvem certas comparações entre o movimento negro e os outros movimentos sociais.

As dificuldades do movimento negro

Não faz muito tempo, ouvimos de pessoas respeitabilíssimas a afirmação de que o movimento de mulheres é mais bem organizado e mais avançado que o movimento negro. Até que a gente não discorda, já que se trata de uma verdade. No entanto, o movimento feminista tem suas raízes históricas mergulhadas na classe média branca, o que significa muito maiores possibilidades de acesso e de sucesso em termos educacionais, profissionais, financeiros, de prestígio etc. E isso sem deixar de considerar as dificuldades enfrentadas pelo movimento de mulheres, dados os diferentes níveis de oposição e resistência que visam, no mínimo, neutralizá-lo. No entanto, o mulherio tem ido à luta e conquistado espaços que, hoje, são definitivamente seus.

Que se pense, a partir daí, nos obstáculos a serem superados pelo movimento negro e, sobretudo, por um movimento de mulheres negras (que já existe), já que os efeitos da desigualdade racial são muito mais contundentes que os da desigualdade sexual. Em consequência, ser mulher e negra (ou negra e mulher?) implica ser objeto de um duplo efeito de desigualdade muito bem articulado e manipulado pelo sistema que aí está. Graças à valiosa contribuição de nossas companheiras Lucia Elena G. de Oliveira e Tereza Cristina Costa, além de Rosa Maria Porcaro, podemos ter uma ideia objetiva do que significa ser mulher negra em nosso país.

Com os dados fornecidos pela Pesquisa Nacional por Amostra de Domicílios (Pnad 1976), podemos analisar, de um lado, a participação da mulher negra na força de trabalho (FT) e, de outro, as desigualdades socioeconômicas reproduzidas em famílias brancas e negras.

A mulher negra na força de trabalho

Em 1976, tínhamos 11,3 milhões de mulheres trabalhadoras, das quais 57% se reconheciam como brancas e 40% como negras (oficialmente classificadas em pretas e pardas).

A maior concentração da força de trabalho feminina ocorre nos setores de prestação de serviços, social e de comércio de mercadorias (empregadas domésticas, professoras, enfermeiras, balconistas), ampliados em consequência da industrialização e da modernização. Mas a maioria das mulheres negras (69%) trabalha na agricultura e na prestação de serviços. Isso significa que as atividades sociais e o comércio absorvem principalmente as mulheres brancas (30% para 16% de negras).

Na tabela 1 são apresentados alguns dados sobre estrutura ocupacional que valem a pena ser explorados.

TABELA 1*

Porcentagem de trabalhadores e de trabalhadoras brancas e negras por categoria ocupacional

	Total da FT	FT masculina	FT feminina Total	FT feminina Branca	FT feminina Negra
Ocupações não manuais	17	14	24	32	13
Nível superior	6	7	4	5	2
Nível médio	11	7	21	27	12
Ocupações manuais	83	86	76	68	87

Como se pode ver, as mulheres trabalham proporcionalmente mais do que os homens nas ocupações não manuais. Mas dentro dessa categoria há diferenças importantes. Nas ocupações de nível superior (empresários, administradores, profissionais de nível superior etc.) os homens estão presentes em maior número do que as mulheres, mas essa desigualdade é menor do que a verificada entre as próprias mulheres, brancas e negras. Entre os profissionais de nível médio (auxiliares de escritório, caixas, tesoureiros, professores de primeiro grau** etc.) a presença da mulher é marcante, contudo majoritariamente branca. Como muitas dessas atividades requerem contato com o público, ficam evidentes as dificuldades da mulher negra em ter acesso a tais ocupações (basta lembrar dos anúncios que exigem das candidatas "boa aparência", isto é, que correspondam aos valores estéticos brancos).

Ganhando menos que as brancas

Outra tabela que nos oferece informações valiosas é a que mostra diferenças de rendimento médio entre os sexos e as raças.

---

* Os dados usados pela autora são da pesquisa Pnad/IBGE de 1976. (N. O.)
** Atual ensino fundamental I. (N. O.)

TABELA 2*

Porcentagem de salários femininos em relação aos masculinos e
dos salários das negras sobre os das brancas, por nível ocupacional

	Mulheres/homens	Negras/brancas
Ocupações de nível superior	65	52
Ocupações de nível médio	54	86

Trocando em miúdos, os dados dizem o seguinte: nas ocupações de nível superior, as mulheres ganham, em média, 35% a menos do que seus colegas homens, mas as negras ganham 48% a menos do que as brancas. Nas ocupações de nível médio as mulheres ganham 46% a menos do que os homens, enquanto as negras recebem 14% a menos do que as brancas.

Parece que o racismo e suas práticas são muito mais contundentes nas ocupações de nível superior do que o sexismo, uma vez que as desigualdades salariais entre homens e mulheres são menores do que as observadas entre brancas e negras. Já nas ocupações de nível médio o fato de ser mulher implica maior desigualdade, embora o fator racial acentue a discriminação.

No caso das ocupações manuais, persistem as desigualdades entre negras e brancas. Quase a metade da força de trabalho feminina e mais da metade das mulheres negras estão empregadas no setor de serviços ou são trabalhadoras autônomas ou trabalhadoras familiares não remuneradas na agropecuária. No setor de serviços, encontramos o "lugar natural" da mulher negra que trabalha nas cidades: o emprego doméstico. Já os efeitos máximos do sexismo são encontrados nas atividades agropecuárias, onde as mulheres ganham, em média, 14% do que ganham os homens. Quase sempre elas trabalham na agricultura ajudando o marido, sem receber qualquer remuneração.

Outro aspecto importante é o do registro em carteira — um instrumento de defesa dos direitos do trabalhador. Cerca de 62% dos trabalhadores homens possuem carteira assinada, em comparação a apenas 52% das mulheres. Mas veja a diferença: só 40% das trabalhadoras negras contam com essa garantia trabalhista, em comparação a 60% das brancas.

---

* Os dados usados pela autora são da pesquisa Pnad/IBGE de 1976. (N. O.)

Família, casamento e desigualdade racial

Um primeiro dado a nos chamar atenção é aquele que indica que cerca de 50% das famílias brasileiras brancas possuem um rendimento familiar de três salários mínimos, contra 81% das famílias pretas e 71% das pardas. O diferencial de rendimentos, nesse caso, é de cerca de 20% entre famílias brancas e negras (pretas e pardas). Entre as famílias cujo rendimento médio atinge mais de três salários mínimos, as negras, apesar do maior número de pessoas ocupadas, também ganham menos do que as famílias brancas.

É da maior importância ressaltar o fenômeno estudado por Carmen Barroso a respeito da mulher chefe de família. De acordo com sua análise, tal fenômeno se articula com a pobreza, sobretudo nas áreas urbanas. Entre as famílias brancas, 13% são chefiadas por mulheres; entre as famílias pretas, 20% são chefiadas por mulheres; e entre as pardas, 17% têm chefes mulheres. Além disso, as chefes de família pretas ganham 34%, e as pardas 44%, do que ganham as brancas na mesma situação.

Em termos de taxa de atividade, as diferenças também são expressivas quando se trata de brancos e negros. As cifras indicam que o trabalho do menor é de grande importância para as famílias negras, assim como o fato de que a mulher negra tem uma taxa de atividade maior que a mulher branca.

É importante lembrar que a questão da homogamia racial também contribui para a reprodução das desigualdades. A tendência dominante na sociedade brasileira é de casamentos intrarraciais, isto é, entre pessoas da mesma raça. Veja os dados: 85% das esposas dos homens brancos são brancas, 12% são pardas e apenas 2% são pretas. No caso de homens negros, 55% de suas esposas são negras, 17% são brancas e 26% são pardas. E, no caso de chefes de família pardos, 70% de suas mulheres são pardas, 26% são brancas e 5% são negras. Quando se articula rendimento mensal com anos de escolaridade do chefe, constata-se que a homogamia racial é muito mais acentuada entre os brancos (três quartos dos chefes brancos que ganham até um salário mínimo e têm menos de um ano de instrução, e cerca de 93% dos que ganham mais de cinco salários mínimos e têm mais de onze anos de instrução, casam-se com mulheres brancas). É interessante notar que muitos negros se casam com mulheres brancas à medida que aumentam seu nível de rendimento e seu nível educacional (37% dos negros que têm de oito a dez anos de estudo e

43% dos que estudaram onze anos ou mais têm esposas brancas). Já os homens brancos agem de maneira diferente: apenas 9% dos que têm de oito a dez anos de estudo e 5% dos que têm mais de onze anos de estudo se casam com negras.

Como se vê, esse papo de democracia racial atingida mediante a miscigenação não passa de um mito muito bem bolado. Quanto à situação da mulher negra, só fica demonstrado o que dissemos no início. Todavia, graças a ela os valores que apontam para a nossa ancestralidade e a nossa identidade foram mantidos. Mas isso é papo para o próximo artigo.

Mulher negra, essa quilombola

DE REPENTE, o grande público toma conhecimento da importância do 20 de novembro para nós, negros deste país. Justamente porque a morte de Zumbi se transfigura no ato que, por excelência, aponta para a vida. Ao morrer, Zumbi continuou vivo, permanecendo na consciência de seu povo e também na dos opressores desse povo.

Palmares, sociedade alternativa

No primeiro caso, transformou-se no símbolo da resistência e da luta por uma sociedade alternativa, onde negros, índios e brancos fossem considerados a partir daquilo que os torna iguais — sua humanidade — e organizados a partir dos critérios democráticos com a justa distribuição dos frutos do seu trabalho. E não há dúvida de que Palmares foi a primeira tentativa de criação dessa sociedade igualitária, onde existiu uma efetiva democracia racial. Por aí se pode compreender por que os movimentos negros do período pós-abolição tiveram nela e em Zumbi a garantia histórica e simbólica de suas reivindicações. E não foi por outra razão que, em 1978, em memorável assembleia realizada em Salvador, o Movimento Negro Unificado estabeleceu o 20 de novembro como o Dia Nacional da Consciência Negra.

No segundo caso, ele personificou a ameaça da perda de privilégios de raça e classe, sempre presente e perigosa para o dominador. Não é por acaso que Zumbi se encontra no imaginário popular nordestino, caracterizado como um malvado demônio noturno que rouba crianças malcomportadas (o que, aliás, não deixa de ser uma bandeira).

O papel da mulher negra

Mas cabe aqui uma pergunta: onde é que a mulher negra entra nesse papo? Será que vamos falar de Dandara ou de Luísa Mahin? Não especialmente. Mas enquanto quilombolas, não há dúvida. É claro que, aqui, o termo está sendo tomado num sentido mais amplo, metafórico mesmo. A mulher negra tem sido uma quilombola exatamente porque, graças a ela, podemos dizer que a identidade cultural brasileira passa necessariamente pelo negro. E, numa primeira aproximação, podemos afirmar que ela só tem a ver com os dois tipos de permanência de Zumbi na cabeça da moçada. Tentemos explicar.

Enquanto escrava, ela foi dirigida para diferentes tipos de trabalho, que iam desde aquele no campo (plantação de cana, de café etc.) até o trabalho doméstico. No primeiro caso, enquanto escrava do eito, ela estimulou os companheiros para a revolta, a fuga e a formação de quilombos. Enquanto habitante destes últimos, ela participou, como em Palmares, das lutas contra as expedições militares destinadas à sua destruição, nunca deixando de educar seus filhos dentro do espírito antiescravista, anticolonialista e antirracista.

Em termos de trabalho doméstico, vamos encontrá-la na função de mucama e/ou ama de leite. Nessas circunstâncias, ela mantinha um contato direto com seus senhores, assim como com tudo aquilo que tal contato implicava (desde a violência sexual e os castigos até a reprodução da ideologia senhorial). Mas foi justamente a partir daí que ela fez a cabeça do dominador, sobretudo ao exercer a função materna enquanto "mãe preta".

Resistência passiva

De acordo com opiniões meio apressadas, a "mãe preta" representaria o tipo acabado da negra acomodada, que passivamente aceitou a escravidão e a ela correspondeu da maneira mais cristã, oferecendo a face ao inimigo. Acho que não dá para aceitar isso como verdadeiro, sobretudo quando se leva em conta que sua realidade foi vivida com muita dor e humilhação. E justamente por isso não se pode deixar de considerar que a "mãe preta" também desenvolveu as suas formas de resistência: a resistência passiva, cuja dinâmica deve ser encarada com mais profundidade.

Mulher negra, essa quilombola

Papo vai, papo vem, ela foi criando uma espécie de "romance familiar", cuja importância foi fundamental na formação dos valores e das crenças do nosso povo. Conscientemente ou não, ela passou para o brasileiro branco as categorias das culturas negro-africanas de que era representante. Foi por aí que ela africanizou o português falado no Brasil (transformando-o em "pretuguês") e, consequentemente, a cultura brasileira. E, no caso nordestino, foi contando história pro "sinhozinho" que ela transou o Zumbi enquanto figura ameaçadora de crianças malcriadas. Pois é...

A situação da mulher negra, hoje, não é muito diferente de seu passado de escravidão. Enquanto negra e mulher, é objeto de dois tipos de desigualdades que fazem dela o setor mais inferiorizado da sociedade brasileira. Enquanto trabalhadora, continua a desempenhar as funções modernizadas da escrava do eito, da mesma mucama, da escrava de ganho. Enquanto mãe e companheira, continua aí, sozinha, a batalhar o sustento dos filhos, enquanto o companheiro, objeto da violência policial, está morto ou na prisão, ou então desempregado e vítima do alcoolismo. Mas seu espírito de quilombola não a deixa soçobrar.

Marli mulher

Acordar cedo, pegar água na bica, deixar as coisas adiantadas para que a filha mais velha termine, trabalhar nas casas de madames ou como servente no supermercado. Voltar à noite, lavar umas "roupinhas", acordar mais cedo no dia seguinte pra enfrentar a fila no posto de saúde porque uma das crianças está doente etc. etc... Nada disso a faz esmorecer. Em matéria de dupla jornada, estratégias de sobrevivência e coisas que tais, ela é escoladíssima. E, muitas vezes, pensamos em Marli Soares:* ela sempre dá um jeito de ir ao samba pra exercer sua ludicidade, e com todo o direito. Curte um Carnaval como ninguém e adora desfilar na avenida. E não deixa de ir ao terreiro ou ao centro, porque põe fé nos orixás ou nos guias. Pode ter medo de barata, mas de polícia não. E se a isso se acrescenta um mínimo de consciência política, a gente sabe no que vai dar.

---

* Sobre Marli, ver nota p. 49.

Por aí dá pra entender por que o primeiro passo que a mulher negra dá, em termos de conscientização, tem a ver com a luta contra o racismo, posto que não só ela, mas seus filhos, irmãos, parentes, companheiro, amigos e conhecidos dele são vítimas. Depois é que ela saca o lance do sexismo. Sua participação nos movimentos negros foi e tem sido cada vez mais intensa, da maior significação. Quando a gente anda por este Brasil afora e conhece os movimentos negros regionais, uma coisa se evidencia com a maior clareza: a presença crescente, e muitas vezes majoritária, do mulherio. E, ainda mais, dá pra perceber que as lideranças desses movimentos, em muitos casos, é dela, mulher negra. O que não é de espantar, pois, enquanto setor mais explorado e oprimido, e consciente disso, ela vê muitas coisas do sistema não só na sua estratégia de exploração dos trabalhadores, mas enquanto organização racista e sexista. Consequentemente, sua luta se dá em três frentes, e, quanto mais desenvolve sua prática em termos de movimento, mais sua lucidez e sua sensibilidade se enriquecem. De repente, ela acaba tendo um jogo de cintura muito maior do que acreditava possuir.

Herdeira dos quilombolas

Nesse sentido, ela é a grande herdeira dos quilombolas, como Dandara e Luísa Mahin, de Tia Ciata e Mãe Senhora; mas sobremodo da grande massa anônima que na casa-grande ou na senzala, no eito ou nos quilombos, no candomblé ou na umbanda, nos ranchos ou nos afoxés garantiu a sobrevivência de todo um povo enquanto raça e cultura.

Aqui nas Alagoas, um grupo de mulheres negras de diferentes estados, representantes ou não de movimentos negros, se preparou para subir a serra da Barriga, onde se situava a capital de Palmares, o mocambo do Macaco. O projeto do Memorial Zumbi, do qual fazemos parte, realizou um ato solene, uma homenagem a Zumbi, no 20 de novembro. Enquanto isso, no resto do país, uma série de eventos estavam acontecendo neste Dia Nacional da Consciência Negra, promovidos pelos movimentos negros. E lá no alto da serra, durante a solenidade, ficamos pensando naquelas palmarinas, que preferiram matar os próprios filhos e se suicidarem em seguida para não se deixarem escravizar.

Democracia racial? Nada disso!

No NÚMERO PASSADO DE *Mulherio* a gente viu que o racismo e a discriminação racial são coisas bem concretas e responsáveis por desigualdades terríveis, que vão desde o salário que a gente ganha até os problemas de nossa estrutura familiar. Mas como é que esse racismo funciona na cabeça da gente e dos outros? Como é que se sente isso no dia a dia? De que maneira as mulheres e os homens brancos transam a gente? E os homens negros? Qual tem sido o nosso papel na família e na comunidade a que pertencemos?

Se a gente pensa nessas perguntas, elas nos levam a apresentar um quadro resumido da nossa história. Nossas antepassadas vieram da África para o Brasil como escravas para trabalharem nas plantações de cana, nos engenhos etc. Nos reinos e impérios africanos de onde vieram, as mulheres eram tratadas com grande respeito e, em muitos deles, elas até chegavam a ter participação política. A valorização da mulher pelas diferentes culturas negro-africanas sempre se deu a partir da função materna. É por aí que a gente pode entender, por exemplo, a importância que as "mães" e "tias" iriam ter não só na formação e desenvolvimento das religiões afro-brasileiras (candomblé, tambor de mina, umbanda etc.) como também em outros setores da cultura negra no Brasil.

A serviço do sinhô, da sinhá e das crianças brancas

Quando o europeu chegou à África, nossas antepassadas foram arrancadas do convívio de seus filhos, de suas famílias e de seus povos, transformadas em mercadorias e vendidas por bons preços para trabalharem até o fim de seus dias numa terra absolutamente desconhecida. As que não morriam nos malfadados navios negreiros, ao chegarem aqui, eram dirigidas para dois tipos de atividades: a escrava de eito trabalhava nas plantações, e a mucama, na casa-grande. Tanto uma como outra nada mais foram do que as avós da trabalhadora rural e da doméstica de hoje.

Enquanto a escrava de eito foi utilizada para, com o seu trabalho, enriquecer os senhores escravistas e fortalecer o tipo de sistema econômico imposto pelos portugueses, a mucama foi utilizada para garantir o lazer e o bem-estar de seus senhores: de sua senhora, na medida em que lhe cabia todo o trabalho doméstico, além de cuidar das crianças brancas desde o seu nascimento (foi por aí, enquanto ama de leite e babá, que ela se transformou na famosa mãe preta); de seu senhor, na medida em que era utilizada como objeto de sua violência sexual.

É por aí que a gente deve entender que esse papo de que a miscigenação é prova da "democracia racial" brasileira não está com nada. Na verdade, o grande contingente de brasileiros mestiços resultou de estupro, de violentação, de manipulação sexual da escrava. Por isso existem os preconceitos e os mitos relativos à mulher negra: de que ela é "mulher fácil", de que é "boa de cama" (mito da mulata) etc. e tal.

Mulatas, agora "produtos de exportação"

Ainda hoje podemos constatar como as escolas de samba, as gafieiras, as festas de largo etc. são transadas como modernas senzalas onde os "sinhozinhos" brancos vão exercitar sua dominação sexual (e a indústria turística está aí mesmo pra reforçar e lucrar com essa prática). Não é por acaso que o sistema criou a moderna profissão de mulata para as jovens negras continuarem a ser exploradas, agora, como "produtos de exportação".

E depois dizem que não existe racismo no Brasil.

Por que essas jovens negras não são consideradas como profissionais de dança? A gente saca, então, que elas constituem uma "espécie diferente", que não podem fazer parte de uma categoria profissional já existente, justamente pelo fato de serem negras. De repente, a mulata é o outro lado da mucama: o objeto sexual.

Existe uma outra mentira histórica que afirma que o negro aceitou passivamente a escravidão, adaptou-se a ela docilmente porque, afinal, os senhores de escravos luso-brasileiros foram muito bons e cordiais. E, como prova disso, dizem que a mãe preta foi o modelo dessa aceitação. Mas a gente pergunta: ela tinha outra escolha? Claro que não, pois era escrava e justamente por isso foi obrigada a cuidar dos filhos de seus senhores.

Além disso, muitas vezes seus filhos recém-nascidos eram arrancados delas para que se "dedicassem" inteiramente às crianças brancas, amamentando-as com exclusividade. Aquelas que não aceitassem eram cordialmente torturadas ou simplesmente liquidadas.

Mas, como já dissemos no início, as africanas eram muito valorizadas, e ainda são, enquanto mães. Por isso não é de estranhar que, no Brasil, as escravas tenham lutado por manter a dignidade da função materna, até mesmo quando a exerciam com crianças brancas. Com sua força moral, tudo fizeram para sustentar seus companheiros e tratar da sobrevivência dos filhos, educando-os nas mais precárias condições de existência.

Com isso, mantiveram viva a chama dos valores culturais afro-brasileiros, que transmitiram a seus descendentes. E nisso também influenciaram mulheres e homens brancos, a quem aleitaram e educaram. Graças a elas, apesar de todo o racismo vigente, os brasileiros falam "pretuguês" (o português africanizado) e só conseguem afirmar como nacional justamente aquilo que o negro produziu em termos de cultura: o samba, a feijoada, a descontração, a ginga ou jogo de cintura etc. É por essa razão que as "mães" e as "tias" são tão respeitadas dentro da comunidade negra, apesar de todos os pesares.

De Palmares às escolas de samba, tamos aí

Final de ano e início de outro são ocasiões de comemoração de uma porção de coisas que mostram a contribuição que a gente tem dado pra história e pra cultura de nosso país. Por isso mesmo, acho bom lembrar certas datas importantes em que a negrada (especialmente o mulherio) está muito presente. Estamos cansados de saber que nem na escola nem nos livros onde mandam a gente estudar se fala da efetiva contribuição das classes populares, da mulher, do negro e do índio na nossa formação histórica e cultural. Na verdade, o que se faz é folclorizar todos eles.

E o que é que fica? A impressão de que só os homens, os homens brancos, social e economicamente privilegiados, foram os únicos a construir este país. A essa mentira tripla se dá o nome de: sexismo, racismo e elitismo. E como ainda existe muita mulher que se sente inferiorizada diante do homem, muito negro diante do branco e muito pobre diante do rico, a gente tem mais é que tentar mostrar que a coisa não é bem assim, né?

Para começar, tem o 20 de novembro, o Dia Nacional da Consciência Negra, em homenagem a um dos maiores heróis brasileiros: o negro Zumbi dos Palmares, assassinado nesse mesmo dia, no ano de 1695, pelos representantes do escravismo. Seu "crime" foi ter liderado uma luta de vida ou morte por uma sociedade justa e igualitária, onde negros, índios, brancos e mestiços viveriam do fruto de seu trabalho livre e seriam respeitados em sua dignidade humana. Essa sociedade efetivamente democrática existiu em Palmares, que foi o primeiro Estado livre das Américas e um Estado criado por negros.

Durante cem anos, os palmarinos resistiram aos ataques das tropas enviadas pelas autoridades coloniais e pelos senhores de engenho escravistas, irritados e invejosos de sua prosperidade. As mulheres palmarinas também participaram nas lutas, ao lado de seus companheiros. E, quando Palmares foi finalmente destruído, elas preferiram matar os próprios filhos, suicidando-se em seguida, para que não sofressem a indignidade e a humilhação de serem escravos. Ao morrerem, tornaram-se vivas na nossa memória. (Por essa razão, temos hoje, no Rio de Janeiro, um grupo de mulheres negras cujo nome é Aqualtune, uma heroica palmarina, mãe de Ganga Zumba, o antecessor de Zumbi.)

De dia trabalha duro, de noite cai no samba

Dezembro tem muito a ver com a mulher negra enquanto perpetuadora dos valores culturais afro-brasileiros; aqui, as "mães" e as "tias" têm um papel fundamental. Quem é que pode esquecer toda a importância de uma Tia Ciata quando chega o 2 de dezembro, Dia Nacional do Samba? Ela é símbolo da alegria, do bom humor, do espírito descontraído da negra que trabalha duro, é objeto das maiores desigualdades, das maiores injustiças, dos maiores sofrimentos, mas não deixa de ir ao samba pra sacudir o esqueleto (mesmo que tenha que acordar cedo no dia seguinte pra enfrentar a "cozinha da madame").

Historicamente, a casa de Tia Ciata foi um núcleo irradiador do que veio a ser o samba carioca, os blocos e as escolas de samba. Isso sem contar a sua atuação enquanto ialorixá.

Isso nos remete para duas outras datas importantes: 4 e 8 de dezembro. A primeira, dia de santa Bárbara, na verdade é muito mais festejada como o dia de Iansã, a rainha dos raios, ventos e tempestades, a grande guerreira. A segunda, dia de Nossa Senhora da Conceição, também é o dia de Oxum, a grande mãe (protetora de todas as crianças, desde o nascimento até o momento em que andam e falam), a dona do ouro, símbolo da beleza e da feminilidade, senhora das águas doces. E, no Rio de Janeiro, 31 de dezembro é o dia em que cariocas e fluminenses se dirigem às praias pra levar suas flores pra outra grande mãe: Iemanjá, rainha do mar, doadora de bênçãos e de sorte, mãe de vários orixás.

Lembrar essas festas é não esquecer Ianossô, Mãe Aninha, Mãe Senhora, Mãe Menininha, Mãe Cantu, Mãe Estela, Mãe Bida e muitas outras que, com sua sabedoria e espírito ecumênico, nunca perguntaram qual a religião, a classe social, o partido político ou origem étnica daqueles que, desesperados, buscavam um alento, uma esperança para seguir vivendo.

E sabemos o quanto os terreiros de candomblé, de umbanda, de batuque, de xangô etc. etc. foram perseguidos pela polícia a mando de autoridades políticas e religiosas. Isso sem falar nos blocos e escolas de samba. De qualquer modo, as "mães" e as "tias" souberam segurar a barra de seus "filhos" e "sobrinhos", fazendo de seus terreiros (religiosos ou de samba) verdadeiros centros de resistência cultural.

Ainda em dezembro, chegando até meados de janeiro, existem as festas populares do ciclo natalino, em que a negadinha participa dando o tom de alegria pelo nascimento de Cristo (afinal, Natal não é Sexta-Feira da Paixão, né?). E toma de festa de largo, pastoris, folias de reis e outras milongas mais. É por isso que dá pra entender por que o Carnaval brasileiro assumiu o lugar de festa popular mais famosa do país. O tal do entrudo era um negócio meio sem graça, sem jogo de cintura, sem calor; só a partir do momento em que a negadinha começou a desfilar é que a coisa foi tomando colorido e acabou por se transformar na maior fonte da indústria turística deste país.

Os afoxés, cordões, blocos, escolas de samba, frevos, esses baratos todos que antes eram chamados de "coisa de negros" e por isso mesmo reprimidos hoje fazem parte de um "patrimônio cultural nacional" do qual, é claro, os beneficiários não são os "neguinhos", mas as secretarias e as empresas de turismo. E foi por aí que pintou o lance de criarem uma nova profissão pra mulher negra (a de mulata), como já vimos no número anterior. De qualquer modo, mulata passista ou componente da ala das baianas, ela taí, mais firme que nunca, trabalhando como sempre, segurando as pontas de sua família como sempre, e, como sempre, muito cheia de axé. Por isso, só temos uma coisa a dizer pra ela: tamos aí.

Taí Clementina, eterna menina

AQUARIANA (POIS NASCEU NUM 7 DE FEVEREIRO), ela não poderia deixar de ter alguma ligação com os ardores do Carnaval brasileiro. Mas para além dos baratos astrológicos, Clementina de Jesus é uma negra especialíssima, cuja participação nos carnavais cariocas provém de longuíssima data. Basta dizer que, já aos doze anos, desfilava no bloco Moreninhas das Campinas, de Oswaldo Cruz, subúrbio que se constituiu como verdadeiro centro irradiador de cultura negra no Rio de Janeiro (não esqueçamos que foi a partir dali que o Paulo da Portela iria se lançar no mundo do samba).

Clementina, cujo apelido era Quelé, apesar de cantar no coro da igreja não deixava de frequentar as rodas de samba da Maria Neném. E, quando surgiu a Portela, lá estava Quelé, mandando ver, sapateando e cantando junto com Paulo e seus companheiros. Foi aí que conheceu o Albino "Pé Grande" da Mangueira: casou e mudou. Daí em diante, só desfilava na verde-e-rosa. Em 1975, deu-se a fundação da Quilombo e, a convite de Candeia, ela se tornou a figura principal, a grande dama dos carnavais quilombolas. Neste Carnaval de 1982 a escola de samba Lins Imperial vai pra Marquês de Sapucaí com o enredo "Clementina, uma Rainha Negra", inspirado em sua vida.

Formação negra

Mas Clementina não é carioca. E esse dado é fundamental pra gente poder sacar alguns aspectos da sua formação cultural e musical. Ela nasceu na cidade de Valença, no interior do estado do Rio de Janeiro, região de grandes plantações de café no século passado. E falar de plantação é falar de grande concentração de mão de obra negra. Filha de pai violeiro e de mãe jongueira, aprendeu a falar cantando jongos, modas de viola, lundus, calangos, cantos de trabalho, curimãs, benditos etc. Tudo isso num "pretuguês" maravilhoso, permeado de expressões africanas, originárias talvez do quimbundo. Portanto, a cultura negra de Clementina é essencialmente banto, como, de resto, a de todo o estado do Rio de Janeiro. Ainda criança, veio para a capital, para Oswaldo Cruz, onde passaria toda a sua adolescência. Certamente, foi a partir daí que se revelaram as suas incríveis qualidades de partideira.

Em termos de "prendas domésticas", ela também se destacaria como grande doceira. E isso lhe valeu muito, sobretudo após seu casamento em 1940, quando, a fim de dar uma força na economia familiar, passou a trabalhar como empregada doméstica. E, apesar das críticas das patroas, que achavam sua voz "horrível" (eta, alienação braba!), ela amenizava a dureza do trabalho com seu canto de rainha.

Na Glória

Além das rodas de samba, dos desfiles carnavalescos, Clementina e Albino, como todo o crioléu, curtiam participar de festas populares, tipo festa da Penha, N. S. da Glória etc. Preparado o farnel, lá iam os dois ao encontro dos amigos para as comemorações a que tinham direito. E tome samba, de partido-alto, de jongo, de sapateado, de birita e de muita alegria. Foi num lance desses, em 1964, que Hermínio Bello de Carvalho a descobriu. Após terem ido prestar suas homenagens à Virgem do Outeiro, Clementina e Pé Grande foram pra famosa Taberna da Glória, a fim de refrescar a garganta. E como sempre acontecia, ela começou a cantar, enquanto Albino a acompanhava batucando em cima da mesa. Hermínio, que morava por ali, ia passando quando ouviu aquela voz, que lhe tirou a respiração...

Taí uma figura cujo trabalho sério e consequente em termos de música neste país ainda não mereceu, a nosso ver, todo o reconhecimento que lhe é devido. Na época, Hermínio organizara o grupo Menestrel, que realizava concertos extremamente originais: a primeira parte com música erudita e a segunda com música folclórica e popular. E foi assim que ele apresentou Clementina de Jesus ao grande público, no Teatro Jovem: a primeira parte do concerto coube a Turíbio Santos. Acompanhada por César Faria (violão), Elton Medeiros e Paulinho da Viola (percussão), ela simplesmente estarreceu a plateia. Em 1965, Hermínio produziria um dos melhores espetáculos de música popular de que já ouvimos falar: *Rosa de Ouro*. Aracy Cortes e Clementina de Jesus eram as duas grandes estrelas. Uma, famosa por suas glórias passadas; outra, se lançando para glórias futuras. Só que aquela estrela nascente já completara 63 anos de idade.

Na África

Daí em diante, sucedem-se as viagens pelo país e pelo exterior. No Festival de Arte e Cultura Negra, realizado em Dacar, sua presença forte, seu canto negro (ainda aí com acompanhamento de atabaques de Elton e Paulinho), sua espontaneidade fizeram dela o maior sucesso da delegação brasileira junto aos africanos. Mal retornados da África, os três partem para o Festival de Cannes, onde, mais uma vez, ela impressiona as multidões. E tudo isso em 1966. Valera a pena esperar.

Nos anos seguintes, ela faz numerosos espetáculos, grava um disco antológico com Pixinguinha e João da Baiana (*Gente da antiga*), participa do segundo LP do *Rosa de Ouro* etc. Todavia, seu primeiro disco individual só pintaria em 1970, produzido pelo Museu da Imagem e do Som do Rio de Janeiro: *Clementina, cadê você?*, título do famoso partido-alto que Elton Medeiros lhe dedicara.

Voz que arrepia

Conversando com Paulinho da Viola, este me disse que a considera uma das cinco maiores cantoras brasileiras de todos os tempos. Claro que pela extraordinária extensão de sua voz (graves e agudos incríveis), mas não só por isso. Que dizer do timbre, das síncopes, da maldade no dizer, do suingue? Negócio de arrepiar, de levantar defunto e, ao mesmo tempo, de acalentar criança. Voz negra que, quando bate na gente, nos remete para além do dizível, transformando tudo em vibração, emoção, paixão.

Apesar de todo o seu valor, Clementina é uma injustiçada (como o povo e a cultura de onde ela provém). Sua discografia não ultrapassa o número cinco, seus cachês são baixos (enquanto tantas mediocridades estão aí, faturando milhões), quando não meramente simbólicos. Nesses quase vinte anos de vida artística, só conseguiu comprar uma casa num subúrbio e, assim mesmo, graças à atenção constante e amiga de Hermínio. Ela mesma não se esquenta muito com isso não. Sempre bem-humorada e lutadora, encara a vida com um sorriso no olhar. Apesar dos infartos, da morte de Albino e das ingratidões de muita gente, ela taí, nos seus oitenta anos bem vividos e muito bem cantados.

A grande dama

Mas o seu povo, o seu povão, a reconhece como grande dama, como sua rainha. Consequentemente, não é por acaso que uma escola de samba modesta, de segundo grupo, lhe rende homenagem. Foi justamente numa passagem do samba-enredo da Lins Imperial que colhemos o título desta matéria (enquanto seu conteúdo resultou muito do papo com Elton Medeiros e Paulinho da Viola, companheiros de primeira hora da nossa Clementina). Desnecessário dizer que estaremos na Marquês de Sapucaí para ver Clementina reinando sobre seus súditos, nessa festa única em que negros, pobres, explorados e oprimidos podem sair às ruas e cantar seus sonhos, suas dores e suas alegrias (embora a polícia esteja sempre por perto).

"Lá vem Clementina/ que a todos fascina/ que canta e encanta os momentos felizes/ Lá vem Clementina/ que mostra, que ensina/ a cultura negra e suas raízes/ Taí Clementina/ eterna menina/ que hoje é rainha pra gente exaltar/ A rainha negra de todos os tempos/ que até o próprio tempo/ a quer conservar" (Tibúrcio, Antero e João Banana).

A esperança branca

Recordando o massacre de Shaperville, na África do Sul, onde em 21 de março de 1960 os manifestantes negros de uma demonstração pacífica foram brutalmente chacinados, a ONU estabeleceu essa data como o Dia Internacional de Luta pela Eliminação da Discriminação Racial. E hoje, à nossa maneira, também vamos falar do assunto.

Após ter participado das comemorações do Dia Internacional da Mulher, no Museu de Arte Moderna do Rio de Janeiro, fui para casa a fim de ver o *Canal Livre* daquele domingo, 7 de março de 1982. Como eu, milhões de telespectadores tiveram a oportunidade privilegiada de ver como pensa e age o modelo mais representativo do que a gente chama de "preto de alma branca", de "jabuticaba" (preto por fora, branco por dentro e com um caroço que não dá para engolir) ou, como diz o "crioléu" jamaicano, de "afro-saxão". Muito bem escolado nas artes do embranquecimento, ele negou peremptoriamente o fato de que alguma vez tenha sido objeto de discriminação racial.

Além disso, ao apontar as duas mulheres que mais admira, não fez por menos: foi de Xuxa e Vera Fischer, duas legítimas representantes do tipo da mulher anglo-saxônica. Mas foi logo se desculpando, dizendo que sua ex-mulher é o oposto de ambas; ou seja, tem cabelos pretos. Quando lhe perguntaram se já namorara uma negra, respondeu que havia namorado uma japonesa. Finalmente, após uma marcação sob pressão e muito sem graça, confessou que namorou uma "mulatinha escura"...

Tenho certeza de que o "crioléu" deste país, em sua maioria absoluta, ficou envergonhado e/ou revoltado diante de tanta cara de pau. Realmente, o cara provou o quanto está a serviço das classes brancas dominantes; as mesmas que aí estão, cada vez mais ricas, enquanto a maioria da população, os explorados e oprimidos, continua cada vez mais pobre, desempregada, subempregada e nas piores condições de vida.

"Jabuticaba"-modelo

Na verdade, todo mundo já sabia disso. Só que no vídeo (onde o "crioléu", quando aparece, é sempre utilizado para reproduzir os estereótipos de sua "inferioridade" ou o mito da democracia racial) e no tipo de programa em que foi, o choque foi gritante. Afinal, quem é que não sabe que ele registrou suas crianças como "brancas"? Que nem sequer dirige a palavra aos raros negros que por acaso pintam no mesmo ambiente social que ele (tenho tido testemunhos nacionais e internacionais)? Que jamais moveu uma palha para ajudar seus ex-colegas de profissão que foram objeto de discriminação? Na verdade, enquanto "jabuticaba"-modelo, ele tem vergonha de ser negro e raiva de quem se assume como tal.

A psicologia do "jabuticaba" é das mais interessantes. De um modo geral é o negro (ou negra) que "subiu na vida". Como o processo de ascensão social do negro brasileiro ocorre normalmente em termos individuais, ele passa pela lavagem cerebral do branqueamento. Ou seja, cada vez mais distanciado da comunidade negra, ele vai internalizando e reproduzindo os valores ideológicos "brancos" (racismo), chegando ao ponto de se envergonhar e finalmente desprezar sua comunidade de origem. Como ele conseguiu ascender, passa a achar que a negrada não é de nada, que não se esforça, que não gosta de trabalho, que é irresponsável etc. (inclusive, por exemplo, que o povo não está preparado pra votar). Portanto, a negrada é inferior mesmo.

Ao mesmo tempo, e cada vez mais, ele fará tudo para que os outros se esqueçam de que ele é negro; em consequência, seu comportamento será no sentido de provar que ele é mais branco do que qualquer branco. Cada vez mais alienado de si e de sua raça, não se apercebe dos comentários, dos olhares, das formas invisíveis ou disfarçadas do "racismo à brasileira". Finalmente, acaba por negar a existência do racismo e da discriminação racial porque nunca quis sentir ou perceber nada disso com ele.

O campeão negro

O título desta matéria se refere a um filme várias vezes apresentado na TV. Trata-se da história de um boxeador negro, campeão imbatível, passada nos

A esperança branca

Estados Unidos no início do século xx. Os racistas não podiam aceitar que aquele "crioulo" fosse não só o maior do país como do mundo. Daí todos os tipos de baixarias para lhe tirar o título, entregando-o a um branco (daí a "esperança branca"). O "negão" resistiu o mais que pôde; mas chegou a um ponto em que não deu pra aguentar. Sujeitou-se a uma luta em que deveria se deixar vencer por um branco. E foi aquela festa nacional, com banda de música e tudo. A esperança branca se concretizara.

No Brasil, não foi preciso nada disso. O nosso campeão negro não foi desmoralizado no gramado; muito ao contrário. Afinal, não daria pra negar a sua excepcionalidade enquanto atleta. Acontece que ele próprio, enquanto cidadão, acabou por desempenhar o papel que o negro do filme (assim como Muhammad Ali) recusou. Ele é a "esperança branca" à brasileira, que considera o Brasil como modelo de "harmonia racial". Só que, como no filme, milhões de crianças negras, vítimas da discriminação, do abandono, da fome crônica e das doenças, dirigem seu olhar indagador e acusador para o campeão. Campeão?

Beleza negra, ou: Ora-yê-yê-ô!

LIBERDADE É O NOME do maior bairro negro de Salvador. E, se a gente leva em conta que Salvador é uma cidade cuja população é majoritariamente negra, pode-se imaginar o que seja a Liberdade, como dizem os baianos. Existe ali uma rua que é o coração do bairro, mas que ninguém chama de rua, e sim de o Curuzu. Se alguém quiser sacar de negritude em Salvador tem de dar uma chegada no Curuzu, sentar e tomar uma cerveja geladinha no Kizumbar de Arany e do Jaime (sem contar com a comida deliciosa), engrenar um papo e ficar vendo a negadinha passar.

É um desfile de beleza, elegância e soltura que dá gosto. Mulheres e homens, jovens e velhos, crianças e adultos, com aquele jeito gostoso de falar ("digaí, preta"), aquela hospitalidade, aquele clima espontaneamente sedutor, fazem com que pinte na gente uma vontade danada de ficar por ali mesmo, de sentar praça na Liberdade e viver seu cotidiano negro-africano. É aí que vem à tona uma saudade da Mãe África dos mercados vibrantes de vida e colorido, de alegria e receptividade. Afrobahia. Força de orixá pulsante dentro da gente...

Foi no Curuzu que, há alguns anos atrás, surgiu o polo irradiador de uma verdadeira revolução cultural afro-baiana. Para ser mais precisa, na casa de número 233, de Mãe Hilda (sempre as mães ou as tias, como já vimos), essa ialorixá tão querida de todos nós. Juntamente com outros jovens negros, seu filho carnal, o Vovô, resolveu criar um bloco. Mas não se tratava de um bloco a mais dentre os já numerosos, com nome de nações indígenas norte-americanas (o que nos leva a pensar que o oprimido sempre reconhece o outro oprimido, mesmo através de filme de faroeste) ou brasileiras, sempre objetos da maior violência policial (quem não conhece a terrível repressão sofrida pelos apaches, por exemplo?).

Tratava-se de um bloco afro, ou seja, um bloco assumidamente negro e disposto a afirmar os valores culturais afro-brasileiros, a começar pelo próprio nome: Ilê Aiyê. Enfrentando os mais diferentes tipos de dificuldades, inclusive acusações de racismo "às avessas" (o que nos leva a afirmar que o racismo "às direitas" é muito bem-aceito neste país), o grupo de fundadores, acrescido por aqueles que acreditaram na sua proposta, botou o bloco na rua no Carnaval de 1974. O alerta geral estava dado. Daí em diante começaram a surgir outros e mais outros, assim como novos afoxés: Badauê, Malê Debalê, Olorum Baba Mi etc. etc.

Hoje, seu número está em torno de cem e sua faixa de idade se situa entre vinte e 25 anos. Nada de plumas e paetês nas fantasias, todas elas de algodão e com desenhos inspirados na arte africana. No bojo da revolução cultural, também ocorria uma revolução estética.

Nunca esquecerei o Carnaval de 1978, que passei em Salvador. Graças à recomendação do Macalé, um de seus fundadores, participei do desfile do Ilê. Foi de arrepiar e fazer o coração da gente bater disparado. Jovens negras lindas, lindíssimas, dançando ijexá, sem perucas ou cabelos "esticados", sem bunda de fora ou máscaras de pintura, pareciam a própria encarnação de Oxum, a deusa da beleza negra. Enquanto isso, a música dizia: "Aquela moça/ Que tá na praça/ Tá esperando/ É o bloco da raça/ E quem é ele?/ Eu vou dizer/ É o bloco negro/ Ele é o Ilê Aiyê...".

É importante ressaltar que as atividades dos blocos e afoxés não se restringem ao Carnaval, mas se desenvolvem durante o ano inteiro. E é nisso que se encontra a sua força. Seus membros estão sempre juntos, discutindo, refletindo, criando coisas novas. E foi por aí que surgiu a ideia de instaurar a Noite da Beleza Negra, visando marcar anualmente todo um processo de revalorização da mulher negra, tão massacrada e inferiorizada por um machismo racista, assim como por seus valores estéticos eurocêntricos.

E são as jovens negras desses blocos e afoxés que organizam suas respectivas festas, convidando de preferência pessoas da comunidade negra que elas consideram credenciadas para escolher, dentre elas, a mais digna representante da beleza negra.

Não se trata de um concurso de beleza tipo "miss" isto ou aquilo, o que não passaria de uma simples reprodução da estética da ideologia do branqueamento. Afinal, pra ser "miss" de alguma coisa a negra tem de ter "feições finas", cabelo "bom" ("alisado" ou disfarçado por uma peruca) ou então fazer o gênero "erótico/exótico". O que ocorre na escolha de uma

Negra Ilê, por exemplo, não tem nada a ver com uma estética europeia tão difundida e exaltada pelos meios de comunicação de massa (sobretudo por revistas tipo "pleibói" ou de "moda", assim como pela televisão). Na verdade, ignoram-se tranquilamente essas alienações colonizadas, complexadas, não só das classes "brancas" dominantes como também dos "jabuticabas" e/ou dos "negros recentes" (né, João Jorge?). O que conta para ser uma Negra Ilê é a dignidade, a elegância, a articulação harmoniosa do trançado do cabelo com o traje, o dengo, a leveza, o jeito de olhar ou de sorrir, a graça do gesto na quebrada de ombro sensual, o modo doce e altaneiro de ser etc. E se a gente atentar bem para o sentido de tudo isso, a gente saca uma coisa: a Noite da Beleza Negra é um ato de descolonização cultural.

Por isso mesmo, fiquei muito sensibilizada quando minhas irmãs do Ilê Aiyê me convidaram para presidir a escolha da Negra Ilê de 1982, ocorrida no dia 6 de fevereiro. Infelizmente, as exigências da nossa luta fizeram com que eu permanecesse no Rio de Janeiro e não participasse, também, da escolha da beleza negra do Malê Debalê, no dia 14. De qualquer modo, ficam aqui o nosso testemunho e a nossa solidariedade para com esse importantíssimo trabalho. E, para as escolhidas de 1982, a nossa saudação, na saudação de Oxum: ORA-YÊ-YÊ-Ô!

E a trabalhadora negra, cumé que fica?

Os MESES DE MAIO E JUNHO nos trazem datas da maior importância. Elas dizem respeito às duas comunidades a que pertencemos: a comunidade negra e a comunidade trabalhadora. Com relação à primeira, temos duas datas nacionais: 13 de maio, comemorativa da chamada abolição da escravatura, e 18 de junho, data da criação do Movimento Negro Unificado (MNU), em São Paulo, em 1978, noventa anos depois da dita abolição. Com relação à segunda, temos a data máxima dos trabalhadores de todo o mundo no dia 1º de maio. Essas três datas têm muito a ver umas com as outras, quando pensamos na nossa condição de mulheres/trabalhadoras negras.

Já no 3 do *Mulherio* apresentamos uma série de dados relativos ao lugar da mulher negra na força de trabalho. Ali, a gente constata que, em virtude dos mecanismos da discriminação racial, a trabalhadora negra trabalha mais e ganha menos que a trabalhadora branca, que, por sua vez, também é discriminada enquanto mulher. Vimos que 87% das trabalhadoras negras exercem ocupações manuais, justamente nos setores ou subsetores de menor prestígio e pior remuneração; e que 60% dessas trabalhadoras não têm carteira assinada. Por essas e outras é que a mulher negra permanece como o setor mais explorado e oprimido da sociedade brasileira, uma vez que sofre uma tríplice discriminação (social, racial e sexual).

Incapazes para o trabalho livre

Nossa situação atual não é muito diferente daquela vivida por nossas antepassadas: afinal, a trabalhadora rural de hoje não difere tanto da "escrava do eito" de ontem; a empregada doméstica não é muito diferente da "mucama" de ontem; o mesmo poderia se dizer da vendedora ambulante, da "joaninha", da servente ou da trocadora de ônibus de hoje e da "escrava de ganho" de ontem.

Assim, o 1º de maio tem a ver com o 13 de maio. Enquanto trabalhadora superexplorada de hoje, a mulher negra se sente com todo o direito de perguntar: "Afinal, que abolição foi essa que, 94 anos depois de ter acontecido, a gente continua praticamente na mesma situação?". Na verdade, o 13 de maio de 1888 trouxe benefícios para todo mundo, menos para a massa trabalhadora negra. Com ele se iniciava o processo da marginalização das trabalhadoras e trabalhadores negros. Até aquela data elas e eles haviam sido considerados bons para o trabalho escravo. A partir de então passaram a ser considerados ruins, incapazes para o trabalho livre. Pois é...

Há poucos dias, uma amiga me contou que tinha telefonado para uma agência de empregadas domésticas a fim de conseguir uma babá que cuidasse de seu bebê durante a noite. Responderam que poderiam mandar uma pessoa com todas as qualificações para o trabalho, mas havia um problema: ela era negra. Espantada, essa amiga respondeu que isso não era problema para ela. Foi então que aquela voz gentil do outro lado da linha retrucou: "A senhora sabe, não é? Não é que a gente tenha alguma coisa contra. Mas acontece que nossas clientes não contratam babás negras. Elas preferem as portuguesas".

Esse fato serve de ilustração para o que dissemos acima e para algo mais: toda atividade que signifique lidar com o público "seleto" exclui a trabalhadora negra, a começar pelas atividades de babá e copeira, na área do serviço doméstico. No entanto, se o negócio é ser cozinheira, arrumadeira ou faxineira, não há problema se a empregada for negra.

Têm que ficar "no seu lugar"

Aquele papo do "exige-se boa aparência", dos anúncios de empregos, a gente pode traduzir por: "negra não serve". Secretária, recepcionista de grandes empresas, balconista de butique elegante, comissária de bordo etc. e tal são profissões que exigem contato com o tal do público "exigente" (leia-se: racista). Afinal de contas, para a cabeça desse "público", a trabalhadora negra tem que ficar "no seu lugar": ocultada, invisível, "na cozinha". Como considera que a negra é incapaz, inferior, não pode aceitar que ela exerça profissões "mais elevadas", "mais dignas" (ou seja: profissões para as quais só as mulheres brancas são capazes). E estamos falando de profissões consideradas "femininas" por esse mesmo "público" (o que também revela seu machismo).

Numa profissão como a de atriz, por exemplo, pode-se perceber muito bem como funciona o racismo "à la brasileira". Por que será que no teatro, no cinema ou na televisão as atrizes negras só vivem personagens secundárias e subalternas (sobretudo como empregadas domésticas) ou, quando muito, personagens que fazem o gênero "erótico-exótico"? É porque são profissionais incompetentes ou porque só têm oportunidade de desempenhar papéis que reforçam a imagem de inferiorização da negra? A gente sabe, por exemplo, o que aconteceu com Vera Manhães por ocasião da montagem de *Gabriela, cravo e canela* na TV: preferiram dar o papel-título para a "morena" Sônia Braga (cuja capacidade profissional não está sendo questionada aqui, de modo algum). Claro que Sônia não teve qualquer responsabilidade quanto ao fato de ter sido ela a escolhida. Mas (e estou falando do romance) a Gabriela original não tem nada de "morena", e sim de negra. Pois é, questão de "boa aparência".

Voltando às datas citadas, o 18 de junho tem a ver com as outras duas exatamente porque foi justo o Movimento Negro Unificado que propôs, entre muitas outras coisas, que passássemos a considerar o 13 de maio como o Dia Nacional de Denúncia contra o Racismo. Entre outras razões porque, ao comemorarmos o 1º de maio, a gente não pode deixar de pensar na situação de desigualdade e inferiorização em que o racismo mantém o trabalhador negro e, sobretudo, a trabalhadora negra desde maio de 1888.

Racismo por omissão

O PROGRAMA DO PARTIDO DOS TRABALHADORES, ao qual pertenço, levado ao ar em cadeia nacional de televisão no dia 5 de agosto passado, decepcionou pelo menos 44% da população brasileira: os negros (pretos e pardos ou mestiços). Com o devido desconto dos "jabuticabas" e o acréscimo dos brancos que efetivamente estão aí, na luta conosco. A abertura leve e simpática, com Irene Ravache falando da "história de um sonho", aumentou a expectativa de quem já vinha aguardando com certa ansiedade a tão rara oportunidade em que aqueles que "não têm vez nem voz" pudessem se expressar. Mas o que foi que se viu?

Uma pesada sucessão de oradores que, com maior ou menor habilidade, discorreram sobre os dez temas selecionados. Apesar dos esforços, faltou jogo de cintura, inclusive por parte daqueles que tentaram falar numa linguagem popular. A impressão que se tinha era a de que, com perdão da má palavra, havia "gringo no samba". E o samba atravessou, e a escola desfilou mal, devagar quase parando. Seguindo o enredo, "Da economia à mulher", a escola desfilou com dez alas, o que foi uma pena. Duas alas ficaram excluídas, embora pudessem ter sido enxertadas nas outras. A dos Favelados (32 milhões, mais ou menos) poderia ter sido enxertada na da Habitação, por exemplo. A dos Crioulos, em várias outras: Desemprego, Saúde e Educação, Mulher, Habitação (de novo), Reforma Agrária, Democracia etc. Embora as alas excluídas só saibam cantar coisas do tipo "belezas mil do meu Brasil", continuo achando que podiam ter participado do desfile sem prejudicar a escola. Pelo contrário. Teriam dado o molho, o sal, o tempero ao desfile, demonstrando a força, o pique, a ginga e o caráter inovador da nossa escola. Sem elas, apesar da beleza do abre-alas, nossa escola não ficou melhor, nem pior, nem diferente das velhas escolas de sempre…

Crioulices à parte, considero importante reproduzir aqui uma afirmação de Carlos Hasenbalg de um pequeno livro que escrevemos em coautoria: "No registro que o Brasil tem de si mesmo o negro tende à condição de invisibilidade".[1] Para não fugir à regra, o PT na TV não deixou por menos: tratou dos mais graves problemas do país, exceto um, que foi "esquecido", "tirado de cena", "invisibilizado", recalcado. É a isto, justamente, que se chama de racismo por omissão. E este nada mais é do que um dos aspectos da ideologia do branqueamento que, colonizadamente, quer nos fazer crer que somos um país racialmente branco e culturalmente ocidental, eurocêntrico. Ao lado da noção de "democracia racial", ela aí está, não só definindo a identidade do negro como determinando o seu lugar na hierarquia social; não só "fazendo a cabeça" das elites ditas pensantes como a das lideranças políticas que se querem populares, revolucionárias.

Isso não quer dizer que dentro do Partido dos Trabalhadores não existam companheiros empenhados na luta contra o racismo e suas práticas, entendendo o quanto ele implica desigualdades e inferiorização de amplos setores das classes trabalhadoras. As denúncias de um Eduardo Suplicy, a eleição de uma Benedita da Silva, de uma Lúcia Arruda, de um Liszt Vieira não se fizeram a partir do nada. "É muito comum se reduzir o racismo a uma questão meramente de classe, o que não é verdade, embora haja pontos de contato", dizia um companheiro africano por ocasião do 3º Congresso Internacional da Associação Latino-Americana de Estudos Afro-Asiáticos,* do qual participávamos. E acrescentava: "Se o racismo decorre de uma situação de exploração econômica, ele acaba por assumir autonomia própria" (Manuel Faustino). Nesse sentido, passo adiante uma sugestão de leitura que nos foi feita no decorrer do congresso. Trata-se da dissertação de mestrado de Suely Alves de Souza pela Unicamp, cujo título é bastante sugestivo: "Entre nós os pobres, eles os pretos".

Para concluir, direi que o ato falho com relação ao negro que marcou a apresentação do PT me pareceu de extrema gravidade não só porque alguns dos oradores que ali estiveram possuem nítida ascendência negra, mas porque se falou de um sonho; um sonho que se pretende igualitário, democrático etc., mas exclusivo e excludente. Um sonho europeizantemente europeu. E isso é muito grave, companheiros. Afinal, a questão do racismo está intimamente ligada à suposta superioridade cultural. De quem? Ora... Crioléu, mulherio e indiada deste país: se cuida, moçada!

---

* Ocorrido no Rio de Janeiro, de 1 a 5 de agosto de 1983.

Homenagem a Luiz Gama e Abdias do Nascimento

Sr. presidente, deputado Paulo Ribeiro; meu querido irmão, companheiro de lutas, deputado Abdias do Nascimento; Maurice Glelé, diretor de Assuntos Culturais da Unesco; professora Maria Célia Ramos Braga, diretora da escola José do Patrocínio; sr. Heber Maranhão Rodrigues, presidente do Metrô; tenente-coronel Carlos Hernandes Leandro Aniceto. Representante do secretário de Defesa Civil; querido companheiro, irmão de luta do Memorial Zumbi, Carlos Alves de Moura; companheiros e companheiras presentes, a nossa saudação.

Uma constatação imediata e concreta acontecida aqui, neste momento, nos empolga. De repente, ouvimos este coral tão bem organizado desta Casa cantar uma música de um padre negro, padre José Maurício. A demonstração que temos, de saída, arrebenta com os estereótipos a respeito da incapacidade do homem negro no sentido intelectual, musical etc. Padre José Maurício compôs um "Tantum ergo" em latim. Zumbi dos Palmares também sabia ler e falar latim. Padre José Maurício representa, evidentemente, essa plêiade de artistas negros que o discurso dominante silencia e recalca. Representa uma arte brasileira, uma arte que surge neste país, e tendo como nascedouro exatamente as camadas negras da população brasileira. Não esqueçamos que a grande diferença entre o barroco brasileiro e o barroco europeu é que o barroco brasileiro é negro.

Outro aspecto importante é o momento em que se canta uma temática negra. Esse mesmo coral cantou música negra composta, evidentemente, por Villa-Lobos, homem de extrema sensibilidade, um dos maiores gênios musicais que tivemos. O que se percebeu foi justamente como os componentes do coral, ao cantarem o "Tantum ergo", que vem do Ocidente, europeu, latino, no momento em que cantaram um caxambu mudaram a postura corporal. A espontaneidade, a criatividade e a força estavam presentes. Cantava-se e dançava-se. Contribuição da cultura negra para a formação da cultura brasileira. É importante ressaltar.

Mas nós estamos aqui, clara e evidentemente, constatando tudo isso. E falando em nome das minhas companheiras do Nzinga — Coletivo de Mulheres Negras, queremos prestar a nossa homenagem a Luiz Gama e Abdias do Nascimento, através de duas mulheres: Luísa Mahin e Dona Georgina. Porque, afinal, a nossa presença, a presença de mulheres negras na construção, na formação cultural deste país é da maior importância. A nossa presença enquanto mulheres negras nas lutas desde os primeiros quilombos criados até os dias de hoje, e os movimentos negros de um modo geral, são silenciados. Por isso mesmo, gostaríamos de lembrar aqui para os companheiros presentes que Luiz Gama foi filho de Luísa Mahin, essa heroína extraordinária e guerreira incrível, que participou de maneira brilhante, forte, decisiva e incisiva na maior revolução urbana de escravos neste país, que foi a chamada Revolta dos Malês, em 1835.

E o que sabemos de Luísa Mahin? Quase nada. Sabemos apenas que ela era originária da África Ocidental, de uma nação negra pequena, conhecida como Mahin. Sabemos que ela participou da luta; que ela, como a grande maioria das mulheres negras escravas, foi submetida e violentada por um homem branco. Que ela participou dessa luta e por isso mesmo foi condenada ao exílio. Teve de retornar à África e deixar aqui, no Brasil, seu filho.

Mas o que sabemos mais sobre Luísa Mahin? Nada mais. E é interessante observar que essa prática do silêncio em relação à participação da mulher negra nas lutas do seu povo se repete até os dias de hoje. Por isso mesmo, todos nós, ao lembrarmos de Luiz Gama, deste seu filho, cuja vida tão bem analisou o companheiro Romão, não podemos esquecer do detalhe de que Luiz Gama foi diferente dos demais abolicionistas. Por quê? Porque Luiz Gama não ficou apenas nas palavras ou nos conchavos com as cúpulas do movimento abolicionista. Luiz Gama ia desde a senzala aos ministros tranquilamente, porque era filho dessa mulher, dessa revolucionária, dessa guerreira. E disso não podemos nos esquecer aqui. Como não podemos nos esquecer de que graças ao sacrifício da mulher negra todos nós, presentes — sejamos negros ou brancos —, falamos de maneira diferente, por exemplo, da fala dos portugueses de Portugal.

Não é por acaso que nós, brasileiros, negros ou brancos, temos um tipo de fala profundamente africanizada, e os linguistas estão aí para demonstrar isso. Não é por acaso que os falares brasileiros se caracterizam por uma musicalidade e uma rítmica que os falares lusitanos não possuem.

E isso se deve a quem? A esse trabalho anônimo e sacrificado da mulher negra.

Por isso mesmo nós queremos, ao prestar homenagem ao companheiro Abdias do Nascimento, relembrar aqui a figura da Dona Georgina, uma mulher negra anônima também, desconhecida de todos nós. Mulher negra essa que, como tantas outras, morreu no anonimato. Mulher negra essa que se deu tanto e nada recebeu em troca daqueles que se beneficiam do seu amor, do seu carinho, do seu calor e da sua sabedoria.

Por isso mesmo nós prestamos a nossa homenagem a Luiz Gama e Abdias do Nascimento através dessas duas figuras, Luísa Mahin e Dona Georgina Ferreira do Nascimento.

Mas não podemos, evidentemente, esquecer a presença e a força dessas mulheres que, a partir de África, lutaram bravamente contra a presença do colonialismo europeu. Nesse sentido, queremos chamar a atenção, aqui, para aquela que homenageamos nós do Nzinga — Coletivo de Mulheres Negras. Não queremos esquecer aqui a figura de Nzinga, a grande rainha angolana que, durante anos e anos, lutou contra a presença portuguesa em seu país. O seu método de lutar contra os portugueses, através de guerra de guerrilha, teria influenciado o modo de lutar dos palmarinos na serra da Barriga, em Alagoas, e em Pernambuco.

Não é só de Nzinga que nos lembramos. Lembramo-nos de todas as nossas ancestrais, aquelas que vieram para o Brasil, como Dandara, como Nanny. Eu mesma não sabia. Soube há pouco tempo, em contato com uma grande representante do nosso povo e da nossa cultura. E, quando falo do nosso povo e da nossa cultura, me perdoem, não fico dentro dos limites estreitos de uma posição nacionalista. Estou me referindo a Lucille Mathurin Mair, historiadora jamaicana, embaixadora da Jamaica nas Nações Unidas e secretária-geral para a Meia Década da Mulher, cuja grande conferência internacional se realizou em Copenhague, em 1980. Graças ao contato com Lucille Mathurin Mair, tivemos conhecimento de quem foi Nanny.

Companheiras e companheiros, Nanny foi exatamente a grande heroína da resistência jamaicana contra a presença do dominador europeu. Retirou-se para as montanhas, organizando o seu povo, como o Zumbi dos Palmares no Brasil. Nanny, durante quarenta anos, lutou contra a escravização do seu povo. Então, essas ancestrais, essas mulheres, elas têm de ser lembradas por nós. Quando falamos em movimento negro nos anos 1970, em termos de Rio de Janeiro, não podemos esquecer de uma mulher, também constantemente esquecida (lapsos de memória, Freud explica), sempre esquecida nos discursos, nas falações do movimento negro: a companheira Beatriz Nascimento, que tem pagado muito caro por sua militância, por sua inserção em termos de movimento negro. A essa mulher devemos o renascimento do movimento negro no Rio de Janeiro nos anos 1970, por favor não se esqueçam disso!

Feita esta homenagem a essas companheiras, através dos seus descendentes, de todos nós, gostaríamos de chamar-lhes a atenção para algo da maior importância, como o companheiro Romão salientou aqui. Estamos a quatro anos da comemoração do centenário da "abolição da escravatura", e verificamos que o negro continua discriminado. E não se trata, simplesmente, de uma falação nossa, de uma paranoia nossa, de militantes do movimento negro. Trata-se de trabalhos e pesquisas realizados por companheiros e aliados brancos. O nosso movimento não é um movimento epidérmico; o nosso movimento é um movimento político, o nosso movimento faz questão, sim, de trazer para junto de nós aqueles que realmente escolheram o nosso lado. Não estamos aqui para fazermos racismo às avessas, como nos acusam normalmente. Mas gostaríamos de chamar a atenção para um trabalho efetuado por dois companheiros, um deles aqui presente, o companheiro Carlos Alfredo Hasenbalg, que o fez juntamente com outro companheiro, Nelson do Vale Silva. É importante dizer que Nelson do Vale Silva foi aquele que derrubou a tese do sr. Degler, que escreveu aquele livrinho chamado *Nem preto nem branco* sem nunca ter pisado no Brasil, dizendo que a saída no Brasil era a mulatice. Quer dizer, Vale Silva demonstrou que ser preto ou pardo no Brasil dá no mesmo, ou seja, demonstrou a tese do movimento negro, quando chamamos pretos, pardos e mulatos, todos, de negros. E podemos ver nos trabalhos desses poucos cientistas sociais brancos que escolheram o seu lado, ou seja, o nosso lado, a nossa luta, que eles procuram efetivamente acabar com esse papo de divisão do Brasil em quatro cores: os brancos, os pardos, os pretos e os amarelos.

Nos seus trabalhos o que vemos é a junção do preto e do pardo com o negro. E não esqueçamos aqui da contribuição das companheiras Lucia Elena Garcia de Oliveira, Rosa Maria Porcaro e Tereza Cristina de Araújo

Costa, também num trabalho importantíssimo para nós, tratando do negro na força de trabalho.

Queria ressaltar aqui o trabalho mais recente, de 1984, de autoria de Carlos Alfredo Hasenbalg e Nelson do Valle Silva, cujo título é justamente o seguinte: *Industrialização, emprego e estratificação social no Brasil*. Nesse estudo os autores demonstram que o famoso milagre brasileiro, o famoso modelo econômico brasileiro assumido pelos militares até agora no poder, se caracterizou por ser um modelo modernizador, sim, porque o capitalismo foi instaurado em todos os setores da sociedade brasileira. Mas eles demonstram, tranquilamente, que a população negra deste país, ao invés de filha do milagre, foi vítima desse milagre. Ou seja, como já disse o grande escritor negro assassinado na Guiana Walter Rodney, o modelo de desenvolvimento econômico estabelecido no Brasil pelos militares foi para subdesenvolver os setores mais pobres deste país e, portanto, os setores negros. Está lá. E nesse trabalho os pesquisadores demonstram que, em termos de renda, nos dias de hoje, neste país, a ordem decrescente é a seguinte: homem branco, mulher branca, homem negro e mulher negra. Companheiros, não esqueçamos.

A campanha abolicionista foi importantíssima porque mobilizou toda a sociedade brasileira, no sentido de refletir sobre suas próprias instituições, coisa que não acontecera por ocasião da chamada Independência do Brasil, que foi resolvida pela cúpula.

Mas o que aconteceu? Temos a proclamação da República. Os militares de novo tomam o poder e os escravos dançam. E sabemos que Luiz Gama foi dos pouquíssimos ou dos únicos que tentaram dar algo de volta a esses ex-escravos.

Estivemos há pouco nas ruas na campanha pelas eleições diretas e, como há quase cem anos atrás, foi uma campanha em que a sociedade brasileira toda partia para uma reflexão, para uma reavaliação das suas instituições. E a saída qual foi? Colégio Eleitoral.

Então, companheiros, num momento como este, é importante que nós todos reflitamos, nós do movimento negro, da população negra, por que somos os grandes explorados e oprimidos desta nação. Vejamos esta sociedade como um todo, porque temos os nossos irmãos brancos também explorados, claro que não tanto quanto nós.

Mas num momento como este, em que se presta uma homenagem dessa ordem, não esqueçamos dos problemas gerais que envolvem este país e a sua dependência de forças externas, que estão a fim de aprofundar ainda mais esse chamado desenvolvimento desigual e combinado que foi instaurado dentro do nosso país.

Desemprego, fome e miséria têm a ver conosco, população negra. Por isso mesmo, todos nós, brancos e negros interessados na questão da justiça, interessados no efetivo desenvolvimento, interessados no estabelecimento de uma efetiva democracia neste país, temos que nos irmanar e lutar contra essas forças da opressão que são imperialistas, colonialistas. E quando falo que elas são colonialistas, quero dizer que são racistas.

Nós todos temos que nos unir nessa luta irmanados, respeitando as diferenças que nos separam, porque uma mulher não é igual a um homem, um negro não é igual a um branco. Mas não vamos reproduzir o que o capitalismo faz conosco: transformar a diferença em desigualdade. Irmãos negros, lutemos para transformar efetivamente este país numa sociedade igualitária, numa efetiva democracia, porque no dia que este país for uma democracia, lógico que ele será uma democracia racial.

História de vida e louvor
(Uma homenagem a Zezé Motta)

Todos a conhecemos como a atriz promissora que despontou em *Roda viva*, sob a direção de José Celso Martinez; que se afirmou em *Arena canta Zumbi*, dirigida por Boal, ou na novela *Beto Rockfeller*. Todos sabemos que atingiu o estrelato, arrebatando público e crítica, com sua magnífica interpretação em *Xica da Silva*, de Carlos Diegues, a ponto de os críticos de Chicago poucos meses atrás terem comentado: "Basta de Evita! Agora queremos Xica".

E quem desconhece aquela voz quente e aveludada, mas às vezes zombeteira e cortante como faca amolada, que mexe com a gente quando canta "Senhora liberdade", "Cais escuro", "Rita baiana", "Oxum" e tantas outras músicas mais?

Mas muitos poucos de nós a conhecemos como aquela criança que, vinda de Campos com os pais e o irmão, morou no morro do Pavãozinho e estudou em colégio interno para crianças pobres. Ou como a adolescente que ajudava a mãe na costura, ouvindo rádio o dia inteiro, e que depois cantava as músicas ouvidas para o pai, a fim de que este as transformasse em partituras a serem distribuídas entre os membros do conjunto de músicos profissionais que dirigia. Poucos sabem que essa mesma adolescente começou a tomar consciência da situação dos deserdados e oprimidos, pobres e negros como ela própria quando fez o ginasial no colégio João XXIII, na Cruzada São Sebastião. Mas nada disso a fazia desistir. Ao entrar para o segundo grau (curso de contabilidade), foi trabalhar como operária ao mesmo tempo que estudava teatro com Maria Clara Machado. Vida dura de jovem negra pobre, numa sociedade onde os espaços reservados para mulheres, negros e pobres são aqueles da exclusão.

Poucos, muito poucos, sabem que sua arte também está a serviço das crianças pobres e órfãs, numa atuação marcada pela discrição e pela solidariedade.

Por outro lado, a consciência política de Maria José Motta a levou a participar ativamente das lutas por uma sociedade justa e igualitária. Militante do Movimento Negro Unificado, sua conduta se caracteriza pela coragem com que tem denunciado o racismo e suas práticas; e, ultrapassando o nível da denúncia, aí está Zezé organizando um arquivo de atores negros* para que, no futuro, não se repitam as escamoteações e os silêncios com relação a esses mesmos atores. Filiada ao Partido dos Trabalhadores, empenhou-se na campanha de Lélia Gonzalez, companheira de MNU, para que as maiorias silenciadas (mulheres e negros) se fizessem representar na Câmara Federal.

Para além da leveza, da doçura, do bom humor de Zezé, encontra-se uma mulher extraordinária, temperada por muita luta e sofrimento, generosa enquanto companheira, filha, irmã, esposa, amiga. Para além da imagem, da estrela Zezé Motta, o que vamos encontrar, na verdade, é uma mulher MULHER.

---

* A autora se refere ao Cidan — Centro Brasileiro de Informação e Documentação do Artista Negro, que foi fundado em 1984 pela atriz Zezé Motta. (N. O.)

Para as minorias, tudo como dantes...

NINGUÉM DUVIDA QUE o capitalismo, no Brasil, se modernizou nos últimos vinte anos. Ninguém duvida também que arrocho salarial, concentração de renda, repressão política e coisas que tais foram medidas que os donos do poder consideraram como *necessárias* para a consolidação da sociedade capitalista em nosso país. Por isso mesmo os analistas caracterizam como conservadora e excludente a modernização ocorrida durante esse período. E quando a gente se pergunta como é que as chamadas minorias ficaram nisso, as coisas ficam bem claras, sobretudo, no que se refere à população negra.

Contrariamente ao que aconteceu com a força de trabalho feminina (que entrou pra valer no mercado de trabalho, conquistando novos espaços profissionais), a força de trabalho negra foi a maior vítima de todo esse processo. Sistematicamente discriminada no mercado de trabalho, ela ficou confinada nos empregos de menor qualificação e pior remuneração.

O Censo de 1980 é bastante revelador quando nos mostra que, em termos de rendimentos, a situação era a seguinte: entre as pessoas que recebiam até um salário mínimo, a proporção era de 23,4% de homens brancos, 43% de mulheres brancas, 44,4% de homens negros e 68,9% de mulheres negras. De um a três salários mínimos, homens brancos e negros quase se igualavam em matéria de pobreza: 42,5% de homens brancos, 42,4% de homens negros, 38,9% de mulheres brancas e 26,7% de mulheres negras. Daí em diante, a dimensão racial voltava a pesar mais. De três a cinco salários mínimos: 14,6% de homens brancos, 9,5% de mulheres brancas, 8,0% de homens negros e 3,1% de mulheres negras. E acima dos dez salários mínimos: 8,5% de homens brancos, 2,4% de mulheres brancas, 1,4% de homens negros e 0,3% de mulheres negras.

Em busca de um negro doutor...

Enquanto isso, a indiferença e o cinismo continuam sendo a tônica em face desse racismo institucionalizado que tem passado intacto pelos diversos regimes políticos que existiram neste país. Indiferença por parte daqueles que reduzem a questão racial a uma questão de classe pura e simples, reforçando indiretamente o mito da democracia racial na cabeça dos mais ingênuos. Cinismo por parte daqueles que negam a existência da discriminação racial pelo fato de nunca terem ouvido falar nela.

A cara de pau desses setores reacionários ficou bem caracterizada quando a Comissão da Lei Áurea, criada pelo Ministério da Justiça e presidida pelo príncipe d. Pedro Gastão de Orléans e Bragança, incumbiu seu secretário de sair à cata de um negro que seja doutor em história para fazer parte de tão egrégio conselho...

Tal comissão tem por tarefa a publicação de cinco livros comemorativos do centenário da lei que, supostamente, aboliu a escravidão neste país. E o fato de seu secretário ter sido encarregado de achar o negro doutor foi porque, sendo seus dez membros todos brancos, ela foi acusada de racismo. Só que a gente não ficou sabendo se esses dez membros foram escolhidos porque são doutores em história.

Por essas e outras (como a do "planejamento familiar") é que não dá para acreditar no que está aí. Somente com a eleição direta e uma Constituinte, com um número expressivo de representantes das chamadas minorias, é que daria pra gente começar a falar em democratização institucional. E eu digo *de*, e não *re*democratização...

A cidadania e a questão étnica*

Puxando o gancho, jogo um confete em cima do Carlos [Hasenbalg], que é o meu coautor predileto, porque escrevemos um livro juntos — a questão, por exemplo, do Censo de 1980. Foi efetivamente uma conquista do movimento negro. No Rio de Janeiro, nos articulamos, pressionamos o presidente do IBGE para que entrasse de novo o item cor. Nessa luta tivemos os nossos aliados, porque temos que ter mesmo, e nossos aliados estão aqui representados pela figura de Carlos Hasenbalg, que justamente na Anpocs de 1979, em Belo Horizonte, puxou a questão junto à intelectualidade brasileira, no sentido de que um abaixo-assinado fosse enviado ao presidente do IBGE. A partir dessa conjunção de forças conseguimos, mas não de maneira satisfatória, e certamente Carlos Hasenbalg deverá colocar também a questão da inserção, de novo, do item cor em termos do censo brasileiro. Desse censo que não tem senso.

Vou colocar minha falação a partir de um texto muito interessante, um texto de Roberto DaMatta no seu célebre livro *Relativizando*, no qual faz uma digressão sobre o mito das três raças e chama a atenção para um aspecto muito importante, que [Louis] Dumont vai desenvolver nos seus diferentes trabalhos, sobre a questão da ideologia da hierarquia e do tipo de Estado que Portugal nos legou. Somos herdeiros de um tipo de Estado bastante interessante. Essa contraposição entre uma ideologia realista, de um lado, que caracterizaria a estrutura do Estado brasileiro, e uma ideologia individualista,

---

* O trecho aqui reproduzido transcreve a intervenção inicial de Lélia Gonzalez na mesa "A cidadania e a questão étnica", parte do seminário A construção da cidadania, realizado pela UnB em 1986. Além de Lélia, participaram Eunice Paiva, na época advogada da Comissão Pró-Índio de São Paulo; Marcos Terena, líder indígena e então assessor para assuntos indígenas do Ministério da Cultura; e o sociólogo argentino Carlos Hasenbalg. A mesa foi coordenada pelo antropólogo Roque Laraia. Ela inicia sua fala comentando a questão colocada por Laraia a respeito da retirada da pergunta sobre cor/raça do censo do IBGE em 1970. (N. O.)

apoiada nos princípios da liberdade e da igualdade a partir do século XVIII e que vai tomar conta do mundo ocidental. A partir dessa visão o Ocidente vai passar a fazer uma leitura a respeito do resto do mundo, das outras culturas, das sociedades não ocidentais.

Aqui o Brasil é o nosso paradigma, em termos de comparação, de relação e processos. É um esquema bastante interessante, porque a ideologia que vai predominar nos Estados Unidos é justamente aquela da igualdade, da liberdade e do individualismo. Passando por todas essas questões, vamos ver que lá o desenvolvimento das relações raciais se deu de maneira diferente da do Brasil. Tanto que a solução encontrada dentro da ideologia liberal, individualista, apoiada em princípios de liberdade etc., em que termos se pôde solucionar a questão das relações raciais? Em termos de segregação. A coluna bem marcada, separando os brancos do resto, é justamente a segregação racial.

No caso brasileiro é diferente. O esquema é exatamente hierárquico. Tanto no caso do indígena quanto no do negro percebemos que é o branco quem controla sempre as decisões a nosso respeito. No caso do negro especificamente, vamos perceber que desse vértice inferior, onde está o negro, até o vértice superior, onde está o branco, o famoso contínuo de cor vai mexer profundamente com a identidade do próprio negro na sociedade brasileira. É a história do mulato, dessas trezentas designações que temos para o neguinho no Brasil dizer qual é a cor que ele tem: vai desde o preto, preto ao branco, branco passando para o roxo, azul-marinho, roxinho etc. etc. Por exemplo, nasci em Belo Horizonte, Minas Gerais. Lá eu era roxinha. Na minha certidão, sou parda. Por exemplo, no Nordeste, neguinho chega e te chama de morena. Uma vez, me recordo, fiz um comício numa loja no Rio porque quando fui pegar o embrulho ninguém sabia de quem era — é aquela história, paga, depois vai pegar — e havia uma menina nordestina que disse: é daquela moça morena ali. Aí eu falei: olha, não sou morena. Fiz um discurso violentíssimo, "Eu sou negra etc. etc.".

Na verdade, a questão desse contínuo que se estabelece é o tipo de ideologia que domina a sociedade brasileira, a ideologia da hierarquia mesmo, cada coisa no seu lugar, cada um no seu lugar. Daí a famosa e muito sinteticamente sábia tirada que o Millôr Fernandes fez, a respeito da questão racial no Brasil: "No Brasil não existe racismo porque o negro conhece o seu lugar". Estamos vendo qual é o lugar dele. Dá para perceber como a coisa é complicada, a coisa é realmente muito complicada, porque a questão da cidadania negra se articula — a meu ver — também com a questão da identidade. São questões profundamente interligadas.

Hoje mesmo na parte da manhã estávamos debatendo a questão da mulher, e a retomo, na expressão de Simone de Beauvoir, com relação à mulher, mas aplicando ao negro: não nascemos negros, nos tornamos negros. É uma conquista o tornar-se negro. Joel Rufino já disse que no Brasil não há preto, preto tem que mudar, já negro é outro papo. Vamos perceber, inclusive, que é uma questão de conquista da própria identidade, de retorno, sobretudo no caso dessa minoria da população negra (1%) que consegue chegar à universidade e sofre um processo de perda da identidade. Ou seja, o branqueamento vai se dando de forma tal que, de repente, quando se vê, se virou branco. Passei por isso, eu me recordo — e depois vou ler um texto sobre um aspecto específico que quero chamar a atenção —, me recordo perfeitamente, eu não gostava de samba. À medida que fui subindo na escala educacional, fui embranquecendo mesmo, não gostava de samba, usava peruca, era metida a lady, coisas tais, até que se leva a porrada na cara — a verdade é esta, não tenho outra expressão — e se acorda diante do mito que a própria pessoa interioriza e pensa que corresponde à realidade do seu povo.

Uma vez, num encontro de cultura, o Terena me contou que na escola — negócio de sapatinho furado, essas coisas — ele dizia que era japonês, porque se ele se dissesse japonês ninguém enchia o saco dele; se dissesse que era índio, pronto... No nosso caso não dá pra disfarçar, não adianta botar peruca, não adianta nada, porque está aí.

É importante ressaltar que, nesse sentido, a ideologia do branqueamento tem uma força muito grande no que diz respeito à comunidade negra brasileira. Ainda é interessante perceber que nessa ideologia do branqueamento, e no nosso texto o Carlos chama a atenção, temos duas vertentes ideológicas no Brasil com relação às questões raciais: a oficial — "são todos iguais perante a lei", esse papo todo furado que conhecemos, ou seja, da democracia racial; e a outra, que é no nível do privado, aquele papo, neguinho te bate nas costas e tal, não sei o quê, é pretinho, bate nas costas, mas por trás lá vem pau em cima. Daí os famosos ditados populares: "Branco correndo é atleta, preto correndo é ladrão"; "Preto quando não caga na entrada caga na saída"; "Todo crioulo é marginal, até prova em contrário" e uma série de coisas que aí estão.

Evidentemente, é por esse tipo de estrutura ideológica e de relações concretas que temos na sociedade brasileira que percebemos uma baixa capacidade de mobilização, de organização da população negra, sobretudo após a malfadada abolição da escravatura em 1888, porque saímos do centro da produção econômica e fomos chutados para a periferia. Aí começa o outro, o novo calvário do negro brasileiro. Embora não signifique que não tenha havido resistência desde a fundação do primeiro quilombo, em 1549 — a Beatriz Nascimento saca bem a questão do quilombo. De qualquer forma, no Brasil da República vamos perceber que a cidadania que nos foi dada é uma cidadania formal, de papel; creio que o Carlos vai aprofundar essa questão. Em termos de uma cidadania social, de uma cidadania civil e de uma cidadania política, temos um longo caminho a percorrer. Nós, os chamados cidadãos negros.

Eu me recordo bastante do debate quente que houve ontem aqui, de manhã, a respeito do trabalhador. Vejam, a questão racial neste país é tão séria, tão séria, que, de repente, percebemos — e avisei antes — percebemos uma liderança como o José Dirceu, secretário-geral do Partido dos Trabalhadores de São Paulo — o Partido dos Trabalhadores de São Paulo já é outro papo —, ao dar um exemplo da reação personificada pelo sr. Roberto Campos, falou assim: "Então, essas gargantas negras surgem e começam...". Já fiquei pulando na cadeira... Mas depois eu falo... A discussão correu para outro campo, tudo bem... Então, o que vamos perceber?

Evidentemente, tivemos movimentos negros após a abolição da escravatura e, evidentemente — quem não ouviu falar, ouça pela primeira vez —, a força enorme que teve a Frente Negra.

Tratou-se ontem, aqui, da questão do trabalhador, do sindicato ligado ao Estado etc. Gostaria de dizer, por exemplo, e não é por acaso, que quando, de repente, vemos um Leonel Brizola ter uma base popular tão grande no Rio de Janeiro, e essa base popular é fundamentalmente negra, não podemos esquecer certos aspectos da nossa história. Naquela questão que estava sendo discutida a respeito do trabalhador, dos sindicatos, das leis trabalhistas que foram criadas pelo governo Vargas, não há dúvida de que o trabalhador negro foi o maior beneficiado dessa legislação, porque éramos vistos sempre como escravos. Devido à discriminação no mercado de trabalho, articulada com a questão da imigração europeia e coisas tais, esse trabalhador evidentemente não recebia salário nenhum, vivia de dar nó em pingo d'água. Quando dizemos nos nossos sambas que neguinho dá nó em pingo d'água, quer dizer isso mesmo. O neguinho está fazendo uma metáfora de um cotidiano terrível, de um cotidiano muito duro que a população negra vive neste país, que o povo vive neste país, chamando a atenção para o que a Florisa [Verucci] disse hoje.

É da maior importância quando vemos um lance desses, um Leonel Brizola tendo um apoio popular tão grande no Rio de Janeiro, e esse apoio popular é fundamentalmente negro. Justamente por quê? Na campanha de 1982 para o governo do estado do Rio de Janeiro, Brizola foi o único candidato que falava da questão racial com tranquilidade, olhando-a nos olhos, e falando dela não como uma coisa dramática, não sei se eu falo, se eu não falo etc. e tal, mas falando com muita tranquilidade, e o crioléu foi em cima, votou firme nele. Agora de novo o Saturnino na cabeça outra vez e a negrada lá votando. Por quê? Porque, em termos de partidos políticos, vamos perceber que o PDT efetivamente é o único partido brasileiro que levanta a questão negra. Os demais não. Para os demais ainda somos, os negros, um capítulo do programa político. Aí eu digo com muita tranquilidade: lá no PT eu era suplente da bancada federal. Inclusive escrevi, certa vez, um artigo.*
Quando o PT fez o primeiro programa nacional a respeito dos dez problemas mais sérios da realidade brasileira, falou de tudo; por último foi a mulher, a mulher entrou em último lugar. Sobre a questão racial, silêncio total. Aí se fica indignado, porque na verdade essa questão que é séria, em termos de realidade brasileira, não é tratada dentro da sua devida complexidade, não é tratada no nível da sua importância em termos deste país, em termos desta sociedade, desta sociedade que é complexa, que é plurirracial etc., no momento em que temos a população negra como a população majoritária — somos muito mais do que os 45% que o censo está dizendo aí e, inclusive, os partidos políticos reproduzem. E nós que somos de esquerda ficamos magoados, porque estávamos na esquerda. Não dá pra ficar na direita, evidentemente. Crioulo que se preza não pode ser de direita. De repente, percebe-se que as esquerdas... Só muda a situação a partir do retorno dos exilados. Digo isso porque, nos anos 1970, estávamos aí, como as mulheres também, na luta de articulação de um movimento negro e levamos pau da esquerda tradicional ortodoxa, que dizia que estávamos dividindo as lutas

---

* "Racismo por omissão", pp. 220-1.

populares, que a questão racial se confundia com a questão de classe. Bolas, assim não dá... Esse reducionismo, essa simplificação da questão racial em termos de uma sociedade como a nossa, é justamente fazer o jogo da direita. Quem criou o mito da democracia racial foi a direita, a direita é competente nessas questões. De repente embarcamos e ficamos numa ortodoxia que não nos leva a efetivamente conhecer a nossa realidade. Fazemos transposições mecânicas e dançamos, porque na hora H vamos ver questões — olha aí o Jânio lá em São Paulo — vamos ver questões como estas, certos temas não são contemplados devidamente com relação à proposta de democratização do país — que a meu ver não é redemocratizado, então é de democratização, porque para nós negros, para nós índios, para nós mulheres jamais houve democracia neste país. Então, não venham me falar de redemocratização, porque para nós nunca houve democracia. Agora estamos num processo de transição, e nesse processo de transição existe uma exclusão, sim. Não da mulher. A meu ver, a grande novidade da Nova República é o Conselho da Mulher, os conselhos estão sendo criados. A exclusão continuou com relação à questão do negro, com relação à questão do índio. De repente viramos assessor para assuntos indígenas, assessor para assuntos afro-brasileiros e as nossas comunidades e os nossos irmãos estão aí na pior situação possível. Carlos deve colocar a questão da situação do negro na força de trabalho e com relação à questão da cidadania. Não obstante, me parece da maior importância refletirmos sobre o problema.

 Como foi dito hoje, a questão do negro, a questão do índio ou a questão da mulher não são questões só nossas especificamente, e sim da sociedade brasileira, de todos nós. Temos que nos defrontar com essas questões porque, na hora da apropriação da cultura negra, da produção cultural, todos se apropriam "numa boa" e estão ganhando grana em cima das religiões afro-brasileiras. Está para quem quiser ver. Vão lá no Rio de Janeiro, no dia 31 de dezembro, que vão ver assim de turista na praia pra ver neguinho receber santo. Vejamos nossas instituições, tipo gafieira, estão lá os brancos, e nas nossas escolas de samba etc. Essas criações, essa produção cultural negra é apropriada pelo branco, no sentido de branco, macho mesmo, evidentemente, que tem a ver com o capitalismo. Esse aí é o terreno em que estamos colocando a questão. De repente, o que vamos perceber? Uma profunda indiferença por parte dessa Nova República, que, na minha perspectiva, não tem nada de novo. Ainda não tem novidade. Para mim, enquanto membro da comunidade negra, não tem novidade nenhuma. O que aconteceu? Onde está um ministro negro aí? Onde está, por exemplo, um Conselho Nacional dos Direitos do Negro? Nada disso foi criado. E, como colocou muito bem a companheira [Eunice Paiva], assim como é em relação à questão indígena é com relação à questão do negro. É a mesma coisa. A tentativa é no sentido de colocar determinadas lideranças amplas para fazer o papel que eles querem, e não estamos aqui para isso, diga-se de passagem.

Pegando esses dois modelos, mostro um canal que é muito importante que ressaltemos aqui, porque está vindo a Constituinte, a Igreja está na jogada, essas coisas todas. Refiro-me às Igrejas protestantes, um texto que eu li há pouco nas comunicações de outubro de 1985: "O negro evangélico". Esse negócio aqui é sério. De repente se percebe aquela velha história de busca, de saídas. Entendemos por que as pessoas se convertem etc. É uma busca de perspectiva. Entretanto, o que predomina nas diferentes denominações protestantes é justamente a negação da questão racial e um medo muito grande de colocar abertamente essa questão. Essas denominações foram criadas por quem? Por pastores americanos vindos do Sul dos Estados Unidos para cá. Só que não deu para fazer como aconteceu lá. Então aqui a negradinha fica por baixo, o que se reproduz é o esquemão da sociedade brasileira. Percebe-se que há uma rejeição do movimento negro porque todo mundo se coloca como cristão, como crente, somos todos irmãos, e o problema é com Cristo, Cristo é que resolve nossos problemas, Deus é quem resolve os nossos problemas, Deus é que vai fazer e acontecer etc., embora no social percebamos que existe esse tipo de discriminação também.

Eu me recordo da fala de uma companheira minha, e muito conhecida de vocês, que é da Assembleia de Deus, que, quando ficou viúva, me disse: olha, se eu não me casasse com o meu marido — "infelizmente" o marido dela era um crioulo das lutas populares, de favelado, comunista etc. —, se eu não me tivesse casado com o fulano, como é que eu ia encontrar um marido na Igreja?! Percebemos que nas Igrejas protestantes todo mundo é irmão, mas, na hora de casar, vamos reproduzir os esquemas que estão aí. O casamento — como a Florisa já fez a crítica hoje muito bem, inclusive como modo de perpetuação da propriedade, é importante ressaltar — casamento interétnico é um negócio muito sério em termos de sociedade brasileira, é importante vermos.

De todas essas denominações episcopais — presbiterianas, batistas —, os metodistas se apresentam como aqueles que têm uma iniciativa no sentido de querer trazer a questão da discriminação racial para o interior da Igreja. A tendência dessas denominações é: somos o rebanho de Cristo, o mundo lá fora é que é pecaminoso. Inclusive tem programas de rádio para caírem de porrada em cima de candomblé, de umbanda, para dizerem que é coisa do demônio e coisas tais.

Claro que a mulher é muito discriminada nessas Igrejas, no entanto menos que na católica, diga-se de passagem. De qualquer forma, a mulher negra muito mais: inclusive há a afirmação de determinados metodistas de que os negros seriam descendentes de Caim.

Temos aqui o depoimento de uma pastora negra metodista, que conheci. Ela vai fazendo uma série de colocações: o processo do branqueamento, usava peruca também, essas histórias todas que se repetem pela própria vítima da discriminação, a história de limpar sangue e coisas tais. Ela se transforma em pastora da Igreja metodista. Então ela foi mandada para uma igreja no Paraná, onde só tem branco. Já sacanearam a crioula. Mandaram ela para lá. Ela é muito ativa, uma pessoa ótima, muito inteligente etc. e conseguiu desenvolver algum trabalho, depois começou a ler alguma coisa sobre sociologia etc., tirou a peruca fora. Aí começaram as grandes dificuldades dentro da Igreja, a ponto tal que teve que largar a paróquia, ou não sei como eles dizem, e voltou. Com relação ao texto, ela termina assim: "Porém, nem o reconhecimento do seu lugar de pastora, que podia ser traduzido em termos de poder, garantiu sua permanência ali no Paraná. Voltou à universidade, para fazer pós-graduação". E completo: e enlouqueceu, porque essa menina realmente enlouqueceu. A barra foi tão pesada para a cabeça dela, porque começou a querer se articular com o movimento negro etc., que a cabeça dela dançou. Um belo dia, seus amigos a encontraram andando pelas ruas toda suja, sem dormir, falando, falando... Quer dizer, pirou geral, porque não aguentou esse tipo de pressão.

É importante chamar atenção para isso, porque o texto, de modo geral, é a reprodução do preconceito de não haver preconceito, como disse o Florestan Fernandes, e de tomar sempre os Estados Unidos como modelo: nos Estados Unidos é que tem racismo; aqui não tem, os negros mesmos dizem isso, e, sabemos, existe aí de montão.

Portanto, essa cidadania a que estamos nos referindo aqui no decorrer destes debates, a cidadania do negro é uma cidadania estraçalhada, é uma cidadania dilacerada, uma vez que a questão da identidade está aí colocada também no sentido de vergonha de ser negro, no sentido de ir buscar outras, por exemplo, no caso as Igrejas, para poder encontrar um lugar no paraíso. Certa feita meus alunos fizeram uma pesquisa sobre ditos contra o negro, a expressão do racismo deles tem muito a ver com isso: "Crioulo vira protestante para chamar branco de irmão". Essa aí é trágica, mas de repente passa por aí mesmo, porque é aquela atenção, é aquela preocupação no sentido de ser igual ao branco, no entanto há diferença, pois essa diferença está sendo repassada o tempo inteiro. É uma espécie de consenso, no que diz respeito à rejeição do movimento negro, muito interessante. E eu, enquanto fundadora do Movimento Negro Unificado, me recordo que a Igreja católica também nunca nos viu com bons olhos, inclusive porque éramos o criouléu de esquerda, o criouléu que estava tentando articular questões de raça e classe, como o caso do Movimento Negro Unificado. Não tínhamos muita guarida na Igreja católica. Fomos tê-la na Igreja metodista, por exemplo, para a realização do nosso I Congresso Nacional em 1979, em Duque de Caxias, no Rio de Janeiro. E justamente na Igreja metodista onde surgiu esse caso, o caso de uma pessoa pirar a esse ponto, como essa pastora negra, porque das Igrejas analisadas aqui a que efetivamente levanta a questão racial, levanta a questão do movimento negro, é a metodista. Temos declaração de bispo, como é o caso do bispo Aires, do Rio, que é negro, que se assume como negro, e faz colocações nesse sentido.

Recordo-me de que, no ano passado, no Encontro de Mulheres Negras nos Estados Unidos, com companheiras de El Salvador, da América Central etc., foram feitas grandes colocações, por exemplo sobre o papel do imperialismo mesmo, no sentido de explorar certas formas de práticas e de crenças religiosas na América Latina em geral, no sentido da não mobilização da população.

Vemos essas coisas sendo colocadas aí. Em termos de movimento negro, há uma dificuldade muito grande porque, de todas as denominações aqui analisadas, apenas a metodista assume a necessidade do movimento negro, inclusive no seu próprio interior. As demais todas rejeitam, dizem que o movimento negro é para separar... Vejam como é engraçado. De repente os dois discursos coincidem: o discurso da esquerda ortodoxa, antes de 1979, que dizia que estávamos querendo dividir; e o discurso do pessoal dessas denominações, dizendo que também queremos dividir, que o movimento negro é para separar, pois não existe movimento branco. Como é que pode existir movimento negro?! Quer dizer, há uma necessidade de identificação com o branco de tal ordem, e essa identificação se faz, evidentemente, via Jesus Cristo, via Evangelho, via Bíblia — faço essa colocação com muita tranquilidade porque também já passei por esse processo, porque houve época em que eu era espiritualista, porque, sendo só espírito, eu não via esse corpo preto, essa cara preta, esse cabelo que chamam de ruim, esses lábios que chamam de beiços, esse nariz que chamam de achatado, enfim, eu saía do mundo, ia lá para cima, virava um espírito. Maior barato ser espírito, aí não tem problema.

Estou colocando essa questão em função de uma de ordem política muito séria que está a caminho — a questão da Constituinte, a questão que já vimos hoje de manhã, quando tratamos da questão do planejamento familiar, da questão do aborto, da questão da educação, porque também sabemos que efetivamente a Igreja católica, ao criar as suas Comunidades Eclesiais de Base, estava articulando um movimento de reação não só à expansão das Igrejas protestantes, sobretudo das pentecostais, como também às religiões afro-brasileiras.

Temos que pensar nessas questões todas. Temos necessidade de refletir sobre a questão da cidadania do negro brasileiro porque essa cidadania só se dá para aqueles neguinhos que são pinçados para o modelo da democracia racial, se dá à custa da negação de si mesmo, da negação da própria identidade. Neguinho vira branco mesmo e detesta crioulo. Paro por aqui, depois continuamos.

Odara Dudu: Beleza negra

UM DOS MODOS MAIS EFICAZES de domesticação utilizados pelas classes dominantes brancas tem sido o de estabelecer uma relação direta do termo negro com tudo aquilo que é mau, indesejável, feio, sujo, sinistro, maldito etc. Quem de nós já não está cansado de ouvir a expressão "os anos negros da ditadura"? Ou então, como diz o poeta famoso, numa música não menos famosa, que "a coisa aqui tá preta"? Os exemplos nesse sentido são tantos que não vale a pena reproduzi-los; nós, negras e negros, os conhecemos de sobra.

Mas o aspecto que nos interessa aqui é o do modelo estético ocidental (branco) que nos foi imposto como superior ideal a ser atingido. Por isso mesmo nós, negras e negros, éramos sempre vistos como o oposto daquele modelo através do reforço pejorativo das nossas características físicas: cabelo ruim, nariz chato ou fornalha, beiços ao invés de lábios, tudo isso resumido na expressão "feições grossas ou grosseiras". E quantos de nós se deixaram enganar por tudo isso, acreditando realmente que ser negro é ser feio, inferior, mais próximo do macaco do que do homem (branco, naturalmente). E a ideologia do branqueamento estético destilou o seu veneno mortal não apenas no interior da comunidade negra, mas no falseamento da nossa própria história. De repente, a rainha Cleópatra (que era negra) aparece nos filmes de Hollywood sob a imagem de Elizabeth Taylor; e, bem nos dias de hoje, a televisão brasileira imprime em nossas mentes a imagem de uma Dona Beja (cujo pai foi um escravo forro e, portanto, negro) quase loira e de olhos claros...

Mas a volta por cima foi dada pelos negros americanos, ao afirmarem, nos anos 1960, que *"Black is beautiful"* ("Negro é belo"). No Brasil, o bloco afro Ilê Aiyê, de Salvador, iniciou o processo de subversão cultural que resgata, dentre outros, os valores estéticos da afro-brasilidade. E a Noite da Beleza Negra foi assumida por outros blocos afro e afoxés da Bahia, assim como de outros estados. No Rio de Janeiro, coube ao Agbara Dudu a restituição do orgulho cultural e da criatividade estética à comunidade negra. Pessoalmente, tive a honra de pertencer ao corpo de jurados da Noite da Beleza Negra tanto do Ilê Aiyê quanto do Agbara Dudu, essas duas entidades pioneiras. Pioneiras no sentido de demonstrarem que cultura é política com P maiúsculo, na medida em que, da maneira mais didática e prazerosa, fazem com que a nossa etnia tome consciência do seu papel de sujeito de sua própria história e de sua importância na construção não só deste país como na de muitos outros das Américas.

Como a Noite da Beleza Negra se refere especialmente à valorização da mulher negra, eu não poderia deixar de lembrar aqui o trabalho de algumas companheiras que, individual e sacrificadamente, nos anos 1970 (isto é, da ditadura), iam de casa em casa fazer não só o cabelo como a cabeça de muitas mulheres negras (a grande maioria delas mais preocupadas com a moda afro do que com a opressão e exploração da sua comunidade). Seu trabalho de militância anônima não pode ser minimizado num momento como este, porque, à sua maneira, anteciparam o trabalho de muitas entidades do movimento negro. A elas também — Dai, Simone, Eliane, Vera de Ogum e muitas outras — cabem o nosso respeito e a nossa homenagem pelo muito que fizeram, e ainda fazem, para colocar a cultura negra no mesmo nível que as outras.

Discurso na Constituinte*

ANTES DE MAIS NADA, apresentamos nossos cumprimentos à Mesa, ao sr. presidente, ao sr. relator, à companheira Benedita da Silva, aos srs. constituintes aqui presentes, aos companheiros e companheiras do movimento negro.**

Colocar a questão do negro numa sociedade como a nossa é falar de um período histórico de construção de uma sociedade, construção essa que resultou em um grande país como o nosso e que em última instância resultou também, para os construtores deste país, num processo de marginalização e discriminação.

Invocamos aqui as palavras de Joaquim Nabuco, ao afirmar que o africano e o afro-brasileiro trabalham para os outros, ou seja, construíram uma sociedade para a classe e a raça dominante.

E falar de sociedade brasileira, falar de um processo histórico e de um processo social, é falar justamente da contribuição que o negro traz para esta sociedade; por outro lado, é falar de um silêncio e de uma marginaliza-

---

* Estes pronunciamentos referem-se à participação de Lélia Gonzalez em reunião da Subcomissão dos Negros, Populações Indígenas, Pessoas Deficientes [na linguagem atual, pessoas com deficiência] e Minorias, realizada em 28 de abril de 1987, no Anexo II do Senado Federal. Sublinhe-se que a referida subcomissão tinha como propósito influir nos termos dos assuntos que seriam pactuados na Constituição de 1988. Faziam parte da subcomissão os constituintes Doreto Capanari, Bosco França, Alceni Guerra, Benedita da Silva, Edival Motta, Hélio Costa, José Carlos Sabóia, Nelson Seixas, Renan Calheiros, Salatiel Carvalho, Almir Gabriel, Olivio Dutra, Carlos Alberto Caó, Edmilson Valentim, Anna Maria Rattes, Domingos Leonelli, Haroldo Sabóia, Osmir Lima e Ruy Nedel. Para essa ocasião, Lélia Gonzalez e Helena Theodoro foram convidadas a tratar da questão racial junto à subcomissão. Também participaram dos debates os seguintes representantes do movimento negro: Maria das Graças dos Santos, Murilo Ferreira, Ligia Garcia Mello, Orlando Costa Januário Garcia e Mauro Paré. (N. O.)

** Este primeiro pronunciamento de Lélia foi precedido pela seguinte fala da deputada Benedita da Silva: "Temos entre nós, hoje, como expositora da temática 'O negro e a sua situação', uma das mais brilhantes antropólogas que os negros puderam conhecer na história da sociedade brasileira, que é Lélia Gonzalez". (N. O.)

ção de mecanismos que são desenvolvidos no interior desta sociedade para que ela se veja a si própria como uma sociedade branca, continental e masculina, diga-se de passagem. Ao levarmos em consideração que a ideologia é veiculada nos meios de comunicação — na escola, nas teorias e práticas pedagógicas —, vamos constatar o quê? Sabemos sempre que a escolha de um sistema de representação, de classificação, valoração e de significação nos remete sempre a uma cultura dominante. No caso da sociedade brasileira, apesar da contribuição extraordinária que o negro trouxe, vamos perceber que a cultura, a classe e a raça dominante impõem ao todo desta sociedade uma visão alienada de si.

Tenho esse tipo de experiência pelo fato de haver muitos alunos estrangeiros que vêm estudar conosco na universidade onde trabalhamos, a PUC do Rio de Janeiro; temos muitos alunos estrangeiros que vêm estudar no Brasil, e o primeiro espanto que têm diz respeito, por exemplo, aos meios de comunicação, sobretudo televisão, revista etc., onde a imagem do Brasil é a imagem de um país escandinavo. Eles levam um susto muito grande entre o que eles veem na publicidade, na propaganda, na comunicação de massa em geral, o que eles veem e ouvem, e o que efetivamente acontece. A sociedade brasileira criou essa visão alienada de si mesma, visão essa imposta pelas classes e elites dominantes, que querem fazer do nosso país, como fizeram a partir da chamada grande migração, um grande país. E nesse processo vamos constatar que se instauraram políticas concretas de branqueamento da sociedade brasileira. Sabemos perfeitamente, estamos a um ano do centenário da abolição da escravidão, que um dos processos típicos desenvolvidos pelos poderes públicos no Brasil foi no sentido de estimular a vinda de imigrantes brancos a fim de embranquecer concretamente o país. Sabemos que o Brasil foi o único país das Américas que se negou a receber imigrantes não brancos. Mesmo nos Estados Unidos, considerados um país extremamente racista, receberam os indianos, chineses, enfim, todos os grupos não brancos; como vamos encontrar no Peru, também no Caribe etc. O Brasil foi o único país que rejeitou o imigrante não branco, porque o propósito fundamental era transformar este país num país capaz de chegar à civilização. O que significa isso? Significa que a ideologia dominante na sociedade brasileira, no final do século XIX até os anos 1930, embora essa ideologia se perpetue até os dias de hoje, era justamente embranquecer a sociedade brasileira, dar uma injeção muito grande no sentido da transformação física da população brasileira. E daí termos o período conhecido como o período da grande imigração. Por ironia da história, a grande imigração se baliza por duas datas: a primeira delas se coloca dois anos após a famosa abolição da escravatura no Brasil. De 1890 a 1930 vamos ter no país políticas de estímulo à presença do imigrante europeu na nossa sociedade, uma vez que a ideologia que se estabeleceu na nossa sociedade era justamente aquela de branqueamento. E qual a fundamentação dessa teoria? Claro que a fundamentação estava no velho evolucionismo, hoje devidamente superado, aquela perspectiva de que ser branco, europeu e homem significava estar no degrau máximo da sociedade ou da humanidade. Conhecemos bem os textos dos grandes ideólogos, antropólogos, sociólogos e cientistas sociais do século passado. Sabemos perfeitamente da presença muito forte da ideologia positivista na formação da sociedade brasileira, sobretudo na formação da nossa República. Sabemos que essa ideologia é uma ideologia evolucionista, que parte do mais baixo para o mais alto, do inferior para o superior, e sabemos perfeitamente que essa ficou, inclusive: o colonialismo europeu na África e no resto do mundo. Mas fundamentalmente nos interessa aqui, no caso, a África, a partida do continente africano, tendo como base ideológica justamente a famosa teoria evolucionista. Com isso, o homem branco se colocava no centro da evolução da humanidade e se afirmava superior. Conhecemos perfeitamente, esta bem mais no nível do senso comum, a célebre Lei dos Três Estados, de Augusto Comte: o Estado Teológico, o Metafísico e o Positivo ou Científico. Claro que no Estado Teológico, sempre tripartidamente, vamos encontrar as diferentes culturas, que eram olhadas pelo europeu como selvagens. Quer dizer, o homem que não fosse europeu, que não fosse branco, era jogado no domínio da natureza, fundamentalmente os negros. Sabemos o que significou o encontro das populações africanas com o europeu, sobretudo nós que nos preocupamos com a situação da mulher negra. Nós sabemos que as civilizações africanas desenvolveram, no que diz respeito ao papel da mulher, uma ação social que não vamos encontrar no mundo ocidental e não vamos encontrar nas famosas civilizações greco-romanas, judaicas ou cristãs etc. Vamos perceber que essas civilizações são absolutamente desconhecidas entre elas, são omitidas no interior de uma sociedade como a nossa, que é constituída por cerca de 60% de descendentes de africanos. Desconhecemos totalmente a história das

Discurso na Constituinte 247

culturas e das civilizações africanas, e nos afirmamos num país europeu. O nosso conhecimento do passado europeu é extraordinário, mas o nosso desconhecimento em ideologia é isto, é um reconhecimento-desconhecimento, mas o nosso desconhecimento com relação à história da América pré-colombiana, com relação à história africana, é extraordinário. E aponta tranquilamente para um tipo de escolha, uma escolha que se dá justamente para afirmar uma suposta superioridade do homem branco ocidental.

A sociedade que se construiu no Brasil é a sociedade que se estratificou racialmente. Vemos que no Brasil as relações de poder se dão de uma forma absolutamente hierárquica. É uma sociedade hierárquica que temos, uma sociedade onde cada um reconhece o seu lugar; é a sociedade do "você sabe com quem está falando?", ou uma sociedade cuja língua aponta para essa hierarquia porque nossos representantes têm de se chamar mutuamente de Excelência. Com aqueles que se encontram numa hierarquia superior, temos que mudar o tratamento, porque essa história de tu e você é só com os nossos iguais. Vejam que a própria língua aponta para essas diferenças, para essas desigualdades que se estabelecem numa sociedade hierárquica como a nossa. Hierárquica do ponto de vista das relações de classe; hierárquica do ponto de vista das relações sexuais, porque sabemos o papel da mulher dentro desta sociedade, fundamentalmente da mulher negra; e hierárquica do ponto de vista social. Porque se no vértice superior desta sociedade, que detém o poder econômico, político e social, de comunicação, educação e cultural, neste vértice superior se encontra o homem branco ocidental, no seu vértice inferior vamos encontrar, de um lado, o índio, e do outro lado o negro.

Uma vez que a ideologia emana daqueles que detêm os meios de comunicação em suas mãos, que detêm a estrutura educacional, que detêm as políticas educacionais e culturais, o que se passa para o brasileiro médio é a visão de um país branco ocidental e absolutamente civilizado. É interessante percebermos que no nosso país, cultura, por exemplo, segundo essa perspectiva da classe e da raça dominante e do sexo, é importante dizer, a cultura é tudo aquilo que diz respeito à produção cultural ocidental. Já a produção cultural indígena, ou africana, ou afro-brasileira é vista segundo a perspectiva do folclore, seja como produção menor ou produção artesanal, mais ou menos nessa produção entre arte e artesanato. Vamos constatar, então, que um grande risco sofre a nossa sociedade. Vejam que estou falando de sociedade o tempo inteiro, não falei em nenhum momento em nação brasileira, uma vez que o projeto de nação brasileira ainda é o projeto de uma minoria dominante, o projeto do qual a população, o povo, isto é, o conjunto dos cidadãos, não participa, e nesse conjunto de cidadãos temos 60% que são negros. E, para criarmos uma nação, temos que criar o impulso comum de projeto com relação ao futuro. E, para podermos ter impulso com relação ao futuro, temos de conhecer o nosso. E a história do nosso país é uma história falada pela raça e classe dominante, é uma história oficial, apesar dos grandes esforços que vêm sendo realizados no presente momento. É então que vamos perceber que nesse período, que vem de 1888 para cá, as grandes promessas da campanha abolicionista não se realizaram; aquelas promessas de que o negro pode ser doutor, que pode ser isto e aquilo, que pode pretender uma ascensão social, nada disso aconteceu. Porque, efetivamente, vamos verificar os mecanismos jurídicos criados pela República positivista brasileira, no sentido de manutenção do negro na condição de trabalhador não qualificado e alijado do centro da produção econômica. Não é por acaso que essa população acabou por ser atirada na periferia do sistema de produção que se instalou no país, um modo de produção capitalista, e a população negra, o conjunto dos trabalhadores negros, vai constituir uma espécie de exército de reserva ou até mesmo a população marginal crescente, que só tem acesso em termos de trabalho à periferia do sistema, ou seja: aos setores satelitizados da economia brasileira. Estou querendo dizer com isso é que não vamos encontrar o negro com aquele tipo de posição e de acesso aos chamados centros de produção do capitalismo monopolista, vamos encontrá-lo ainda dentro da área periférica do capitalismo competitivo, nas pequenas indústrias e no campo, lutando por uma terra à qual ele tem o mínimo de direito, uma vez que foi ele o construtor da riqueza fundiária neste país, e sabemos que essa riqueza é absolutamente intocável e intocada e fonte de poder. Vamos constatar que esse negro vive nas regiões rurais, no campo ele vive nas regiões mais pobres, e a concentração da população negra brasileira se dá justamente nas regiões ditas menos desenvolvidas, fundamentalmente no Nordeste do país, enquanto que a concentração da população branca se dá nas regiões ditas desenvolvidas. Quer dizer, temos uma divisão racial do espaço não só no nível do país, mas também no nível das entidades, no nível do campo e no nível, evidentemente, da própria estrutura social, como já dissemos anteriormente. O Brasil está estruturado também numa perspectiva racial.

E não é por acaso, portanto, que vamos constatar que a maior parte da clientela dos presídios brasileiros é constituída por negros. E não é por acaso que a maior parte da clientela dos hospícios brasileiros é constituída por negros e por mulheres; não é por acaso que a mulher negra se encontra na prostituição, uma vez que a ideologia que aí está, a ideologia que nos vê a nós mulheres negras como prostitutas. Somos sempre encaradas dentro dessa perspectiva, que historicamente teríamos de resgatar na medida em que sabemos que a famosa ideologia da mestiçagem da democracia racial, que efetivamente é uma grande mentira, se faz em cima da violentação e do estupro da mulher negra. Sabemos que quando afirmam que o negro é incapaz de produzir intelectualmente, sabemos que existe uma discriminação racial, do ponto de vista pedagógico, do ponto de vista das teorias e das práticas pedagógicas, assim como existe uma discriminação no mercado de trabalho.

O Censo de 1980 está aí demonstrando que na nossa sociedade a hierarquia permanece. No que diz respeito ao acesso aos melhores salários nas diferentes profissões, vamos encontrar a relação hierárquica, e no primeiro plano está o homem branco, abaixo a mulher branca, em seguida o homem negro, e finalmente a mulher negra. É importante ressaltar que o racismo que existe na nossa sociedade tem que ser encarado olho no olho. Chega de ficarmos disfarçando que somos democratas raciais, que batemos no ombro do pretinho mas não admitimos que se case com nossas filhas, porque é demais! Chega dessa postura paternalista que marca todas as relações da sociedade brasileira, as relações dos donos do poder com relação aos explorados, oprimidos e dominados; relações de compadrio, relações pessoais.

Sabemos perfeitamente o espanto que caracteriza esses senhores do poder, seja ele político, econômico, quando, por exemplo, o trabalhador brasileiro se organiza e faz uma greve. É um espanto: "Afinal somos tão bons, por que estão fazendo greve?". Estamos cansados de ouvir isso. Por quê? Porque o tipo de ideologia que marca as nossas relações é a do paternalismo. Então nós, negros, temos que nos manter em nosso lugar, como já disse Millôr Fernandes: "Não existe racismo no Brasil porque o negro conhece o seu lugar". É assim que se tenta manter a população negra neste país. Não se atentou, por exemplo, que o português que falamos aqui, nós todos, negros e brancos, é um português profundamente africanizado, português esse que foi transformado nos seus falares graças à presença da mulher negra nesta sociedade, que com sacrifício de seus filhos, que muitas vezes jogada na prostituição e muitas vezes explorada pelo seu senhor e pelo seu patrão nos dias de hoje, trouxe a sua contribuição. Anonimamente transformou o português camoniano, cuja pronúncia não sabemos exatamente. Nesse português que falamos aqui e agora, nessa linguagem muito mais rítmica, muito mais rica de som, essa mulher anônima fez isso. No entanto, tudo isso está apenas no discurso, quando está, daqueles que são responsáveis pela sociedade brasileira.

Por isso, num momento como este, nós, membros da comunidade negra, vimos colocar, se possível para toda a sociedade, esta situação de uma sociedade, de um país onde as diferenças são vistas como desigualdades. Onde o fato de ser negro, portanto diferente do branco, significa ser inferior ao branco. Onde o fato de se ser índio, portanto diferente do branco, significa ser inferior ao branco. Onde o fato de se ser mulher, portanto diferente do homem, significa ser inferior ao homem. Uma sociedade profundamente injusta, porque hierárquica. Uma sociedade onde, efetivamente, as relações de classe custam a se estabelecer, embora nos polos mais avançados da produção econômica essas relações tenham se desenvolvido e, evidentemente, se espalhado por aí. Mas sabemos perfeitamente que grande parte das classes trabalhadoras brasileiras ainda está num processo de tentativa de articulação em termos de luta de classes, em termos de luta pelos seus direitos.

No que diz respeito à população negra não podemos, efetivamente, deixar de denunciar num fórum como esse, deixar de chamar a atenção num fórum como esse, para o tipo de grande injustiça que se estabelece numa sociedade que, ironicamente, se autodenomina democrata racial. Que pelo fato de a construção ideológica, de as relações raciais no Brasil terem sido diferentes do modo de construção ideológica das relações raciais nos Estados Unidos, ou seja, aqui o preconceito é de marca, lá o preconceito é de origem, aqui é uma sociedade hierárquica, lá não é, está baseada nos velhos princípios da Revolução Francesa e da americana. Tendemos a achar que os Estados Unidos são um país racista e o Brasil não. O Brasil é uma democracia racial. Sabemos as origens desse mito da democracia racial. Ele tem a ver com a desmobilização do negro que se organiza nos anos 1910, 1920, 1930, explodindo na Frente Negra Brasileira. Vemos o sr. Getúlio Vargas apropriando-se dessa muito bem elaborada ideologia, o mui digno representante das elites açucareiras deste país, e se apresentando para a população negra como pai. O famoso discurso da democracia racial desmobiliza, inclusive, as esquerdas, que embarcam num discurso de direita, porque, transpondo mecanicamente a questão da luta de classes para a sociedade brasileira, mecanicamente, não geneticamente, o que vamos perceber? As esquerdas embarcam no velho discurso da democracia racial brasileira e não atentam para o fato de que a maior parte dos trabalhadores brasileiros é constituída por negros, e não atentam para essa contradição que marca as relações de nossa sociedade.

Diante disso, nós, negros, tivemos que ir à luta praticamente sozinhos e, sobretudo nos anos 1970, inspirados muito pela nossa própria história, pela nossa história de resistência, de postura democrática já em Palmares, no século XVII, democrática do ponto de vista racial. Partindo para nos organizar, vamos ter, nos anos 1970, todo o renascer do movimento negro na nossa sociedade, inspirado efetivamente nas lutas de libertação da África, sobretudo a África lusófona. Inspirados na luta pelos direitos civis nos Estados Unidos, mas fundamentalmente apoiados, rastreados, em cima da nossa própria história de resistência e de luta. Os nomes de Zumbi e de Palmares, a Revolta dos Malês, os nomes de Luísa Mahin e de Dandara, a Revolta da Chibata, dentro já do esquema da República positivista: são todos elementos de inspiração de nossa presença no interior do movimento social que na segunda metade dos anos 1970 se organiza e parte para a crítica do regime militar. E nesse momento em que aqui estamos, para discutir a questão da Constituinte, não podemos, se pretendemos efetivamente construir uma sociedade onde o princípio de isonomia efetivamente se concretize, não podemos mais construir mentiras que abalem a possibilidade, que são uma grande ameaça à possibilidade da construção da nação brasileira, porque sem o criouléu, sem os negros, não se construirá uma nação neste país! Não adianta continuarmos com essa postura paternalista de bater nos ombros, mas que na hora H fecha todas as portas para que o negro, com toda a sua competência histórica, não tenha acesso ao mercado de trabalho, à organização dos partidos políticos. Sempre somos as bases, já perceberam isso? Ou então somos cooptados para representarmos o teatro da democracia racial. Não queremos mais isso.

Todos os que aqui estão presentes têm uma responsabilidade muito grande, sobretudo aqueles que pretendem efetivamente não defender os seus interesses pessoais ou da sua classe dominante. A esses não temos muita coisa a dizer e não significamos muito, mas àqueles que efetivamente têm um projeto de construção de uma sociedade justa e igualitária, onde o princípio da isonomia efetivamente se concretize, a esses nos dirigimos, temos que nos unir, temos que nos dar as mãos. E nesta Constituinte, fundamentalmente, o nosso papel é de povo atento ao que os senhores estão fazendo aqui, atentos ao trabalho que se vai desenvolvendo aqui, preocupadíssimos em belas propostas de campanha e práticas aqui dentro totalmente contraditórias.

Mas de qualquer forma nos unimos àqueles constituintes, àqueles efetivamente representantes do povo brasileiro, que se unem a nós, que são sensíveis às nossas propostas, às nossas denúncias, às nossas reivindicações, porque, repito, não é com a mulher negra na prostituição; não é com o homem negro sendo preso todos os dias por uma polícia que o considera, antes de mais nada, um suspeito; não é com a discriminação no mercado de trabalho; não é com a apresentação distorcida e insignificante da imagem do negro nos meios de comunicação; não é com teorias e práticas pedagógicas que esquecem, que omitem a história da África e das populações negras e indígenas no nosso país; não é com isso que se vai construir uma nação. Construir-se-á, isso sim, uma África do Sul muito bem-estruturada, mais bem-estruturada do que a própria África do Sul, porque, sem assumir legalmente o apartheid através de um discurso teatral da democracia racial, ela mantém um tipo de apartheid. Isto nós negros deste país, que lutamos, nós cidadãos deste país, pela nossa cidadania neste país, nós negros, mulheres, trabalhadores, não vamos permitir isso e por isso estamos aqui. Se quiserem estruturar uma África do Sul, que o façam, mas não pensem em construir conosco uma nação, esse projeto de nação não é o nosso. O nosso projeto de nação está presente em nossas instituições negras, está presente, por exemplo, em uma umbanda que recebe de braços abertos católicos, espíritas, budistas etc. O nosso projeto é efetivamente de democracia, de sociedade justa, com todos os segmentos que a acompanham e igualitária com relação a todos os segmentos. (*palmas*)

[...]

Bom, companheira,* não me chama de professora não, porque, na verdade, vamos perder este formalismo que, do ponto de vista proxêmico, o

---

* Resposta de Lélia ao pronunciamento de Maria da Graça dos Santos, participante do debate como membro do Movimento Negro Unificado. Ela se dirige a Lélia chamando-a de professora e em seguida coloca no debate a pergunta: "Como iniciar a luta para derrubar o mito da democracia racial no Brasil instigando a sociedade a assumir o racismo?". (N. O.)

espaço nos impõe. Nós somos companheiras de luta e nós aprendemos umas com as outras e uns com os outros efetivamente. É verdade que, em termos de uma mudança em nível educacional, isso é fundamental. Essa colocação que você faz aí, no sentido de acabarmos com o famoso mito da democracia racial, é que leva a sociedade brasileira a se alienar de uma realidade que lhe é cotidiana. Evidentemente que as transformações, em termos das teorias e das práticas educacionais existentes em nosso país, são fundamentais. Porém, por outro lado, para além do sistema educacional, constatamos que a chamada educação informal é mais terrível ainda. É aquela que passa pelos meios de comunicação de massa e que repassa uma imagem distorcida do negro, uma imagem inferiorizada e que, efetivamente, se reflete nas nossas crianças pela internalização de uma inferioridade, inferioridade esta que é interiorizada através dos meios de comunicação e através do que se aprende na escola e, inclusive, no seio da família, porque a família negra não está alijada da sociedade. Quer dizer, são anos e anos de repetição contínua da famosa ideologia do branqueamento, que se articula com a ideologia e o comício da democracia racial.

Na verdade, o que se constata é que são dois aspectos de uma mesma questão. Então nos parece fundamental que, por exemplo, em termos dos meios de comunicação de massa, nós temos que nos aliar a todas as propostas mais avançadas no interior da Constituinte e fora dela para que esses meios de comunicação de massa não fiquem nas mãos de determinadas pessoinhas, que determinam o que deverá ser passado. Cabe aí uma crítica até mesmo às televisões, não as particulares, de iniciativa privada, mas inclusive até mesmo às chamadas televisões educativas, porque no Rio de Janeiro o que nós observamos é uma televisão educativa que deseduca o nosso povo, na medida em que tem elementos supostamente progressistas, elementos supostamente avançados, mas que produzem tranquilamente esse mito da democracia racial e reforçam a ideologia do branqueamento.

Nós vimos agora que um dos poucos representantes da comunidade negra na TV Educativa do Rio de Janeiro não pode mais aparecer no vídeo. E o que acontece quando as nossas crianças, as nossas famílias só veem figuras como a do Mussum, que é um idiota, um débil mental, é o que "fala errado"? Quando nós vemos nas novelas, por exemplo, quando surge alguma coisa com relação ao negro de uma maneira mais avançada, como na novela *Corpo a Corpo*,* o que a gente percebe é que o nosso discurso de movimento negro, na novela, estava na boca dos brancos. Quer dizer, os personagens negros da novela eram uns alienados; não sabiam de nada; queriam mais era embranquecer. Agora, o discurso do movimento negro, que resulta de uma prática doída e sofrida, que todos nós temos tido no decorrer desses anos todos, aparece tranquilamente na boca de personagens brancos, reafirmando de novo a superioridade cultural, intelectual etc.

Então, quando nós vemos na publicidade que a criança negra só aparece para anunciar chocolate, quando aparece, e que o negro só aparece como trabalhador braçal, ou então como mulata, e aí entra a questão da exploração da mulher negra como objeto sexual, nós vamos constatar, então, que efetivamente nós temos que desenvolver um trabalho muito grande nessas duas áreas, que parecem fundamentais, porque, de repente, a televisão forma muito mais do que a escola. Mas, dentro da escola, nós temos que lutar, e já foi colocada, que é uma das nossas grandes reivindicações, lançada, inclusive, pelo MNU [Movimento Negro Unificado] nesses anos todos de luta, a instauração da história da África num currículo em todos os níveis e graus do ensino público e gratuito no Brasil, não é verdade? Porque, de repente, está aí a nossa companheira [Helena Theodoro], que é doutora em Filosofia e que sabe perfeitamente que a famosa filosofia grega não passou de uma apropriação muito grande dos mistérios egípcios, porque o Egito, na Antiguidade, era o grande centro de produção do saber e que houve uma apropriação por parte dos Sócrates, dos Aristóteles, dos Anaximandros, dos Empédocles, dos Pitágoras etc., e que de repente nós ficamos, assim, encantadas com esses senhores, quando nós sabemos que a fonte em que eles se abeberaram foi justamente a dos mistérios egípcios. E para quem tem um pouco de consciência histórica, para quem tem um pouco de saber histórico, sabe perfeitamente que os egípcios negros foram os civilizadores do mundo ocidental. Só que isso é devidamente recalcado e tirado de cena. Nós sabemos que toda uma egiptologia foi criada no século passado justamente para tirar de cena, para

---

* Lélia se refere à polêmica de caráter racial que envolveu o casal interpretado por Marcos Paulo e Zezé Motta na novela *Corpo a Corpo*, uma trama de Gilberto Braga, dirigida por Dennis Carvalho e exibida pela TV Globo entre 1984 e 1985. (N. O.)

recalcar a contribuição negra no sentido da humanidade, da civilização humana. Nós sabemos da presença de culturas negras importantíssimas entre os sumerianos, os fenícios, na Índia e mesmo na América, antes de Colombo. Mas nada disso nos é trazido. Então nós temos que lutar sim, companheiros, nesses dois níveis, sempre tendo em vista a questão da construção de um projeto de nação, porque um povo que desconhece a sua própria história, a sua própria formação, é incapaz de construir o futuro para si mesmo. E o povo brasileiro, neste momento, se encontra nessa encruzilhada; o povo brasileiro aqui representado pelos constituintes.

Foi o que nós colocamos: querem continuar com o apartheid sofisticado, sofisticadíssimo, como é o racismo brasileiro; é o mais sofisticado do mundo inteiro. Se querem continuar com isso, vão fazê-lo sozinho, porque o povo brasileiro estará construindo a sua própria história com muita luta, com muito sangue, suor e lágrimas. E, como disse a Helena: "Por amor, a gente vai à luta, a gente vai à guerra".

[...]

Bom, com relação à questão que o companheiro meu colocou diretamente,* vou tentar responder. [...]

Acabei de participar da Conferência Negritude, Etnicidade e Culturas na Afro-América, onde tivemos um encontro extraordinário de cientistas, pensadores, filósofos, poetas, artistas negros nos Estados Unidos agora, no final de fevereiro. E essa grande contribuição, vejam vocês, essa grande estratégia, em nível internacional, ela está se desenvolvendo. Nós temos aí o Festac, o Festival Pan-Africano de Arte e Cultura, que no próximo ano vai reunir tanto o continente quanto as diferentes diásporas para discutirem uma série de aspectos. Na próxima conferência da negritude, que será na Martinica, a questão que será colocada é justamente esta: quais as alternativas para uma nova sociedade? É essa a tarefa que nós temos. É importante dizer o seguinte, companheiros aqui presentes, que a ignorância que caracteriza, ignorância muito bem estruturada e assumida em termos de Brasil, a respeito da contribuição do negro, não há dúvida de que isso existe. O que nós percebemos é

---

* Lélia em resposta à pergunta de Orlando Costa, então representante do Inabra (Instituto Nacional Afro-Brasileiro), que a questiona sobre as formas de valorização dos negros brasileiros e de outras partes do mundo, considerando o desconhecimento que paira sobre esses grupos. (N. O.)

que, por exemplo, um tipo de encontro como esse nenhum jornal brasileiro deu, não dá, ele não fala, não interessa, porque estaria informando a maior parte do povo deste país a respeito da sua própria história, a respeito das suas próprias criações.

Agora, no que diz respeito à realidade brasileira, com relação a essa contribuição me parece que nós não podemos jogar tudo em cima da Constituição, evidentemente. Nós temos que estar atentos, temos que estar vigilantes, mas nós mesmos temos a nossa tarefa, temos a nossa tarefa de organizar, de mobilizar e de organizar a comunidade negra no sentido de que ela possa desenvolver, com suas próprias características, com suas características específicas, uma estratégia em termos de transformação, transformação no sentido, inclusive, de sensibilizar — parece-me que um dos aspectos fundamentais da nossa estratégia passa por aí — e mobilizar os setores progressistas não negros da sociedade brasileira para que, unidos, possamos construir uma nova sociedade. Nós temos duas responsabilidades: no nível oficial da Lei Maior, que é a Constituição, por isso estamos aqui, e no nível da nossa própria organização e onde quer que estejamos, no nosso local de trabalho, na igreja, no partido político, no clube, nós temos que estar tentando passar para os outros esta questão, organizadamente, e não esquecendo jamais, fundamentalmente, as nossas crianças. E parece que a grande questão passa por aí.

[...]

Só complementando.* É o seguinte, companheiro, você deve estar ciente de que uma série de encontros foi realizada pelo movimento negro, inclusive houve uma Convenção Nacional do Movimento Negro aqui em Brasília. No Rio de Janeiro nós nos reunimos no IPCN (Instituto de Pesquisa das Culturas Negras), em casa, uns com os outros etc. para apresentar uma série de contribuições para entregarmos à companheira Benedita da Silva, na medida em que ela nos representa aqui e nos parece fundamental que a Bené, nossa Bené, essa força, linda, maravilhosa aqui, que para nós é a mulher mais bonita da Constituinte, é a Benedita da Silva. Quer dizer, os crioulos todos acham isso. É só olhar para ela. Olha a força! Olha a beleza!

---

* Aqui Lélia responde a perguntas de Mauro Paré, na ocasião representante da Fundação Sango, dirigidas a ela e a Helena Theodoro. Paré lhes questiona quais sugestões deveriam estar na Carta Constitucional. (N. O.)

[...]

É, o axé, não é verdade? Então, nós temos uma série de propostas, de sugestões para as mais diferentes comissões, não só para a Comissão da Ordem Social, à qual a Bené pertence, mas para todas as outras comissões, como a Comissão de Educação e Cultura etc. de que a Helena falou, a Comissão dos Direitos e Garantias do Indivíduo, na questão do preso, do preso comum, da tortura, uma série de sugestões que já estão nas mãos da companheira Bené, para que ela possa apresentar, em termos do nosso apoio, e da sua representatividade, em termos de comunidade negra.

[...]

Mas eu fico me lembrando,* por exemplo, quando terminando o curso de filosofia na Universidade do Rio de Janeiro, eu me caso com um colega branco — daí o meu nome, Gonzalez — e, de repente, não morava com a família, mas habituada à minha família negra, onde todo mundo briga mas faz as pazes e essas coisas todas, insisti para que ele retornasse ao seio de sua família. E sabem como me aceitaram? Como um caso — como se costuma dizer — de concubinagem, até o momento em que verificaram que nós estávamos legalmente casados. Enquanto eu era a concubina negra de um jovem rapaz branco, que amanhã vai se casar com uma moça de boa família, no dia seguinte, quando souberam do casamento, daí em diante eu virei negra suja, prostituta, e coisas que tais.

Também gostaria de indicar para esta comissão a leitura de um livro escrito por três grandes companheiras brancas, chamado *O lugar do negro na força de trabalho* — essas companheiras são cientistas sociais do IBGE —, onde elas apontam que, por exemplo, em termos de relações inter-raciais no nosso país, a tendência é ao isolamento, sobretudo quando se trata da classe média para cima.

Nós vamos verificar que, se uma pequena proporção de homens negros com dez ou mais anos de estudo se casa com mulheres brancas, a proporção de homens brancos não existe. Afinal, quem já não amou uma mulher negra? Mas, afinal, quem já assumiu e se casou com essa mulher negra? Quem assumiu esse amor? (*palmas*) Nós sabemos como a história da mãe preta perpassa pela nossa sociedade.

---

* Lélia em resposta à fala do relator da subcomissão, o constituinte Alceni Guerra, que diz: "A situação do negro no Brasil não é um problema de Constituição, mas de educação". (N. O.)

Gostaria de chamar a atenção para um aspecto fundamental aqui, e que é uma proposta essencial nossa, de movimento negro: dizer que a questão do negro no Brasil não é uma questão de Constituição, mas de educação — e que depois a cultura vem —, é desconhecer o que é cultura, em primeiro lugar; em segundo lugar, é ter uma visão muito atrasada, muito de senso comum a respeito do que seja a cultura.

Desde as Constituições de 1934 e 1946 estão dizendo que todos somos iguais perante a lei. Nós queremos, sim, mecanismos de resgate que possam colocar o negro efetivamente numa situação de igualdade porque, até o presente momento, somos iguais perante a lei, mas quem somos nós? Somos as grandes populações dos presídios, da prostituição, da marginalização no mercado de trabalho.

Nós queremos, sim, que a Constituição crie mecanismos que propiciem um efetivo "começar" em condições de igualdade da comunidade negra neste país. Falar dessa Constituição formal, isso a gente conhece há muito tempo; todos nós conhecemos os constituintes, todos dizem isso. Sem que isso constitua elemento de privilégio, nós queremos, sim, em termos de disposições finais, que haja estímulo junto à empresa, junto a tudo, para que essa comunidade negra deixe de ser a grande discriminada, a grande defasada, em termos da realidade brasileira.

Nós não estamos aqui brincando de fazer Constituição. Não queremos essa lei abstrata e geral que, de repente, reproduz aquela história de que no Brasil não existe racismo porque o negro conhece o seu lugar. Nós queremos, efetivamente, que a lei crie estímulos fiscais para que a sociedade civil e o Estado tomem medidas concretas de significação compensatória, a fim de implementar aos brasileiros de ascendência africana o direito à isonomia nos setores de trabalho, remuneração, educação, justiça, moradia, saúde e por aí afora.

Gente, nós não somos iguais perante essa lei, absolutamente, tanto que o sacrifício que fizemos para chegar aqui, nós que somos a maioria da população brasileira, por que não está cheio de negros aqui? Por que esta Constituinte é tão plena de brancos e tem apenas uns gatinhos-pingados de negro?

Vamos refletir a respeito disso, e termos a seriedade de levar a fundo a questão de construir uma sociedade nova, uma Constituição que garanta o princípio da isonomia, senão, malandro, é a velha heteronomia que nós já conhecemos desde 1500.

[...]

Pelo menos em termos de Rio de Janeiro nós apresentamos sugestões para as outras subcomissões.* Seguindo mais ou menos o critério do documento que foi apresentado pelo Conselho Nacional dos Direitos da Mulher, que fez uma síntese das suas reivindicações a partir de uma perspectiva feminina, fizemos uma série de sugestões a partir de uma perspectiva negra. Evidente que não vamos tratar de poder no Brasil. Mas a gente chega lá. A Comissão da Ordem Econômica, de Direitos da Nacionalidade etc. Enfim, a todas as outras comissões nós demos sugestões que trouxemos do Rio de Janeiro e pedimos, inclusive, à companheira Benedita que encaminhe a essas outras comissões as nossas sugestões.

[...]

Rapidamente a gente está percebendo, na sessão da tarde, uma espécie de retorno, de perda do debate político, pelo que aconteceu hoje de manhã. Mas tudo bem, vai em frente.**

Nós estamos aqui para falar de pessoas negras que se destacaram, de por que estamos reforçando aqui o mito da democracia racial. E é isso, pega um negrinho daqui e outro dali e mostra que é maravilhoso e continuamos como "dantes no quartel de Abrantes".

Agora, com relação à questão da imigração, eu gostaria de chamar a atenção para as pessoas aqui presentes que não ouviram, eu falei da grande imigração, justamente aquela que vai de 1890 a 1930, onde nós temos uma política perfeitamente delineada no sentido de desestabilizar a preponderância óbvia da população negra do nosso país. Nós sabemos disso perfeitamente, e é Getúlio Vargas que vai quebrar isso. Nós dizemos que seria até a certidão de nascimento do chamado populismo brasileiro, uma lei de 2 de novembro

---

* Lélia complementa fala de Helena Theodoro, que pergunta se seria realmente possível ter oportunidade de discutir com o plenário e de estabelecer alianças com outras comissões, como a Subcomissão dos Direitos Humanos, para conseguirem representatividade. (N. O.)
** Este pronunciamento de Lélia Gonzalez ocorreu na tarde do dia 28 de abril de 1987, na segunda sessão da Subcomissão dos Negros, Populações Indígenas, Pessoas Deficientes e Minorias, na qual ocorreu a leitura das propostas a serem endereçadas à Assembleia Nacional Constituinte. Antes da leitura das propostas o presidente da sessão, Ivo Lech, permitiu pronunciamentos breves de notórios conhecedores da questão racial e também cedeu a fala a deputados constituintes. Em resposta a um desses discursos — em particular o do deputado constituinte Ruy Nedel —, Gonzalez fez essa reflexão sobre a questão dos imigrantes e dos negros no Brasil e na América Latina. (N. O.)

de 1930, quando Getúlio Vargas estabelece que os trabalhadores das empresas, das fábricas etc., dois terços desses trabalhadores teriam que ser brasileiros. E é a partir desse momento que nós vamos perceber que o negro começa a ingressar no mercado de trabalho, no capitalismo, falando de mercado de trabalho estamos falando em capitalismo, evidentemente.

Por outro lado, também me pareceu, por parte dos nobres companheiros, que a nossa fala aqui não é uma fala de ressentimento. Eu percebi na fala do companheiro uma fala de culpa, da culpabilidade. Quer dizer, os alemães, irmãos dos negros. Mas vejam a situação dos negros e a dos descendentes de alemães no Rio Grande do Sul de hoje. É só olhar e dá para a gente ver onde essa irmandade foi parar. (*palmas*)

E um outro aspecto que eu acho fundamental também é o que diz respeito à questão que o companheiro constituinte [Ruy Nedel] colocou aqui, que os alemães, em 1851, estavam guardando as fronteiras na luta contra Juan Manuel de Rosas, a famosa figura da história argentina. Eu só gostaria de fazer um lembrete para os meus companheiros e companheiras aqui presentes, irmãos, irmãs aqui presentes: quando nós chegamos em Buenos Aires hoje, na Argentina, dizem que não existem negros lá. Mas é importante ressaltar o seguinte: que graças ao fato de esse sr. Rosas aí, que a nossa história oficial nos ensina como um ditador que fez e aconteceu, é preciso conhecer bem a história da Argentina para saber quem foi o Rosas. Esse senhor, por exemplo, ele tinha grandes encantos pela cultura negra, porque nós sabemos, evidentemente, que a América Latina inteira teve presença negra, na Argentina também. Basta a gente ver os passos do tango. Percebe-se logo que o tango tem as suas origens culturais negras também. Mas nós vamos perceber que o fato que levou ao suposto desaparecimento dos negros na Argentina foi Rosas ser um aliado dos negros e um homem que estimulava, com a sua presença, as manifestações culturais dos negros portenhos, dos negros argentinos. No momento em que Rosas caiu, o criouléu dançou. A verdade é esta: uma perseguição violentíssima que ocorreu na Argentina. Muitos fugiram para o Uruguai, emigraram para o Uruguai, porque não havia possibilidade de permanecer na Argentina. Alguns poucos existentes permaneceram, sobretudo no famoso bairro de La Boca. Esse resgate de história do negro, não só no Brasil mas na América Latina, tem que ser feito. E não podemos deixar de ressaltar esses aspectos e gostaríamos, honestamente, que tivéssemos solidariedade, discurso solidário. Ainda hoje mesmo eu ouvi um discurso muito solidário de uma irmã e companheira de São Paulo. Ela me fez sérias críticas em relação a determinadas posturas que eu assumi, não aqui, mas aqui eu sou legal, mas a solidariedade está aí. E eu fiquei profundamente agradecida a uma prova de solidariedade por parte dessa companheira. O fato de nós colocarmos aqui a necessidade de efetivamente os representantes do povo brasileiro tomarem consciência, tomarem conhecimento da história do negro no nosso país, não é absolutamente um fato não solidário, muito pelo contrário, porque é importante ressaltar que, se formos buscar nos meandros mesmo da formação da sociedade brasileira, nós não encontraremos segmento mais nacionalista do que o segmento negro. Sabe por quê? Porque nós construímos, com o nosso sangue, com o nosso suor, com as nossas lágrimas, com o nosso desterro, com nosso exílio, nós construímos este país aqui. E nós amamos este país aqui, mais do que muita gente pensa que ama, porque nós, até este presente momento, por razões óbvias que discutimos hoje aqui de manhã, não pretendemos entregar este país a forças estrangeiras, para que nos transformem numa colônia, como a Colônia de Portugal. Não estamos aliados a forças externas que querem liquidar justamente com este povo, este povo do qual nós fazemos parte, destas populações historicamente oprimidas e discriminadas. É importante que companheiros e companheiras aqui presentes saibam que de repente é o pai negro que leva os seus filhos para ver o prédio no qual ele trabalhou com as suas mãos. Ele diz, "Olha, eu trabalhei na construção desse prédio". Já que ele não pode entrar naquele prédio agora, ele tem orgulho do seu trabalho. Então, companheiros, não caiamos nesse discurso aparentemente patriótico, aparentemente solidário, que é o discurso da culpa, da culpabilidade. Quem entende um pouco de Freud, com licença da palavra, [ilegível]. Nós temos que estar aqui unidos sim; temos que ter a coragem de nos ouvirmos sim e temos que ter, sobretudo, a coragem de ouvir aquele segmento da população brasileira, como o segmento indígena, como o segmento feminino, que sempre foram objeto na história, que nunca foram sujeitos da sua própria fala, que agora se assumem como sujeitos da sua fala, se assumem como sujeitos da sua história. É por isso que nós estamos aqui. Exigimos o respeito que exigem de nós. E a nossa solidariedade ela se dá na crítica, para que possamos crescer todos juntos.

Muito obrigada. (*palmas*) Só um detalhezinho: há uma diferença entre ser imigrante e ser escravo.

[...]

Acho que, a partir da questão básica dos direitos e garantias fundamentais, que foi objeto de discordância hoje de manhã, seria importante, por exemplo, o terceiro parágrafo, em cima do artigo, supostamente o primeiro.*

Homens e mulheres têm iguais direitos ao pleno exercício da cidadania, nos termos desta Constituição, cabendo ao Estado garantir sua eficácia formal e materialmente. Parágrafo único: Ficam liminarmente revogados todos aqueles dispositivos legais que contenham qualquer discriminação. Todos são iguais perante a lei, que punirá, como crime inafiançável, qualquer discriminação atentatória aos direitos humanos.

1º: Ninguém será prejudicado ou privilegiado, em razão de nascimento, raça, cor, sexo, estado civil, trabalho rural ou urbano, religião, orientação sexual, convicções políticas ou filosóficas, de deficiência física ou mental, e qualquer particularidade.

2º: O poder público, mediante programas específicos, promoverá igualdade social, política, econômica e social.

3º: Não constitui discriminação ou privilégio a aplicação de medidas compensatórias, visando a implementação do princípio constitucional da isonomia a pessoas pertencentes a grupos historicamente discriminados.

Porque, por aí, passa a questão do formalismo da lei, que nós temos que explicitar mais.

---

* Nesta etapa, Lélia Gonzalez faz a leitura das propostas que ajudou a redigir para a Assembleia Nacional Constituinte. (N. O.)

O terror nosso de cada dia

Negra, baiana, baixinha, ágil, cheia de graça. Bonita de uma beleza que se espraiava pelo corpo forte e bem-feito (enxuto, melhor dizendo), pelo sorriso gostoso e matreiro, pelo olhar agudo e luminoso. Inteligência, sensibilidade e competência profissional, enriquecidas no tempero de uma exuberante alegria de viver. Conheci Tininha há alguns anos atrás em casa de um amigo, onde ela trabalhava como diarista.

Categorias ocidentais como empregada doméstica, criada, auxiliar ou qualquer coisa do gênero, criadas pelas classes dominantes, não tinham nada a ver com ela concretamente. Afinal, ela sempre escolhia o tipo de "patronagem" que queria ter, acabando por comandar as ações nas casas onde trabalhava, e mesmo fora delas. Não me esqueço do dia em que entrei numa butique em Ipanema e lá estava Tininha, com tudo em cima, gerenciando os negócios da patroa. Lembrei-me, então, de suas ancestrais iorubás. Talvez porque ela nunca se iludiu a respeito de sua condição de mulher negra numa sociedade como a nossa.

Nascida e criada em Salvador, onde se casou, o marido a abandonou, deixando-a com quatro filhos. Em busca de um futuro melhor, Tininha veio para o Rio com suas crianças. E foi à luta. Trabalho duro, dupla jornada. Conheceu um novo amor, que durou um bom tempo e lhe deu mais três filhos. Sempre que podia, ela voltava à cidade natal para rever a mãe que lá ficara. Isso graças ao fato de as crianças irem crescendo e trabalharem para ajudar em casa.

Assim, no final de março deste ano, Tininha partiu para Salvador, deixando o filho mais velho, Jorge, com a tarefa de cuidar dos irmãos menores. Mal chegou ao Curuzu. Um telefonema e uma passagem aérea (dada pela patroa que a chamara) obrigaram-na a voltar. Duas noites após a partida de Tininha, alguns homens bateram à porta de sua casa, em Nilópolis, Baixada Fluminense. Não era tarde, mas Jorge, que passara o dia carregando e descarregando caixas de Brahma, já estava deitado. Levantou-se, abriu a janela e, desculpando-se por não abrir a porta pelo fato de não os conhecer, perguntou-lhes o que queriam. A resposta foram dois tiros à queima-roupa. Eram policiais. Mas por que Jorge, trabalhador sério, com carteira assinada e tão querido por todos do lugar?

Jorge havia cometido um erro fatal. Tirara uma foto ao lado de alguém procurado pela polícia, após um jogo de futebol, num angu comemorativo da vitória do time local. Na busca do "bandido", os policiais, depois de invadirem e quebrarem o que puderam em sua casa, forçaram sua mãe a lhes dar uma foto do filho. E ela só tinha uma, a do campo de futebol. E Jorge, trabalhador negro, arrimo de família, filho e irmão dedicado, não soube por que foi assassinado. A imprensa silenciou sobre esse "acidente de trabalho".

Em junho, num encontro do movimento negro na Baixada Fluminense, justamente a respeito da violência policial, foram apresentados os seguintes dados a respeito dos corpos de "justiçados" que deram entrada no Instituto Médico Legal de Nova Iguaçu no período entre 1º de janeiro e 31 de maio: 305 brancos, 635 negros e 170 não identificados. E todos sabem que uma verdadeira guerra de extermínio se instaurou de 15 de março para cá, e da qual nem nossas crianças negras escapam. Quatro delas feridas no morro da Mangueira e, para culminar, o assassinato brutal, com um tiro na testa, de Estela Márcia dos Santos, treze anos, no morro do Tuiuti. "É a polícia do Moreira", diz o povão.

Quanto a Tininha, mandou os filhos para Salvador. Enquanto isso, desenvolve verdadeira peregrinação junto ao Inamps para conseguir a magra pensão de Jorge, a que ela e os filhos menores têm direito. Profundamente revoltada, ela insiste e não desiste. Só depois, então, retornará a Salvador, ao encontro da "Negrice cristal/ Liberdade, curuzu".

As amefricanas do Brasil e sua militância

EM OUTRO TEXTO NOSSO, introduzimos a categoria de amefricanidade e caracterizamos o termo amefricanas/amefricanos como nomeação de todos os descendentes dos africanos que não só foram trazidos pelo tráfico negreiro, como daqueles que chegaram à América antes de seu "descobrimento" por Colombo. E, nesse longo processo histórico que marca a presença do negro no Novo Mundo, as mulheres, ontem como hoje, têm um papel de fundamental importância. No caso brasileiro, vamos encontrá-las como ativas participantes de todos os movimentos de resistência e de libertação de que se tem notícia. Mas neste ano de reflexão crítica sobre a chamada abolição da escravatura, nosso olhar se volta para aquelas que, em diferentes níveis, desenvolvem uma militância de tal ordem que faz delas verdadeiras porta-vozes da amefricanidade em nosso país. E, de saída, nos recordamos de Maria de Lurdes Vale Nascimento e de Elza de Souza, nos anos 1950: a primeira, responsável pela coluna "Fala Mulher" do jornal *Quilombo* (órgão do Teatro Experimental do Negro), fundou o Conselho Nacional de Mulheres Negras (em 18 de maio de 1950), e a segunda tratou da criação da Associação das Empregadas Domésticas (em 10 de maio de 1950). É interessante observar que, dadas as diferenças no tempo, a Casa Dandara, criada em Belo Horizonte (em 9 de maio de 1987) pelo empenho e dedicação dessa amefricana ao mesmo tempo doce e forte, a companheira Diva Moreira, retoma e amplia a proposta do Conselho Nacional de Mulheres Negras: estabelecer um espaço que propicie às amefricanas e aos amefricanos de todas as idades o resgate de sua cidadania.

Os anos 1970 e 1980 apontam para o surgimento de grupos organizados de amefricanos em quase todo o país: Rio de Janeiro (Aqualtune, Luísa Mahin, Grupo de Mulheres Negras do RJ, Nzinga — Coletivo de Mulheres Negras, Centro de Mulheres de Favelas e Periferia), São Paulo (Coletivo de Mulheres Negras de SP, Coletivo de Mulheres Negras da Baixada Santista, além de organizações existentes na periferia de São Paulo), Bahia (Grupo de Mulheres do MNU, Grupo de Mulheres do Calabar e outros), Maranhão (Grupo de Mulheres Negras Mãe Andresa) etc. Em termos institucionais, vamos encontrá-las no Conselho Nacional e nos Conselhos Estaduais e Municipais da Mulher (destacando-se a Comissão de Mulheres Negras do Conselho Estadual da Condição Feminina de SP). Dois encontros estaduais foram organizados: em São Paulo e no Rio de Janeiro (este último, em novembro de 1987, teve extraordinária participação, sobretudo se se pensa no nível das discussões). E no momento em que organiza o primeiro encontro nacional, o Movimento Negro Unificado, em seu último congresso, criou uma Secretaria Nacional da Mulher. Enquanto isso, em nível internacional, sua presença se faz visível nos encontros e congressos, argumentando e conseguindo introduzir a dimensão racial nas análises feministas.

Axé, amefricanas do Brasil!

A importância da organização da mulher negra no processo de transformação social

O I Encontro Nacional de Mulheres Negras* demonstrou — em diversos aspectos e mais do que nunca — o quanto é fundamental a nossa organização, sobretudo quando se trata de um projeto de transformação social. Afinal, o que vimos ali foi uma espécie de reprodução em mulato-preto (porque negro é uma outra história) do que se deu em Bertioga, em 1985: a afirmação de um feminismo erroneamente chamado de radical, quando, na verdade, sua marca é a do sectarismo. Fechado em si mesmo pela identificação imaginária que o fundamenta, seus critérios são o da reprodução especular (e haja espelho nessa história), caracterizados pelo sexismo extremado. Como lhe falta o impulso necessário para atingir o simbólico, ele não consegue apreender o real ou, como se diz, *cair na real*. Daí a grande distância que o separa da realidade vivida por milhões de mulheres negras deste país e a sua grande proximidade do modelo ariano de explicação (cujo elemento de sustentação é justamente o racismo).

Por isso mesmo, essa postura ideológica equivocada, assumida pela Comissão Executiva do Encontro, é extremamente perigosa para nós, mulheres negras. Perigosa porque descarta a possibilidade de qualquer diálogo, de qualquer discussão de caráter político. Em consequência, a tática utilizada para descaracterizar o debate no âmbito político foi a de confundi-lo com a questão político-partidária, mediante a acusação de que as mulheres do PT (e do PDT) ali estavam para desarticular o *bom andamento* do Encontro. É desnecessário dizer que esse posicionamento da Executiva gerou um clima de tensão e de desconfiança, levando muitas das participantes a se sentirem como que policiadas. Haviam se preparado para o Encontro organizadamente,

---

* Realizado em Valença, Rio de Janeiro, de 2 a 4 de dezembro de 1988.

trazendo documentos com temas e propostas para serem discutidos nas plenárias. Infelizmente, não foi o que aconteceu.

Um excelente exemplo dessa postura ideológica — que não deixa de explicitar uma posição política, marcada por uma visão estreita da nossa realidade — ocorreu numa das oficinas, que, aliás, foram muito interessantes. Ali, uma componente da Executiva declarou, com todas as letras, que a *revolução* só pode se dar através da radicalização da luta entre homens e mulheres. Vale notar que esse tipo de afirmação caracteriza toda uma tradição ideológica não só profundamente deformadora, bem como extremamente dicotômica: a do macho opressor versus a fêmea oprimida. A dialética não tem lugar neste tipo de perspectiva.

Em consequência, a opressão racial e a exploração de classe ficam devidamente *esquecidas* nos porões de uma sociedade cujos sistemas de classificação social e econômico fazem da mulher negra o foco, por excelência, de sua perversão. *Esquecer* isso é negar toda uma história feita de resistências e de lutas, em que essa mulher tem sido protagonista graças à dinâmica de uma memória cultural ancestral (que nada tem a ver com o eurocentrismo desse tipo de feminismo). *Esquecer* isso significa não querer ver todo um processo de expropriação socioeconômica e de apropriação cultural que as classes dominantes *brancas* têm exercido contra mulheres e homens negros deste país.

De qualquer modo, a emergência desse tipo de feminismo sexista no interior do nosso movimento é importante justamente porque ele evidencia aspectos que as exigências da luta apontam como inaceitáveis. Vejamos alguns deles: a) os efeitos da internalização da ideologia do embranquecimento, que remetem a oportunismos e manipulações típicos do velho paternalismo eurocêntrico das oligarquias brasileiras; b) a consequente afirmação/reprodução/perpetuação do mito da democracia racial; c) a aceitação/manutenção do chavão machista de que política é coisa de homem; d) a identificação com um tipo de feminismo ocidental-branco, já devidamente denunciado por seu imperialismo cultural; e) o pseudoconhecimento das lutas da mulher negra, dada a reprodução de categorias que, de tão aprisionantes, acabam por revelar um desconhecimento real dessas lutas; f) falta de identidade própria etc.

Mas esse feminismo *negro* não é um fenômeno apenas brasileiro. Justamente por colocar no sexo a sua tônica, por considerá-lo o elemento essencial que *norteia* suas aspirações, ele se isolou do movimento de mulheres negras nos Estados Unidos. Em consequência, uma das maiores representantes desse país partiu para uma reflexão crítica sobre a noção de *feminismo*, contrapondo-lhe uma outra: a de *mulherismo (womanism)*. Trata-se de Alice Walker, nossa conhecida graças à tradução de dois de seus livros: *A cor púrpura* e *Ninguém segura essa mulher*. Sem descartar as importantes contribuições do feminismo para o movimento de mulheres como um todo, Walker amplia e aprofunda a reflexão feminista ao colocar a questão que eu traduziria por *mulheridade*. Exatamente porque, a meu ver, ela resgata o pensamento de outra mulher extraordinária, Simone de Beauvoir, quando esta afirma que a gente não nasce mulher, mas se torna (costumo retomar essa linha de pensamento no sentido da questão racial: a gente nasce preta, mulata, parda, marrom, roxinha etc., mas se tornar negra é uma conquista). Se a gente não nasce mulher, é porque a gente nasce fêmea, de acordo com a tradição ideológica supracitada: afinal, essa tradição tem muito a ver com os valores ocidentais, conforme nos revela um grande pensador e cientista negro, Cheikh Anta Diop. Por isso mesmo, falei da memória cultural ancestral e sua dinâmica. Como sabemos, nas sociedades africanas, em sua maioria, desde a Antiguidade até a chegada dos islamitas e dos europeus judaico-cristãos, o lugar da mulher não era o da subordinação, o da discriminação. Do Egito antigo aos reinos dos axântis ou dos iorubás, as mulheres desempenharam papéis sociais tão importantes quanto os homens. Em muitos casos, até o poder político era partilhado com elas. E Walker sabe muito bem de tudo isso, assim como da realidade histórica e cultural vivida pelas mulheres negras de seu país.

Quando nos reportamos às *amefricanas* da chamada América Latina, e do Brasil em particular, nossa percepção descobre uma grande resistência ao feminismo. É como se ele fosse algo muito estranho para elas. Herdeiras de uma *outra cultura ancestral*, cuja dinâmica histórica revela a *diferença* pelo viés das desigualdades raciais, elas, de certa forma, sabem mais de *mulheridade* do que de *feminidade*, de *mulherismo* do que de *feminismo*. Sem contar que sabem mais de *solidariedade* do que de *competição*, de *coletivismo* do que de *individualismo*. Nesse contexto, há muito o que aprender (e refletir) com essas mulheres negras que, do abismo do seu anonimato, têm dado provas eloquentes de sabedoria.

Por tudo isso, evidencia-se a nossa responsabilidade quanto aos nossos modos de organização e quanto ao destino que queremos dar ao nosso movimento. Esta questão é de caráter ético e político. Se estamos comprometidas com um projeto de transformação social, não podemos ser coniventes com posturas ideológicas de exclusão, que só privilegiam um aspecto da realidade por nós vivida. Ao reivindicar nossa diferença enquanto mulheres negras, enquanto *amefricanas*, sabemos bem o quanto trazemos em nós as marcas da exploração econômica e da subordinação racial e sexual. Por isso mesmo, trazemos conosco a marca da libertação de todos e de todas. Portanto, nosso lema deve ser: organização já!

Axé, Dandaras!

Uma viagem à Martinica I*

A MARTINICA É UMA ILHA BELÍSSIMA, verdadeiro paraíso tropical, cuja natureza é pródiga em flores e frutos. Seu nome original, Madinique, dado pelos índios caraíbas/aruaques, que a habitavam primordialmente, significa ilha das flores. Como aconteceu em todo o Caribe, a população indígena foi praticamente extinta e substituída pela mão de obra africana escravizada, trazida para trabalhar nas grandes plantações de cana-de-açúcar. Por aí se explica a população majoritariamente negra da Martinica (mais de 90%) e do Caribe.

Com uma população de 327 mil habitantes, principalmente concentrados na capital (Fort-de-France), a Martinica possui uma extensão de 1090 quilômetros quadrados. Do ponto de vista econômico, a ilha vive essencialmente da cultura da cana (açúcar e rum) e de frutas tropicais e do turismo. A propriedade da terra, na sua quase totalidade, pertence à minoria branca descendente dos antigos senhores de escravos, os chamados békés. A maioria negra, enquanto população economicamente ativa, atua principalmente nos diversos setores do terciário. Aparentemente não existe miséria, uma vez que o salário mínimo está na faixa dos 800 dólares (ou 4 mil francos franceses).

Mas essa riqueza se torna aparente na medida em que os fantasmas que a ameaçam são bem concretos. De um lado, a dependência em face dos békés, que controlam o setor básico da economia. De outro, o crescimento populacional aponta para um desemprego que atinge índices em torno dos 30%. Com isso, a população jovem é obrigada a migrar para a França, a fim de conseguir trabalho. Desnecessário dizer que problemas como de drogas e assaltos começam a pipocar no cotidiano de Fort-de-France.

---

* O relato se refere à viagem que Lélia Gonzalez fez à Martinica por ocasião do Festival Internacional de Cultura, realizado entre os dias 14 e 18 de agosto de 1991, na cidade de Le Marin. (N. O.)

Um outro grande fantasma que ameaça a vida ensolarada dos martiniquenses diz respeito à integração à Comunidade Europeia, que se realizará a partir de 1993. Com isso, qualquer cidadão europeu terá livre entrada nesse paraíso tropical, que ficará entregue a todo tipo de efeito negativo de um macroturismo. Apesar da resistência de grupos organizados, em face da exploração turística (até há pouco restrita a uns dois municípios) começa a se expandir a construção de hotéis por diferentes regiões da ilha.

De acordo com esse quadro, esse povo — bonito, saudável, bem-educado, bem-informado e com alto nível de escolaridade — defronta-se com um duplo problema de embranquecimento. O mais recente é de ordem física e determinado pela futura integração europeia. O mais antigo é de ordem cultural/ideológica e determinado pela política assimilacionista da metrópole francesa. Afinal, séculos de colonização tiveram como efeito a internalização dos "ideais da civilização francesa".

Nesse contexto, não podemos esquecer que a maior contribuição dos grandes nomes martiniquenses, internacionalmente reconhecidos, está na luta contra o colonialismo e na construção de uma identidade própria. Sabiam muito bem do que tratavam. Dentre esses nomes, o primeiro a ser lembrado é, sem dúvida, o de Aimé Césaire, que, ao lado de Léon Damas (da Guiana Francesa) e Léopold Senghor (do Senegal), entre outros, foi um dos fundadores do movimento da negritude. Poeta extraordinário, Césaire também se destacou como brilhante deputado da esquerda do parlamento francês, atuando vivamente no processo de descolonização. Aos 84 anos, continua na ativa, como prefeito de Fort-de-France. Vale recordar aqui talvez o maior encontro do mundo negro de que tivemos o privilégio de participar, onde Césaire foi o grande homenageado. Referimo-nos à conferência internacional cujo tema foi Negritude, Etnicidade e Afro-Culturas das Américas.* Ali, mais uma vez, ele reafirmou: "Negritude é identidade, solidariedade e fidelidade".

Numa outra linha de pensamento, mas pondo o dedo na ferida da alienação do negro, encontra-se a dramática figura de Frantz Fanon, o jovem psiquiatra que se destacou na Guerra de Independência da Argélia. Crítico da noção de negritude, escreveu *Os condenados da Terra* e *Pele negra, máscaras brancas*. Este último é uma das mais acuradas análises dos mecanismos

---

* A conferência foi realizada em Miami, em fevereiro de 1987.

psicológicos que induzem o colonizado a se identificar com o colonizador. Na sua perspectiva, a desalienação do negro está diretamente vinculada à tomada de consciência das relações socioeconômicas. Sua posição crítica diante do que considerava uma acomodação de seus conterrâneos para com a política assimilacionista francesa o levou a exigir que, após sua morte, fosse enterrado na Argélia. E assim foi feito.

Vale notar que a crítica de Fanon procedia, uma vez que boa parte dos martiniquenses tem votado com a direita francesa, num tipo de aliança política em que está em jogo a manutenção de certos "privilégios" por eles adquiridos. Assimilados às práticas do neocolonialismo, acreditam-se cidadãos de primeira classe dentro de um sistema que, de acordo com seus interesses, está pronto a descartá-los em função de uma política muito mais ampla: a da integração europeia... e branca.

Por outro lado, os setores politicamente mais avançados têm se organizado e procurado criar formas de resistência e de ação em face de tais problemas. Entre esses, é evidente que a questão da identidade não deixa de se colocar. E, numa perspectiva teórica e prática, nada melhor do que discuti-la, do que evidenciá-la, mediante a presença de grupos culturais que a têm como prioridade em suas pesquisas. Foi nessa perspectiva que Brasil, Cuba, Haiti e República Dominicana foram convidados para se fazerem representar no festival promovido pela prefeitura no município de Le Marin.

As delegações dos países supracitados eram formadas por grupos religiosos (candomblé brasileiro e vodu haitiano) e culturais, assim como de artistas e pesquisadores. Que se atente para a seriedade de tal iniciativa.

A religião oficial da Martinica é o catolicismo, que, aparentemente, deitou raízes no seio da população. Mas existe algo de diferenciado com relação à fé católica. Trata-se de um conjunto de práticas mágicas, reunidas sob a denominação local de kenbwa, e que poderíamos aproximar do significado que o termo macumba possui pra nós. O kenbwa é algo a que as pessoas recorrem, mas fingem não fazê-lo. Afinal, numa sociedade católica não fica nada bem alguém declarar que tenha recorrido aos préstimos de um kenbwaseur, ou macumbeiro. Infelizmente, não tivemos tempo suficiente para obter melhores informações a respeito dessas práticas. Soubemos, isso sim, que vários kenbwaseurs estiveram atentamente presentes nas quatro noites em que se realizaram os rituais do candomblé e do vodu. Ocultos pelo anonimato do público assistente, não deixaram o menor rastro de sua presença. Essa invisibilidade nos sugeriu a inexistência de um sistema religioso de origem africana (como o vodu ou o candomblé).

Por outro lado, a presença do catolicismo aponta para um calendário de festas em que o Carnaval surge como espaço privilegiado para manifestações culturais de origem africana. No desfile carnavalesco, efetuado na noite de encerramento do festival, pudemos apreciar a apresentação de vários grupos ou blocos. Desnecessário dizer que aqui o calor dos ritmos caribenhos aflorou alegre e descontraído, indicando fortes elementos de identificação regional. Aqui a Europa se tornou distante e o Caribe se impôs com força ancestral.

Sempre numa primeira abordagem (que, por isso mesmo, exige aprofundamentos), observamos que o comportamento do público é bem diferente daquele que estamos habituados a ver no Brasil. Nada de cantar, de dançar ou de entrar no embalo do bloco que passa. O público é atencioso e delicado, manifestando seu agrado através de aplausos e expressões elogiosas (*"Super, super!"*). Tanto no desfile carnavalesco quanto nos rituais religiosos do candomblé e do vodu, com maior ou menor entusiasmo, não deixou de aplaudir o que viu. Finíssimo.

No caso do desfile do Ilê Aiyê, os martiniquenses sofreram um impacto que os transformou num ávido, atento e curioso olhar, assim como numa intensa escuta. O ritmo cadenciado e profundo, a linha melódica diferente, a graça e leveza das evoluções do casal de bailarinos (lindíssimo), o traje e o modo de dançar do conjunto os deixaram como que paralisados. Axé, Bahia!

Uma viagem à Martinica II

ALÉM DOS GRUPOS CARNAVALESCOS, os martiniquenses possuem um outro tipo de manifestação cultural, conhecida pelo nome de ladjya. Trata-se de uma luta/jogo, cujos movimentos lembram muito os da capoeira e que se desenvolve apoiada em cantigas marcadas pelo ritmo de um grande atabaque. O grupo que se apresentou na noite de abertura do festival (ao lado dos capoeiristas do Grupo Pelourinho, do Rio de Janeiro) nos evidenciou a existência de um núcleo de resistência cultural que se mantém graças à continuidade de transmissão entre as gerações. Essa transmissão tem no créole, dialeto local, o seu ponto básico de referência.

Quanto às cantigas da ladjya, pareceu-nos que elas conservam a estrutura dos cantos de trabalho dos antigos escravos, em que o coro repete as frases do solista (como, aliás, acontece na capoeira). Impressionante foi ouvir a bela voz de um velho jogador que, de repente, quase nos fez pensar que a nossa Clementina de Jesus havia se materializado para homenagear os "camará" da ladjya martiniquense. Foi um momento de grande emoção para todos nós.

Aqui, de novo, o Caribe se impõe como ancestralidade. Não só pelo tipo de musicalidade, de instrumental rítmico ou de expressão corporal. Mas, sobretudo, pelo créole, esse código linguístico elaborado pelos antigos escravos, presente em quase toda a região. Não importa se a língua dominante seja o francês, o inglês ou o holandês, que o créole lá está, como marca de amefricanidade (muitas vezes, com palavras originárias do português ou do espanhol, devidamente africanizadas no seu modo de pronunciar: "tambu", "toká" etc.). Nesse sentido, a Martinica não foge à regra da região. Quando querem se comunicar de maneira mais coloquial, os martiniquenses deixam o francês de lado e atacam de créole.

O festival se estruturou da seguinte maneira: pela manhã, aconteceram as comunicações e discussões no colóquio sobre Identidade e Sincretismo

Religioso no Caribe e no Brasil. À tarde, mostras de filmes e vídeos dos países participantes. À noite, apresentações dos grupos culturais (ladjya, capoeira, blocos carnavalescos) e cerimônias religiosas. Paralelamente, realizou-se uma exposição não só de objetos rituais como de trabalhos leigos.

Quanto a este último aspecto, a presença haitiana foi decisiva. Seus artistas plásticos deixaram sua marca, graças aos belos quadros expostos. Por outro lado, os estandartes do vodu deram um toque de especial colorido à exposição de objetos rituais. Buscando comunicar honra e respeito aos espíritos, são utilizados em diferentes cerimônias como mediadores entre o sagrado e o profano. Todos são bordados à mão com paetês, canutilhos e pérolas, sobre um tecido de seda ou de veludo. Já a mostra do vodu dominicano consistiu na montagem de altares. O que mais nos chamou atenção foi "levantado" numa mesa onde se destacavam litografias de santos católicos, lenços coloridos, flores, um pequeno sino, um cachimbo, velas acesas, orações, um crucifixo, espelhos etc.; tudo isso simbolizando o "luá" ("santo" ou "ser") a que fora consagrado (N. S. das Dores, por exemplo, transmuta-se em Metrê-Silí, a deusa do amor). À frente-esquerda desse altar, erguia-se um monte de terra de cemitério, encimado por uma cruz, dedicado ao Rei dos Mortos ou Barón del Cementerio (ou santo Elias), cujo culto é bastante popular na República Dominicana.

Também o candomblé ocupou seu espaço na exposição, apresentando uma série de objetos rituais confeccionados por inspirados artesãos, além das indumentárias de vários orixás. Vale notar que a criatividade se manifestou na confecção de arranjos de folhas que complementaram, de maneira delicada, o desenho dos objetos e trajes expostos.

Tivemos duas noites dedicadas às cerimônias do candomblé do Brasil, representado pelo Ilê Afro-Brasileiro São Lázaro (Rio de Janeiro) liderado pelo babalorixá Francisco de Iemanjá. Na primeira noite (15 de agosto), oficiou-se o olubajé, em honra a Obaluaiê. Na segunda (17 de agosto), efetuou-se uma oferenda a Iemanjá, na praia do Marin; em seguida, a cerimônia se desenvolveu no espaço previamente preparado para esse fim, na localidade denominada Le Pitt (onde, aliás, aconteceu todo o festival). A organização, a disciplina e o empenho dessa comunidade religiosa se manifestaram com beleza e dignidade, sobretudo na primeira noite. O caráter hierático do ritual foi rigorosamente concretizado no banquete oferecido pelo grande orixá. Impressionado, o público presente não se furtou a participar, comendo, nas folhas de mamona, o repasto sagrado, transmissor de axé. Foi comovente, até.

O vodu haitiano se fez representar pela comunidade originária do município de Jacmel (cujo prefeito chefiava a delegação de seu país). Na primeira noite (14 de agosto), oficiou-se uma cerimônia de abertura dos trabalhos (e do festival) que, pelas rezas e velas, lembrou as novenas católicas. Oficiada pelo hungan (termo que corresponde ao nosso babalorixá), a cerimônia efetuou-se, inicialmente, na entrada do local do festival, para depois deslocar-se para o espaço circular (ladeado por arquibancadas) onde todos os rituais foram realizados. Na segunda noite (16 de agosto), tivemos uma cerimônia extraordinariamente marcada pela força e pela beleza de um ritual rico e complexo, marcado por cores, sons e ritmos; onde a leveza das hunsis (filhas e filhos de santo) desenhava contornos admiráveis, produzidos por sua dança inspirada. Belíssima a voz da mambo (ialorixá), ao cantar as músicas cerimoniais. Hungan e mambo oficiaram ritos específicos que apontavam para aspectos definidos e consistentes no conjunto da manifestação.

"Sistema de crenças e de práticas que o povo haitiano forjou ao longo de sua existência, enquanto escravo e servo feudal, para se proteger e avaliar o peso da vida, o vodu é vivido como sistema de força. Para o voduísta, viver é se apropriar de tudo o que é força. E, aqui, temos a grande contribuição da filosofia banto ao vodu haitiano."

"Para aquele que o pratica, o vodu é a tomada de consciência de seu ser-no-mundo com o conjunto do cosmo e dos homens; é um jogo de celebração e de dança que culmina em êxtase, em transe, em possessões, onde o *lwa*, o espírito vodu, incorpora cavalgando seu adepto, seu *chwal*, como se diz. [...] Não se concebe o vodu sem dança. Dançar o vodu é descobrir uma maneira total de viver no mundo, de existir inteiro no todo vivente, é realizar a comunidade viva dos *pitit fey*, é uma maneira de existir."

Esses dois parágrafos são expressão do antropólogo haitiano Rénald Clérismé. Precisa dizer mais?

Apenas do ponto de vista comparativo, poderíamos dizer que, apesar de possuir aspectos semelhantes ao candomblé, o vodu se diferencia pelo seu caráter mais democrático. Assim comentaram os especialistas, ressaltando que isso ocorre tanto no nível ritualístico quanto no profano. No primeiro caso, pudemos constatar a participação do público no ritual quando, numa espécie de confraternização geral, os assistentes foram convidados para entrar na roda e dançar junto com os oficiantes, encerrando os trabalhos. No segundo caso, verificamos que em termos de vida social, o hungan goza de maior liberdade do que o babalorixá diante de seus filhos. Comprovamos isso no baile de encerramento do festival, onde o hungan, ao lado de seus filhos, dançava alegremente (e muito bem, aliás) com as mulheres presentes.

Quanto às comunicações apresentadas no colóquio, a grande maioria tratou da questão do sincretismo, com maior ou menor originalidade. Destacaram-se, a nosso ver, aquelas apresentadas por Sheila Walker (Estados Unidos) e José Flávio Pessoa de Barros (Brasil), ressaltando as soluções de compromisso entre o catolicismo e o candomblé; a de Ana Cristina Mandarino (Brasil) sobre a questão racial num terreiro de umbanda; e, sobretudo, a de Laënnec Hurbon (Haiti) sobre vodu e modernidade. Ao ouvir a exposição desse diretor de pesquisas do CNRS, sentimos o quanto nos falta um tipo de análise como a sua, em termos do candomblé, por exemplo. Sua tranquilidade em situar o vodu na perspectiva das discussões mais avançadas de mundo contemporâneo (isso sem levar em conta a questão da pós-modernidade) nos impressionou pelo nível de informação e capacidade reflexiva. Como estamos longe disso!

A participação brasileira foi bastante prejudicada pelo fato de as comunicações terem sido apresentadas em português (exceto no nosso caso). De um lado as condições de tradução não ajudaram. De outro, o não entendimento das discussões conduziu a certas distorções. Tudo isso sem contar com as reproduções inconscientes do famoso "racismo à brasileira" diante daquele crioléu falando francês. Foi demais para alguns. E muito interessante, para nós, observar sua reação.

No momento em que fizemos a nossa comunicação, sobre o papel da mulher na construção da amefricanidade, tocamos no calcanhar de aquiles dos martiniquenses. Estava em jogo a questão da identidade a partir de uma nova categoria. A discussão pegou fogo, tanto pelas adesões quanto pelas rejeições. Freuds, Lacans, Hegels e outras figuras mais foram lançadas na arena dos debates para sustentar esta ou aquela posição. Para nós, tudo isso foi um grande estímulo.

Como comentário final, queremos ressaltar a classe de Vovô na liderança do grupo do Ilê Aiyê, assim como a dignidade do babalorixá Francisco de Iemanjá na condução dos problemas relativos à hospedagem da delegação. Diga-se de passagem que os membros do candomblé e do Ilê foram os que demonstraram maior disciplina e solidariedade mútua graças à ação de seus líderes. A eles, portanto, dedicamos este trabalho. Axé!

PARTE III

Diálogos

Duas mulheres comprometidas em mudar o mundo

O HISTORIADOR C. L. R. JAMES SE emociona ao discursar sobre o papel das mulheres negras na sociedade contemporânea: "Hoje as mulheres representam algo, são algo, elas *são* um futuro sobre o qual os homens precisam aprender um bocado".

Recentemente a *Encore* entrevistou duas mulheres do terceiro mundo que têm afetado profundamente esse futuro. Musindo Mwinyipembe e Lélia Gonzalez são duas ativistas que atuam em diferentes meios sociais fomentando mudança. Mwinyipembe é de ascendência ugandense-tanzaniana e coproduziu, com David Koff, dois extraordinários documentários: *Blacks Britannica*, sobre o racismo na Grã-Bretanha, e *The Black Man's Land*, um sucesso de crítica sobre a história do Quênia desde o colonialismo. Gonzalez é a principal ativista negra na luta contra o racismo no Brasil e uma das lideranças de um novo grupo chamado Movimento Negro Unificado Contra a Discriminação Racial. Convocados por esse grupo, mais de mil negros se manifestaram contra o governo em julho de 1978. Quem viu sente que esse foi um prenúncio para grandes mudanças no Brasil.

As duas mulheres tiveram origens muito diferentes. Musindo Mwinyipembe nasceu em uma família rica e influente. "Meu avô já foi o prefeito de Kampala", diz ela. "Minha mãe era aquela pessoa que, quando ficava cansada, era carregada." Ela diz isso sem arrogância, apenas para pontuar. "Mas minha mãe teve a habilidade de se adaptar — não, de se moldar — a outro tipo de vida quando foi necessário." E de fato foi. Aos quatro anos Musindo contraiu poliomielite. Os médicos disseram à família que seria necessário submetê-la a um tratamento de longo prazo na Grã-Bretanha. "Meu pai já estava lá estudando. Minha mãe, para ficar perto de mim e ajudar a complementar a renda, retomou sua formação como enfermeira na Inglaterra. Deve ter sido muito difícil para ela. O inglês não era o seu idioma nativo, e ela se viu subitamente confrontada por estar em uma condição subalterna na rígida hierarquia britânica. Mas ela foi capaz de fazer o que era preciso."

Lélia Gonzalez veio de circunstâncias diferentes. A décima sétima de dezoito filhos, ela nasceu na pobreza. Seu pai era operário. Apesar de sua pele ser de um marrom avermelhado e escuro, na sociedade brasileira atenta às diferenças de cor (existem 317 designações diferentes, diz ela) Gonzalez é considerada preta, em distinção a uma pessoa branca ou mulata. Seu futuro parecia tão desolador quanto o da maioria das pessoas negras do Brasil, que estão no degrau mais baixo da escala social, econômica e educacional de um país que se vangloria de ser uma democracia racial. Mas assim como Mwinyipembe, ela também teve uma mãe extraordinária. "Ela não era instruída, mas era muito forte e corajosa. Nós fomos impregnados de história e cultura negra." Ela também tinha um tremendo senso de humanidade, que permitiu à filha escapar dos guetos do país. "O meu irmão mais próximo em idade nasceu ao mesmo tempo que uma criança de uma família italiana da vizinhança", ela recorda. "A mãe morreu e minha mãe se ofereceu para amamentar a criança junto com meu irmão. Quando eu nasci, outra criança da mesma família nasceu também. Quando chegou a hora de ela ir para a escola, o pai se ofereceu para pagar para que eu também fosse, como retribuição pela generosidade de minha mãe."

Lélia também foi encorajada por outro irmão, que se tornou jogador de futebol profissional. "Ele viajou por todo o mundo", diz ela, "e sempre me trazia uma lembrança que incitava minha curiosidade." Essa curiosidade bem estimulada levaria Gonzalez a se tornar uma das poucas professoras universitárias negras no país.

Quando Musindo viu a Inglaterra pela primeira vez, ficou maravilhada. "A primeira coisa que eu me lembro foi de perguntar o que tinha acontecido com as árvores! Elas pareciam tão atarracadas e pálidas comparadas às da África. Eu também nunca havia visto homens brancos trabalhando como operários antes, e achava que todas as pessoas inglesas tinham cabelos loiros e olhos azuis." Ela também se deu conta de que era a única criança negra em Sussex, o cinturão das corretoras de ações da Inglaterra. A experiência foi o impacto mais profundo de sua enfermidade, conta. Mas no esforço para lidar com todas aquelas circunstâncias ela também aprendeu bastante sobre si mesma e sobre a natureza humana. "Eu percebi bem cedo que teria que fazer algo com a minha cabeça. Apesar de não estar de forma alguma imobilizada, eu precisava fazer algo sedentário."

"Descobri também que as pessoas tinham facilidade para conversar comigo, e que eu estava interessada no que elas tinham a dizer. No caso dos brancos, em particular, eles achavam fácil se comunicar por eu ter uma postura não ameaçadora. Eu era pequena, aleijada e preta." Mwinyipembe começou sua carreira como radialista.

A autopercepção de Gonzalez foi compreensivelmente diferente em uma sociedade predominantemente negra. Mas os valores racistas se tornaram evidentes, se não totalmente internalizados, bem cedo. "Quando você entra numa sala de aula no Brasil", ela conta, "você vai perceber que as crianças brancas se sentam na primeira fileira, as crianças mulatas na segunda, as mulatas mais escuras na terceira... e finalmente as crianças pretas no fundo." Mas, à medida que Lélia avançava em direção à atmosfera cada vez mais rarefeita do sistema educacional, ela fantasiava sobre as conotações ameaçadoras de sua cor. "Quando eu olhava no espelho", diz, "eu não enxergava um corpo negro. Comecei a acreditar até mesmo em reencarnação, achando de um jeito subliminar que talvez eu houvesse feito algo de errado em uma vida passada e que por isso eu era negra."

Mwinyipembe também passou pela jornada da rejeição. "Por razões que eu ainda não entendi completamente, passei por uma rejeição fundamental do meu eu. Por exemplo, parei completamente de falar em suaíli." Desencorajada de estudar em uma universidade inglesa, ela retornou à África para continuar seus estudos na Universidade de Nairóbi, no Quênia. Lá ela encontrou outro tipo de rejeição. "Havia sempre uma desconfiança em relação a quem tinha estado no exterior", recorda. "E as pessoas sempre me perguntavam por que eu não conseguia falar a língua." Por vezes ela respondia, irritada: "Você nunca ouviu falar em colonialismo?".

Gonzalez ficou cara a cara com sua realidade de outra maneira. Ela se casou com um colega, um brasileiro branco. "Já conhecia a família do meu marido há algum tempo", conta. "Eu era até próxima da irmã dele. No Brasil é aceitável que um homem branco tenha um caso com uma mulher negra, mas casamento é outro assunto. Quando eles descobriram que nos casamos, ficaram furiosos. Me chamaram de preta suja. Era isso que eu tinha me tornado aos olhos deles, apesar da minha educação, apesar da minha posição.

Disseram que não queriam ver o filho nunca mais." Foi no casamento — seu marido já morreu — que ela começou a confrontar as realidades da sua vida e da vida dos negros no Brasil.

Ela precisava fazer algo a respeito; a autoconsciência não era suficiente. Gonzalez se ofereceu para ministrar um curso de história do povo negro em um instituto de arte, mas descobriu que se reinserir no mundo real não seria tão simples. "A aula que eu dava era um curso noturno", diz. "Isso significava que havia trabalhadores, assim como intelectuais e estudantes, na turma. Eles me confrontavam bastante. Diziam que eu era muito teórica. Os alunos falavam para eu sair do meu monte Olimpo. A experiência foi muito boa para mim." Ela conta que se envolveu com o Movimento Negro Unificado porque ele ia até as pessoas. Muitos dos outros movimentos esperavam que as pessoas os procurassem.

Mwinyipembe conheceu David Koff na Universidade do Quênia. Ela sentia que era hora de fazer um filme sobre a África "vista por um olhar africano". O resultado foi extraordinário. Não apenas foram entrevistados os quenianos mais escolarizados e envolvidos com a luta pela independência da África como também muitos que ainda vivem em áreas rurais e não falam inglês. Foi a primeira vez na memória desta repórter que um esforço foi feito, num grande documentário, para buscar essas pessoas, ouvir seus pontos de vista e traduzir seu mundo. "Você sabe que em qualquer outro filme essas mesmas pessoas seriam mostradas perambulando por uma favela com uma narração dizendo: 'Essas pessoas compartilham uma única bica para todo o povoado'."

"Bem, essa pode ser uma parte da história, mas não toda", diz ela. "Eu queria reparar o desequilíbrio da África. O desequilíbrio causado por todas aquelas pessoas que vêm aqui estudar, distribuem questionários e os interpretam em convenções com um jargão que poucos compreendem. Eu queria recuperar a fantástica mitologia que envolve a África para mostrar o que o Ocidente fez com ela. A sociedade ocidental determinou a premissa, o ponto de vista, os pressupostos sobre tanta gente no mundo."

"E também queria dar alguma coisa de volta à África. Então exibi o filme lá para que começássemos a pensar onde nós estamos, pelo que lutamos. Uma sociedade que não respeita o passado corre sério risco. Se não entendermos os erros de nossos pais eles serão cometidos por nossos filhos, filhas e nas gerações futuras."

Após um período trabalhando no *Black Journal* da emissora WNET nos Estados Unidos, no auge do movimento dos direitos civis em 1969, Mwinyipembe retornou à Inglaterra. Foi então que ela entendeu, de forma mais clara do que nunca, a natureza do racismo no país. "Naquela época, Enoch Powell* discursava de forma muito negativa sobre os negros. Nós éramos sempre retratados como o problema e todas as suas conjecturas eram vistas como verdade. Nada era dito para mostrar as contribuições positivas dos negros. Comecei a ver racismo, desemprego, sobretudo entre a juventude negra, brutalidade policial e assim por diante como uma coisa sistêmica — e era o mesmo no Caribe, como na África, como no Reino Unido."

Ela logo viu que aquela supressão sistêmica da perspectiva negra era um problema mundial. E nesse momento está entrando com um processo contra a WGBH-TV em Boston, a emissora pública que produziu o filme nos Estados Unidos. Os produtores editaram o filme de tal maneira que seu impacto é alterado. Cenas foram trocadas, por exemplo, de uma forma que reforça estereótipos racistas ao invés de retificá-los.

Lélia Gonzalez logo descobriu que lecionar não era o suficiente. A degradante situação do Brasil pedia ação. Em maio de 1978 um trabalhador negro foi torturado e morreu na prisão. Em junho um jovem foi morto pelas mãos da polícia em São Paulo. Em julho a nação entrou em choque quando negros se uniram em um dos maiores atos de resistência na história recente do país. O próprio ato de se afirmarem foi comovente em si. "Eu chorei", diz ela, "quando vi as pessoas. E muitas estavam chorando também — até os homens." Em sua recente turnê pelos Estados Unidos, ela conta que uma das experiências mais emocionantes foi se encontrar com mulheres negras estudantes da Bennett College. "Quando eu vi tudo o que elas haviam conquistado, seus futuros brilhantes, não pude deixar de pensar nas minhas irmãs negras no Brasil. A maioria delas vão se tornar empregadas, serão exploradas, terão poucas oportunidades de educação. Mas nós lutaremos contra isso."

Recentemente, Musindo Mwinyipembe e Lélia Gonzalez se encontraram pela primeira vez, em Nova York. Contemplar suas vidas e suas experiências é compreender a confluência de sua cultura, sua determinação, sua dor — mas, acima de tudo, de seu compromisso de não deixar o mundo da mesma forma que o encontraram.

---

* Político conservador e membro do Parlamento britânico. (N. T.)

Entrevista a *Patrulhas ideológicas*

PATRULHAS IDEOLÓGICAS: Lélia, fale um pouco de você, do caminho da politização de uma mulher negra.
LÉLIA GONZALEZ: A barra é pesada. Eu sou uma mulher nascida de família pobre, meu pai era operário, negro, minha mãe uma índia analfabeta. Tiveram dezoito filhos, e eu sou a décima sétima. E acontece que nessa família todos trabalhavam, ninguém passava da escola primária, mesmo porque o esquema ideológico internalizado pela família era este: estudava-se até a escola primária e, depois, todo mundo ia à batalha em termos de trabalho pra ajudar a sustentar o resto da família. Mas no meu caso o que aconteceu foi que, como uma das últimas, a penúltima da família, já tendo como companheiros de infância os meus próprios sobrinhos, a visão de meus pais com relação a mim já foi uma visão de neta, praticamente. Então eu tive oportunidade de estudar, fiz jardim de infância ainda em Belo Horizonte, fiz escola primária e passei por aquele processo que eu chamo de lavagem cerebral dado pelo discurso pedagógico brasileiro, porque, à medida que eu aprofundava meus conhecimentos, eu rejeitava cada vez mais a minha condição de negra. E, claro, passei pelo ginásio, científico, esses baratos todos. Na faculdade eu já era uma pessoa de cuca, já perfeitamente embranquecida, dentro do sistema. Eu fiz filosofia e história. E, a partir daí, começaram as contradições. Você enquanto mulher e enquanto negra sofre evidentemente um processo de discriminação muito maior. E claro que, enquanto estudante muito popular na escola, como uma pessoa legal, aquela pretinha legal, muito inteligente, os professores gostavam, esses baratos todos... Mas quando chegou a hora de casar, eu fui me casar com um cara branco. Pronto, daí aquilo que estava reprimido, todo um processo de internalização de um discurso "democrático racial", veio à tona, e foi um contato direto com uma realidade muito dura. A família do meu marido achava que o nosso regime matrimonial era, como

eu chamo, de "concubinagem", porque mulher negra não se casa legalmente com homem branco; é uma mistura de concubinato com sacanagem, em última instância. Quando eles descobriram que estávamos legalmente casados, aí veio o pau violento em cima de mim; claro que eu me transformei numa "prostituta", numa "negra suja" e coisas assim desse nível... Mas, de qualquer forma, meu marido foi um cara muito legal, sacou todo o processo de discriminação da família dele, e ficamos juntos até sua morte. Depois veio o segundo casamento, com um mulato que hoje é branco, transou uma esticada nos cabelos etc. e tal, e aí é visto como um cara branco. Hoje todo mundo olha para ele... Porque a percepção da questão da ascendência racial no Brasil é altamente disfarçada, né? O cara dá um jeito assim... passa um creme rinse, fica mais claro, dá uma esticada no cabelo, tudo bem... E eu não quero dizer que eu não passei por isso, porque eu usava peruca, esticava cabelo, gostava de andar vestida como uma lady.

Desnecessário dizer que a divisão interna da mulher negra na universidade é tão grande que, no momento em que você se choca com a realidade de uma ideologia preconceituosa e discriminadora que aí está, a sua cabeça dá uma dançada incrível. Tive que parar num analista, fazer análise etc. e tal, e a análise nesse sentido me ajudou muito. A partir daí fui transar o meu povo mesmo, ou seja, fui transar candomblé, macumba, essas coisas que eu achava que eram primitivas. Manifestações culturais que eu, afinal de contas, com uma formação em filosofia, transando uma forma cultural ocidental tão sofisticada, claro que não podia olhar como coisas importantes. Mas enfim: voltei às origens, busquei as minhas raízes e passei a perceber, por exemplo, o papel importantíssimo que a minha mãe teve na minha formação. Embora índia e analfabeta, ela tinha uma sacação assim incrível a respeito da realidade em que nós vivíamos e, sobretudo, em termos de realidade política. E me parece muito importante eu chamar atenção para essa figura, a figura de minha mãe, porque era uma figura do povo, uma mulher lutadora, uma mulher inteligente, com uma capacidade de percepção muito grande das coisas e que passou isso para mim... Que a gente não pode estar distanciado desse povo que está aí, senão a gente cai numa espécie de abstracionismo muito grande, ficamos fazendo altas teorias, ficamos falando de abstrações... Enquanto o povo está numa outra, está vendo a realidade de uma outra forma. Inclusive os próprios discursos progressistas que nós vemos por aí têm esse tipo de deformação caracterizada pela impostação ideológica que assumem. A meu ver, o discurso ideológico deforma a realidade, quer dizer, é um discurso de desconhecimento/reconhecimento, na medida em que ele reproduz os interesses de determinados grupos.

PATRULHAS IDEOLÓGICAS: Aproveitando o que você falou sobre discursos progressistas, o que você pensa sobre a esquerda atual no Brasil?
LÉLIA GONZALEZ: Bom, eu gostaria de colocar aqui que eu pertenço ao Movimento Negro Unificado, que estamos aí numa batalha violenta no sentido de conquista de um espaço para o negro na realidade brasileira, e o que eu tenho percebido é uma tentativa por parte das esquerdas em geral de reduzir a questão do negro a uma questão meramente socioeconômica. Na medida em que se liquida o problema da luta de classes, na medida em que entramos numa sociedade socialista, o problema da discriminação racial está resolvido. A meu ver esse problema é muito mais antigo que o próprio sistema capitalista e está de tal maneira entranhado na cuca das pessoas que não é uma mudança de um sistema para outro que vai determinar o desaparecimento da discriminação racial. Ora, a partir daí — e eu coloco a experiência do meu povo, a experiência do povo negro, em todo o decorrer da história brasileira e sobretudo a partir da abolição da escravatura pra cá — nós vamos perceber que sempre fomos isolados, sempre fomos chutados pro corner... a abolição já fez isso de uma certa forma, a Constituição de 1891 sacramentou isso no momento em que estabeleceu que o voto do analfabeto era proibido, e a coisa permanece até os dias de hoje. A população negra, de um modo geral, constitui um dos contingentes mais representativos dos analfabetos do Brasil. E a partir daí houve uma marginalização do negro em termos do processo político brasileiro, uma marginalização econômica, e, portanto, uma marginalização em termos socioeconômicos. E em todas as tentativas que esse povo efetuou no sentido de denúncia e de conquista dos seus direitos, enquanto cidadãos brasileiros, foram, de um modo geral, recebidos com indiferença ou então rechaçados como racistas às avessas; quer dizer, a gente passa por um processo de racismo violentíssimo, e quando a gente denuncia isso é chamado de racistas às avessas.

As chamadas correntes progressistas brasileiras minimizam da forma mais incrível as nossas reivindicações. Eu posso dar um exemplo: há pouco tempo, em dezembro de 1978, no Encontro Nacional pela Democracia, promovido pelo Centro Brasil Democrático, eu estava ouvindo um dos deputados mais votados, uma das esperanças das jovens esquerdas brasileiras, falando, etc. e tal, e essa esperança de um pensamento de esquerda brasileiro colocou o seguinte: todos os regimes políticos brasileiros se caracterizam pela institucionalização da repressão social, e essa repressão, no passado, se dera contra o índio e contra o negro, e no presente se dava contra a mulher e os pobres. Bom, eu me inscrevi, evidentemente, para fazer certas perguntas ao deputado. Então perguntei pro tal deputado como ele explicava que no dia 7 de julho daquele mesmo ano de 1978 nós, os negros, estivéssemos reunidos nas escadarias do Theatro Municipal de São Paulo fazendo um ato público contra a discriminação racial, e por que determinados setores da sociedade brasileira estavam aí brigando em função das leis que o governo pretendia impingir ao índio, no sentido de jogá-lo na mesma situação que jogou a nós negros com o 13 de maio. A população negra é imensa, ela constitui a maioria, sim, no sentido de que os descendentes de africanos no Brasil constituem a maioria da população. Não é uma questão de cor não, é uma questão de ascendência mesmo. Nós constituímos a maioria da população. No entanto, ninguém levantava a questão do negro. Claro, nos debates, no que saiu nos jornais, silêncio total e absoluto sobre as denúncias que fizemos nos diversos painéis do encontro. Parece haver um modismo então com relação ao operariado, o que eu acho válido, mas nós temos que verificar uma coisa: que esse operariado brasileiro ainda é uma classe minoritária, porque, dentro desse sistema em que nós vivemos, nós sabemos que existe uma massa marginal crescente que nem chegou à categoria de operário. A grande maioria da população brasileira se encontra nessa situação, e é claro que o negro está aí na medida em que ele está na base da chamada pirâmide social. Nós percebemos um tipo de silêncio total e absoluto com relação às nossas reivindicações.

PATRULHAS IDEOLÓGICAS: Pelo que você está colocando parece que o pensamento de esquerda no Brasil, agora, não estaria conseguindo se articular com as reivindicações e lutas de, por exemplo, minorias culturais como negros e índios...
LÉLIA GONZALEZ: Certo. Eu gostaria de colocar uma coisa: minoria cultural a gente não é não, tá? A cultura brasileira é uma cultura negra por excelên-

cia, até o português que falamos aqui é diferente do português de Portugal. Nosso português não é português, é "pretuguês". Se a gente levar em consideração, por exemplo, a atuação da mulher negra, a chamada "mãe preta", que o branco quer adotar como exemplo do negro integrado, que aceitou a democracia etc. e tal, ela, na realidade, tem um papel importantíssimo como sujeito suposto saber nas bases mesmo da formação da cultura brasileira, na medida em que ela passa, ao aleitar as crianças brancas e ao falar o seu português (com todo um acento de quimbundo, de ambundo, enfim, das línguas africanas), é ela que vai passar pro brasileiro, de um modo geral, esse tipo de pronúncia, um modo de ser, de sentir e de pensar.

PATRULHAS IDEOLÓGICAS: A própria colocação dessas coisas em termos de minoria já dá uma dica de como elas são pensadas.
LÉLIA GONZALEZ: Não há dúvida... As esquerdas atuais têm minimizado tranquilamente as nossas reivindicações, embora nós (nós somos teimosos, estamos aí na luta, é lógico)... Por exemplo, a questão da anistia, que é uma questão que mobilizou, a nível urbano, os grandes centros brasileiros. Nós participamos do movimento de anistia, estávamos aí nas passeatas com nossas faixas, Movimento Negro Unificado. Claro que a nossa fala foi devidamente censurada na hora de chegar e colocar as nossas reflexões, as nossas chamadas de atenção...

PATRULHAS IDEOLÓGICAS: O que você chama de censuradas?
LÉLIA GONZALEZ: Censuradas pelo seguinte: por exemplo, na hora de ler a moção do apoio do movimento negro, só leram o que interessava ao discurso geral. Agora, a questão específica não foi colocada. E qual é a questão específica? A imagem do negro que é passada, a repressão policial em cima do negro é uma das coisas mais terríveis... não há muita diferença entre Brasil e África do Sul. Na África do Sul nós temos um apartheid legalizado etc., e aqui nós temos um apartheid social que não precisa legalizar; o sistema racial brasileiro, a discriminação racial brasileira é uma das mais incríveis que eu já vi.

PATRULHAS IDEOLÓGICAS: Funciona perfeitamente.
LÉLIA GONZALEZ: O pessoal aqui diz: "Não existe racismo no Brasil", e o povo complementa da seguinte maneira: "Porque o negro se põe no seu

lugar". Além de uma discriminação, uma divisão racial do trabalho que a gente percebe tranquilamente, há uma divisão racial do espaço também. Aí nós vamos perceber o seguinte: que a atuação da polícia, da repressão policial, ela é típica... Então veja: no nosso caso, quando eu falava de semelhança com a África do Sul, a polícia brasileira ataca as favelas, invade as casas das pessoas, rouba os objetos das famílias e, vejam, a questão do desemprego, da própria crise econômica brasileira, como ela é articulada com o racismo... Nós tivemos o caso do Aézio.* Isso pra nós é secular, é secular essa história. É preso, é torturado, muitas vezes é obrigado a confessar crimes que ele nem cometeu, isso quando não é simplesmente liquidado... Retomando a questão da anistia: no momento em que o pessoal do movimento negro de São Paulo colocou, lá no Congresso, o problema do negro que reage individualmente a um estado de coisas que aí está, num tipo de revolta que se dá a nível muito mais do emocional... Daí a existência do nosso movimento no sentido de articular isso com uma reivindicação organizada e com um tipo de discurso político já articulado para denunciar esse estado de coisas.

PATRULHAS IDEOLÓGICAS: Se existe um discurso branco de direita que tradicionalmente segregou o negro do ponto de vista institucional e pedagógico e você diz que a esquerda, negando o movimento de vocês, está fazendo o jogo do poder, então que espaço resta para vocês atuarem politicamente? E qual a capacidade real de mobilização ou de articulação de um outro discurso que você vê para o movimento negro?
LÉLIA GONZALEZ: Aí a gente cai diretamente na questão do eurocentrismo; se percebe que a sociedade brasileira como um todo é uma sociedade culturalmente alienada, culturalmente colonizada, na medida em que todos os valores de um pensamento, de uma arte, enfim, de tudo que vem da Europa, do mundo ocidental, é o grande barato. E é por aí que dá pra gente entender, inclusive, a impostação do próprio discurso da esquerda, que é um discurso que se articula dentro dos valores de uma civilização ocidental; ora, o nosso propósito, o nosso objetivo — o que é uma dureza — é exatamente tentar subverter a ordem desse discurso, no sentido do povo mesmo.

---

* Sobre Aézio, ver nota p. 85.

PATRULHAS IDEOLÓGICAS: Por exemplo: no caso dos países africanos como Moçambique, toda a política foi encaminhada no sentido de preservar os valores culturais do negro, que eram recalcados. Porém, a articulação é marxista e visa mudar uma estrutura capitalista de colonização de uma maneira que é claramente ocidental. Como você vê isso?

LÉLIA GONZALEZ: É ocidental sim... A gente não pode negar evidentemente o avanço que houve com o estabelecimento de estados socialistas negros, como é o caso de Angola, Moçambique e mesmo Cuba e Guiné-Bissau. Eu não estou muito segura, hoje, de que realmente a orientação de Moçambique seja a mesma de quando o Zé Celso fez o *25*,* em termos de manutenção dos valores culturais... Agora, o que eu estou querendo colocar é o seguinte: me parece que a gente tem que ver a questão, nós, do terceiro mundo, os chamados povos de cor... temos que ver o seguinte: é que nos parece que os discursos mais avançados, mais progressistas do Ocidente, com relação a nós, não chegam perto, não conseguem tocar uma outra forma discursiva que caracterizou a resistência desses povos.

PATRULHAS IDEOLÓGICAS: Levando um pouquinho mais longe, no caso do Brasil, esse discurso de resistência cultural não tem que estar articulado com uma ação política mais concreta, ao invés de se isolar?

LÉLIA GONZALEZ: Veja, o movimento como um todo não está isolado não, o movimento está ligado aos setores oprimidos dentro da sociedade, e ele reivindica, grita e denuncia em função desses setores também. Agora, o que acontece é o seguinte: o discurso que se diz representante desses setores não absorve... A grande verdade é essa! A gente cai na temática cultural porque...

PATRULHAS IDEOLÓGICAS: O grande raciocínio sobre isso ainda é Gilberto Freyre...

LÉLIA GONZALEZ: Claro. Nesse sentido, em termos da questão racial e cultural, a esquerda brasileira não difere da direita não. Eu não vejo grandes diferenças... acaba caindo no mesmo discurso de Gilberto Freyre... de mata-raça...

---

* Gonzalez se refere ao filme *25*, realizado por José Celso Martinez Correa e Celso Luccas em 1975. (N. O.)

PATRULHAS IDEOLÓGICAS: Será que essa dificuldade de a esquerda incorporar esse discurso negro não é o mesmo tipo de dificuldade de ela incorporar os traços da contracultura?
LÉLIA GONZALEZ: Não há dúvida...

PATRULHAS IDEOLÓGICAS: E o Movimento Black Rio?
LÉLIA GONZALEZ: Numa época, eu mesma achei que o Black Rio era uma alienação. Eu estava dentro de um discurso de esquerda, não é? Então eu pensava que o Black Rio era uma alienação... esses crioulos querendo imitar, aqui, os crioulos americanos. Aí, depois, você começa a analisar mais profundamente e vai verificar o seguinte: no momento em que essa mocidade toda, esses jovens todos são alijados, por exemplo, das próprias escolas de samba, que foram invadidas por uma classe média branca, que foram recuperadas pelo sistema em termos de indústria turística, e não encontram mais um eco dentro da escola de samba... E tem mais: o crioulo tem isso mesmo, é uma questão cultural... é ouvido, é a transação da música, a transação do som. Veja, o chamado Movimento Black Rio, Black São Paulo, Black Porto Alegre, ele pintou a partir de ouvir música, de sentir o ritmo. É claro que o sistema capitalista tenta aproveitar esses crioulos, vender discos e esses negócios todos. Agora, o que me parece, em termos de Movimento Black, é que... Veja, as esquerdas caíram em cima dizendo que era uma coisa alienada... Agora, o fenômeno, em si mesmo, me parece uma busca dessa identidade perdida a nível das escolas de samba que eles tentam recuperar.

PATRULHAS IDEOLÓGICAS: E o caso Gilberto Gil?
LÉLIA GONZALEZ: O Gil vai ser o cara que, como todo crioulo que toma um pouquinho de consciência, fica perplexo. A verdade é essa. Eu digo isso aos meus alunos negros. A gente, quando chega na universidade, é um bando de perplexos. Porque é tanta coisa em cima, ao mesmo tempo é um discurso que tenta te cortar. Cortar o teu pé. Puxar o tapete.

No caso do Gil, o que eu percebo nele é exatamente aquela do negro que está com uma visão universal da questão e que evidentemente não pode se encaixar, se enquadrar, dentro dos limites de um discurso de esquerda e nem tampouco da direita, óbvio. O que a gente vai perceber é exatamente isso... É um cara que incomoda, mas que incomoda *mesmo*, muita gente. Porque o Gil está nos interstícios... aquele jogo de cintura que ele tem e que o pessoal pensa que só existe em roda de samba... Não, jogo de cintura a nível de cuca é o que ele tem mesmo. Então ele vai nos interstícios e vai deixando o recado dele.

PATRULHAS IDEOLÓGICAS: E o Gil como um dos pratos favoritos dos "patrulhas"?
LÉLIA GONZALEZ: Claro que um discurso que não esteja dentro das categorias ou, melhor dizendo, das noções nomeadas por esses patrulheiros como noções políticas vai ser totalmente combatido e chamado de alienante, pois não se enquadra dentro dos objetivos deles. O caso do Gil é o caso de um discurso profundamente político, meu nego, é uma grande política. É um discurso que denuncia a partir do lugar simbólico, e não do imaginário, a grande verdade é essa. Denuncia essas limitações, esse fechamento do discurso das patrulhas ideológicas. Então, a meu ver, é um discurso com muita profundidade política e que a gente nem está sacando ainda... E o artista mesmo é isso. O artista mesmo, pra valer, é o cara que se coloca fora. Então já está denunciando mil coisas.

PATRULHAS IDEOLÓGICAS: Aí eu queria ligar isso com a questão da contracultura de que a gente falou momentos atrás. Eu falo em contracultura no sentido de uma consciência emergente, que era comportamental numa certa época e que se refletiu na atuação cultural... poesia, cinema e teatro. E que estaria próxima do movimento negro no sentido de uma coisa que não cabe bem...
LÉLIA GONZALEZ: Veja você o seguinte: em termos de movimento negro, o Gil, o Caetano, esse pessoal todo dá uma puta força pra gente... eles estão sacando, estão percebendo. Por exemplo, no ano passado, no Parque Lage, ele segurou a barra de um show onde vários artistas participaram mas outros se negaram... Vejam vocês, a nível do último show do movimento negro, realizado no final de julho, e que foi um fracasso. Por quê? Se a gente analisar politicamente, o fracasso do show do movimento negro se explica porque, de repente, nesse um ano de atuação, a gente conseguiu abrir um espaço e começou a incomodar. Convidamos muitos cantores para participar e o pessoal furou tranquilamente. Houve momentos, assim, terríveis. Por exemplo, o cara que foi transar o som, ele saiu do escritório e sumiu, não chegou... E o show foi se dando sem som. Dos grandes nomes convidados, ninguém apareceu. Porque ninguém quis se

comprometer. Muitos por medo. Aquele medo que caracteriza, inclusive, a nossa comunidade. A gente sabe disso, que há uma repressão violenta, que o pessoal tem medo, realmente. De outro lado, tinha muita gente comprometida com os discursos de esquerda, não podia dar força pro movimento. Então o nosso show foi uma coisa terrível, uma coisa tétrica. E o público saiu puto. A maioria do público negro.

PATRULHAS IDEOLÓGICAS: Esse foi o show da ABI?
LÉLIA GONZALEZ: Foi o show da ABI... A nível de um discurso político, o movimento negro está incomodando muita gente. Não há dúvida. Exatamente por quê? Porque a gente está tentando justamente colocar... Veja, não quero dizer que a gente não reproduza elementos de um discurso de esquerda. Reproduzimos, sim, não há dúvida. Mas a gente coloca a especificidade da questão racial. E a esquerda não quer aceitar isso. E veja, no nível da produção de um outro lugar simbólico, que é o caso do Gil, também incomoda. Parece-me que esses aspectos a gente tem que observar.

PATRULHAS IDEOLÓGICAS: O movimento negro de esquerda, em São Paulo, parece estar muito acirrado... talvez pela própria condição do negro paulista... chegando a ser mediador entre a Bahia e o Rio de Janeiro...
LÉLIA GONZALEZ: Não, ao contrário. O Rio de Janeiro é que é o mediador entre Bahia e São Paulo. Porque, por exemplo, o negro paulista tem uma puta consciência política. Ele já leu Marx, Gramsci, já leu esse pessoal todo. Discutem, fazem, acontecem etc. e tal. Mas de repente você pergunta: você sabe o que é iorubá? Você sabe o que é axé? Eu me lembro que estava discutindo com os companheiros de São Paulo e perguntei o que era ijexá. O que é uma categoria importante para a gente saber mil coisas, não só no Brasil como na América inteira. Os companheiros não sabiam o que era ijexá. Ah, não sabem? Então vai aprender, que não sou eu que vou ensinar não, cara! Vai quebrar a cara. De certa forma, me parece que há um esforço, por exemplo, do pessoal do movimento de fazer essa síntese entre resistência cultural e denúncia política... O Movimento Unificado significa exatamente isso.

Então, o caso de São Paulo me lembra muito os negros americanos: puta consciência política, discurso político ocidental... dialetiza, faz, acontece etc. Mas falta base cultural. A base cultural está tão reprimida...

Na Bahia se tem muito mais consciência cultural (que é um negócio que sai pelos poros) do que consciência política... Me parece que no Rio, ao lado de uma consciência política (que existe), há também uma transação a nível cultural. A gente está no samba, na macumba; a gente está transando todas. E tem mais é que transar. O Rio, em um determinado momento, é o pessoal mais avançado do movimento, apresenta estrutura de organização e perspectiva maior que São Paulo ou Salvador.

PATRULHAS IDEOLÓGICAS: Quem é o militante negro?
LÉLIA GONZALEZ: O que me parece é o seguinte: vamos encontrar elementos negros de classe média, que já ultrapassaram a própria condição de classe média e se veem sobretudo como negros. Nesse caso se situa o Movimento Negro Unificado. Tem pessoas com formação universitária e outras que moram em favela ou em subúrbios perdidos, tem cara que é trocador de ônibus, tem cara desempregado, evidente. Inclusive, nós sabemos que a grande resposta pras nossas indagações está na comunidade. E nós temos esses vícios, também. Isso a gente reconhece tranquilamente. Nós temos os vícios desse discurso do dominador internalizados. Sobretudo a nível do pessoal mais politizado que veio do movimento estudantil etc. Trazem esses vícios de linguagem, ideológicos. Então, de repente, quando topam com a comunidade não entendem nada e querem impor esses valores. Veja, por exemplo, a noção de democracia. Se você chegar num candomblé, onde você, pra falar com a mãe de santo, tem que botar o joelho no chão e beijar a mão dela e pedir licença, você vai falar em democracia!? Dança tudo. O que a gente tem que ver são essas coisas, esses valores que estão aí.

PATRULHAS IDEOLÓGICAS: Aproveitando isso que você está falando, como você vê a aproximação Brasil-África?
LÉLIA GONZALEZ: A África é um barato muito diferente do que a gente imagina, diferente, principalmente, do que os negros americanos imaginam. Uma das coisas que eu chegava dando porrada em cima deles é isso: a África de vocês é sonho, não existe. Nós aqui, no Brasil, temos uma África conosco, no nosso cotidiano. Nos nossos sambas, na estrutura de um candomblé, da macumba... Você vê, por exemplo, a oposição da mulher na família negra; é um negócio muito sério... A figura da mãe. Freud ia se fartar se ele fosse

transar esse negócio de Édipo na África, porque é uma loucura mesmo. Agora, me parece, pelo que eu vi da África, pelo que eu vi dos Estados Unidos, pela transação que eu tive com o pessoal do Caribe... me parece que o Brasil tem um papel, assim, importantíssimo nessa síntese, de uma visão africana e de uma visão da diáspora. Porque, veja, nós internalizamos discursos diferentes, do índio e do branco. Não há dúvida que internalizamos. E a coisa que vai sair é uma *outra coisa*. Porque você não pode negar essa dinâmica dos contatos culturais, das trocas etc. e tal. Parece-me que nós poderemos levar inclusive para a África um tipo de resposta que os africanos ainda não encontraram.

Essa resistência cultural que o negro apresenta onde quer que ele esteja a gente só vai entender com um conhecimento muito profundo, muito sério, das instituições das diferentes culturas africanas.

A lei facilita a violência

AUÊ: Qual foi o motivo desse congresso na Dinamarca?
LÉLIA GONZALEZ: Foi para fazer um balanço das atividades da década da mulher, que se iniciou em 1975.

AUÊ: A que conclusão vocês chegaram?
LÉLIA GONZALEZ: Concluímos que não houve grandes avanços. Discutimos temas como o desenvolvimento, a paz e a igualdade, mas percebemos que todo o terreno conquistado foi em consequência de uma iniciativa das mulheres, não por parte governamental. Somos nós, mulheres, que precisamos tomar uma iniciativa para mudar a situação.

AUÊ: Como começou a conscientização da sua luta feminista?
LÉLIA GONZALEZ: Através do casamento. Sou negra e casei com um homem branco. A mulher negra sofre uma discriminação tríplice: social, racial e sexual. A questão racial está ligada diretamente ao feminismo, e a mulher negra é o setor mais oprimido da sociedade. Basta lembrar que a distância salarial entre brancos e negros é maior do que entre homens e mulheres. Quando, em anúncios de jornais, surgem expressões tais como "boa aparência", o significado é que não se apresentem candidatas negras.

AUÊ: Qual a importância que você vê em toda essa luta?
LÉLIA GONZALEZ: A militância é importante para despertar a conscientização e permitir a crítica. Na maioria das vezes, tanto a mulher quanto o negro internalizam a própria desigualdade. Os casos de violência para com a mulher e os negros ocorrem em consequência de um racismo e machismo desenfreados. E a lei facilita essa violência criando artifícios para inocentar o opressor.

auê: Além de professora, qual outro tipo de trabalho você desenvolve?
lélia gonzalez: Sou membro da Comissão Executiva Nacional do Movimento Negro Unificado. Desenvolvo um trabalho prático como militante negra. Tenho escrito também muitos trabalhos publicados em outros países e que pretendo reunir num livro.

auê: Além do livro, que outros projetos tem em mente?
lélia gonzalez: Fui convidada para pesquisar por um ano sobre mulher negra nos Estados Unidos e vou para lá.

auê: O que é ser feminista?
lélia gonzalez: É tomar consciência da sua condição de mulher.

Entrevista ao jornal *Mulherio*: Lélia Gonzalez, candidata a deputada federal pelo PT/RJ

MULHERIO: Lélia, o que você acha do slogan "mulher vota em mulher"?
LÉLIA GONZALEZ: Esse papo é tão furado quanto aquele de "negro vota em negro", e ambos se diferenciam daquele que afirma que "trabalhador vota em trabalhador". Enquanto esse último tem sua coerência apoiada justamente na denúncia da exploração da classe trabalhadora pela classe dominante, os outros dois escamoteiam essa questão. Afinal, existem mulheres e negros que pertencem e/ou fazem o jogo da classe dominante, buscando perpetuar os privilégios dela e, ao mesmo tempo, participar desses privilégios. Tem muita mulher por aí que, de comum com as lutas das feministas, só tem mesmo uma coisa: o sexo feminino. No restante, elas são tanto ou mais masculinas do que muitos homens que a gente conhece.

Nas eleições de 78, o Movimento Negro Unificado, ao qual pertenço, criou a categoria do "voto racial", que consistia no apoio aos candidatos que levassem, na sua campanha e no Parlamento, as reivindicações da comunidade negra. Esses candidatos não eram necessariamente negros.

Nas eleições de 82 nós também teremos o "voto feminista", o apoio às candidatas saídas do nosso movimento e aos candidatos que se comprometem com as lutas de libertação da mulher. Mas temos que estar atentas, pois há muito candidato (e candidata não feminista também) por aí que, por mera demagogia eleitoreira, se diz defensor dos direitos das "minorias".

Digo isso porque ainda amargamos a decepção sofrida com os candidatos que o Movimento Negro Unificado apoiou em 78: tanto os negros quanto os brancos que elegemos nada fizeram pela comunidade negra. E todos eram muito progressistas.

MULHERIO: Qual a sua posição em relação ao aborto?

LÉLIA GONZALEZ: Sou a favor da legalização porque a simples descriminalização não resolve o problema das mulheres de baixa renda, que continuarão sem assistência médica. A legalização é mais coerente com a nossa proposta, embora a descriminalização já seja um passo. No entanto, o Estado deve assumir a tarefa de conscientizar as mulheres sobre os métodos contraceptivos, fornecendo-lhes assistência médica gratuita e de alto nível, inclusive no caso do aborto.

O racismo no Brasil é profundamente disfarçado

THE BRASILIANS: Há ou não há racismo no nosso país?
LÉLIA GONZALEZ: O racismo no Brasil é profundamente disfarçado. Na divisão racial e sexual do trabalho a mulher negra sofre as duas discriminações. Vejam bem, as duas, e isso é conduzido historicamente, de forma muito sutil, disfarçadamente... assim tem sido... no campo, nos trabalhos muito importantes e fundamentais da economia nacional você encontra a mulher como um todo — e a negra — sendo discriminada na escala social. Na vida urbana lá está a mulher doméstica — e a negra — no segundo ou terceiro escalão dessa vida. A mulher negra trabalha sem garantias, não tem carteira assinada — uma conquista já aceita pela nossa legislação trabalhista —, não tem seus direitos de trabalhadora assegurados.

THE BRASILIANS: Nesses anos todos devem ter ocorrido mudanças; são básicas?
LÉLIA GONZALEZ: A população negra brasileira se encontra numa situação que não é muito diferente de há noventa anos atrás, pois as formas de dominação e exploração não acabaram com a falsa abolição, mas simplesmente se modificaram. Continuamos marginalizados na sociedade brasileira que nos discrimina, esmaga e empurra ao desemprego, subemprego, à marginalidade, negando-nos o direito à educação, à saúde e a moradia decente.

THE BRASILIANS: Desemprego, subemprego, marginalização, tudo isso atinge o brasileiro em geral.
LÉLIA GONZALEZ: É verdade que a crise espreme a todos. Só que com crise ou sem crise o negro está sempre numa escala inferior, padece dos males maiores, carrega uma carga pesada.

THE BRASILIANS: A luta do negro tem forma organizada, estruturada, ou continua meio na base do folclórico/musical/artístico?
LÉLIA GONZALEZ: A luta do negro brasileiro vem desde que começou a escravidão. Não é de agora. Há mais de quatrocentos anos, quando se iniciava o processo de escravização no Brasil, começava também a reação dos negros. Os quilombos dos Palmares, formados em 1595, foram os maiores e os que mais tempo duraram, chegando a abrigar mais de 25 mil quilombolas — negros na sua maioria —, mas também brancos e índios, que durante mais de cem anos estiveram em luta permanente pela sua liberdade e pela libertação de todos os oprimidos. O mais fiel a esses princípios de luta foi Zumbi, que não permitiu em nenhum momento qualquer tipo de acordo que significasse a continuidade da escravidão, que golpeasse as conquistas alcançadas pelos quilombolas, que limitasse a independência de Palmares. No dia 20 de novembro de 1695, Zumbi foi assassinado, juntamente com vinte companheiros, pelo bandeirante Domingos Jorge Velho, que é apresentado como "herói" pela "história", mas na verdade foi um assassino de índios e negros. Continuando o processo de libertação do povo negro brasileiro, foi criado o Movimento Negro Unificado Contra a Discriminação Racial, em 1978. Hoje esse movimento chega a Minas Gerais, Bahia, Espírito Santo, além do Rio de Janeiro e São Paulo, e tem como objetivo básico a denúncia permanente de todo ato de discriminação racial, mobilizando e organizando a população negra. O dia 20 de novembro — morte de Zumbi — é o grande símbolo de nossa luta de libertação, e o chamamos de Dia Nacional da Consciência Negra. Com apoio da Candido Mendes, universidade do Rio de Janeiro, conseguimos levar a cabo o Primeiro Encontro Nacional das Entidades Afro-Brasileiras com delegações do Centro-Oeste, Norte e Nordeste. E reivindicamos, entre outros pontos básicos, uma justa, democrática e social divisão do trabalho (sem racismo), uma paridade na renda do trabalhador negro e da mulher negra com os demais segmentos da nossa sociedade e o fim do racismo e dos milhares de discriminações existentes.

THE BRASILIANS: Qual a população negra no Brasil e onde ela se concentra?
LÉLIA GONZALEZ: O Brasil é um país culturalmente negro. Quem afirmar no Brasil — quase todo — que não tem negro entre seus antepassados, ou que

não tem sangue de negro, está equivocado, ou desconhece a nossa história e o nosso crescimento como nação e como gente.

Estimamos a população negra no Brasil entre 40% e 50% da população divulgada pelas estatísticas oficiais; se colocarmos numa ótica mais correta, real, verificamos que o mestiço, o homem e a mulher — aqueles que nós chamamos de cor brasileira —, pode perfeitamente aumentar aquele total. O negro está localizado, em número maior, na Bahia, Maranhão, Pernambuco, Sergipe, Minas e Rio de Janeiro.

THE BRASILIANS: E o *Lugar de negro*, o livro que você escreveu com Carlos Hasenbalg?
LÉLIA GONZALEZ: Estou satisfeita com os resultados. Nessa minha viagem, ele foi lançado nos Estados Unidos. Em *Lugar de negro* abordamos o racismo no Brasil de duas dimensões — quase nunca examinadas em obras desse gênero —, combinamos o enfoque histórico com o estatístico da "democracia racial", um mito, evidentemente, e o surgimento dos movimentos de consciência negra. Aproveito para mencionar, nessa ocasião, o jornal *Mulherio*, publicado em São Paulo e que tem dado uma grande contribuição ao movimento da mulher em geral.

THE BRASILIANS: Sabemos que tanto aqui como no Brasil o negro lidera as manifestações artísticas, criando movimentos e marcando a presença de uma cultura forte, histórica. Dos artistas negros, quais os que têm uma atuação permanente aberta?
LÉLIA GONZALEZ: São muitos e muitos outros estão chegando, se abrindo, participando. A consciência negra cresce e se amplia pelo Brasil todo. Pela primeira vez temos no Congresso Nacional representantes da população negra de forma consciente, e não fazendo apenas política regional: Abdias do Nascimento e Agnaldo Timóteo. Já temos um negro na Assembleia Legislativa do Rio e Benedita da Silva, uma mulher negra da favela, que se elegeu pelo PT vereadora do Rio de Janeiro. Eu também sou suplente da Câmara Federal, e nas próximas eleições a representação negra será triplicada em todos os estados onde o nosso movimento mobiliza a consciência negra.

No campo artístico temos excelentes companheiros, temos uma juventude participante... Não poderia deixar de citar aqui o Martinho da Vila, que vem tendo uma posição permanente, coerente, séria, em todos os aspectos. Sua própria obra musical é toda voltada para dar um sentido à nossa luta, que engloba todos os desprotegidos da nossa sociedade. A música é o grande alimento das massas brasileiras, e portanto ela deve transmitir, além de alegorias, sonhos e esperanças, mensagens da nossa vida diária, da nossa luta. Também devo falar de Zezé Motta, grande companheira, cantora, artista e que está fazendo o papel de Dandara no filme *Quilombo*. Zezé é uma figura de destaque no nosso movimento. Tony Tornado, que tem dedicado grande parte do seu tempo de profissional à causa do artista e do profissional negro...

THE BRASILIANS: E que tal essa ideia: O *The Brasilians* dará todo apoio à Primeira Semana Negra do Brasil nos Estados Unidos. Digamos em maio, por volta do 13 de maio, data símbolo. Conferências, filmes, podemos até lançar na ocasião o filme do Cacá Diegues — *Quilombo* —, o Martinho da Vila, a Zezé Motta etc. Podemos, além do musical, artístico, mostrar as conquistas do movimento negro brasileiro aqui, num país que tem uma história e uma população negra das mais importantes do mundo. Concorda?
LÉLIA GONZALEZ: Claro. Achamos a ideia formidável. E a levarei para o movimento, para as cátedras das universidades, para os nossos mais expressivos representantes. Precisamos de todo apoio, pois seria uma Semana do Negro, mas estaríamos, no seu conjunto, promovendo a cultura, o idioma (o português falado no Brasil é o mais africanizado do mundo), a música e estaríamos criando um laço de união entre as duas mais importantes populações negras do continente. Fico sensibilizada por ver essa demonstração espontânea de solidariedade.

Mito feminino na revolução malê

AFROBRASIL: Qual foi sua participação nas comemorações baianas dos 150 anos da Revolta dos Malês?
LÉLIA GONZALEZ: Participei desse evento dando depoimentos e uma palestra sobre a resistência da mulher escrava, articulando sua participação na Revolta dos Malês. E revelando que a existência de Luísa Mahin é falsa. Na realidade ela nunca existiu, é apenas uma criação de Pedro Calmon. Essa afirmação é baseada em pesquisas e mais pesquisas onde não se tem nenhuma referência sobre a pessoa de Luísa Mahin.

AFROBRASIL: O que você acha do desempenho dos movimentos negros baianos que lutam contra o racismo e suas práticas, e que de outro lado procuram divulgar a cultura negra?
LÉLIA GONZALEZ: Pelo que tenho visto, e o contato que mantenho com o pessoal dos blocos, do Movimento Negro Unificado, dos grupos culturais e diversas entidades negras, percebo que há uma atividade e um sentido de luta contra o racismo muito fortes. Outro aspecto de importância além da luta contra o racismo, que também é uma luta contra o colonialismo, são esses eventos como a Noite da Beleza Negra, que o Ilê promoveu, por sinal eu já fui jurada em 1982. É uma tentativa de descolonização cultural, de valorização da estética negra, porque tudo isso conscientiza as pessoas na luta contra o racismo. O trabalho político que o pessoal do MNU vem fazendo deve ser lembrado, é de extrema importância. Agora se tem maior organização, você vê que o encontro de que participei nesses dias foi realizado na Sociedade Protetora dos Desvalidos, promovido e supervisionado por entidades negras, com a presença de historiadores de grande importância, como João Reis e outros. Isso mostra que houve um amadurecimento muito grande na luta, hoje é algo mais organizado e pensado. A candidatura de Edvaldo Brito para

governador é outro fato marcante que temos de estimular, porque ele é tradição na Bahia e chegou a vez de mostrar suas qualidades.

AFROBRASIL: Como você vê o papel da mulher negra na sociedade brasileira?
LÉLIA GONZALEZ: A mulher negra é responsável pela formação de um inconsciente cultural negro brasileiro. Ela passou os valores culturais negros; a cultura brasileira é eminentemente negra, esse foi seu principal papel desde o início. Além disso temos o papel de sustentação, que ela vem ocupando há quinhentos anos. Você vê que a negra marca sua presença em todos os momentos importantes na luta, ao lado de seus companheiros, como é o caso da Revolta dos Malês, elas estavam todas lá, participando. Figuras como Tereza, Edu e outras mais.

AFROBRASIL: E no mercado de trabalho, como fica a negra?
LÉLIA GONZALEZ: A mulher negra é a grande discriminada; vemos nos dados no Censo de 1980 que, em nível de renda, qualidade de trabalho e outros aspectos, a negra ocupa o último lugar. Ela não acompanhou a modernização pela qual o Brasil passou nos últimos vinte anos, uma modernização conservadora e excludente. A grande excluída dessa modernização foi a massa trabalhadora, onde se concentra a maioria dos negros. Ela não recebeu benefícios, só recebeu mais racismo. Em comparação com a mulher branca, podemos dizer que esta recebeu mais vantagens, e para a negra só restaram injustiças. Entretanto, a negra luta por seus direitos, está à frente de movimentos, as comunidades carentes contam com sua garra para a melhoria. Em termos de Salvador, o Calabar é um ótimo exemplo. Nós passamos para a sociedade a capacidade de luta e resistência que temos contra duas ideologias, o racismo e o sexismo.

AFROBRASIL: E no Brasil, onde se concentra a mulher negra?
LÉLIA GONZALEZ: Se concentra nas profissões manuais, de menor prestígio e remuneração. Trabalhadora rural, indústria de extração etc. Muitas vezes nem salário tem. Nas zonas urbanas está concentrada na prestação de serviços domésticos. Nas profissões manuais estão concentrados 83% da mão de obra negra. Daí você tem uma ideia de como andam nossas companheiras.

AFROBRASIL: A exploração da mulher negra, enquanto objeto sexual, resume-se apenas na figura da mulata ou vai além disso?
LÉLIA GONZALEZ: A mulata foi criada pela ideologia de embranquecimento. Nós sempre somos vistas como corpos: ou como um corpo que trabalha, que é burro de carga, que trabalha e ganha pouco, ou como um corpo explorado sexualmente, que é o caso da mulata, símbolo dessa ideologia. Quantas empregadas domésticas não sofrem investidas de seus patrões etc. A mulata ficou como símbolo dessa exploração, mas não é só em sua figura que a mulher negra é explorada. Tanto a empregada como a mulata são expressões modernas daquela que no passado foi chamada de mucama. Temos vários depoimentos de empregadas e outras mulheres negras de diversificadas funções sociais que relatam as investidas que sofrem de patrões ou superiores de trabalho.

AFROBRASIL: Você, que desenvolveu um excelente trabalho no MNU, o que acha do papel da negra nesses movimentos? Ela tem ajudado de alguma maneira?
LÉLIA GONZALEZ: Tem sim, tranquilamente. Você vê que temos figuras como Luiza (MNU-BA), Zelita e outras companheiras que trabalham firme. Nós temos efetivamente um papel decisivo. Se percorrermos várias capitais brasileiras, encontraremos mulheres de garra e participação atuando no MNU. E em outras entidades também, como Abigail Rocha, que é presidente do IBCN na Bahia, temos Cristina no Olodum. Um dado interessante é que no Brasil temos hoje em dia três grupos de mulheres negras organizadas: o da Bahia, com as mulheres do MNU, o Nzinga, do Rio de Janeiro, e o Coletivo de Mulheres Negras, de São Paulo. Todos esses grupos são do MNU, e não do movimento de mulheres; nós crescemos enquanto militantes do movimento negro. A consciência racial em nós despertou primeiro do que a consciência sexual. Lutamos com os homens contra a opressão, que nos é comum.

AFROBRASIL: Você se candidatou a deputada federal?
LÉLIA GONZALEZ: Sim. Me candidatei a deputada federal pelo PT e sou a primeira suplente pela bancada federal do PT do Rio de Janeiro. Fui a segunda mais votada. Dancei por oitocentos votos, mas foi uma experiência interessante.

AFROBRASIL: E sobre seu novo trabalho, *Homossexualismo e candomblé na Baixada Fluminense?**

LÉLIA GONZALEZ: É a minha mais nova pesquisa, estou sendo ajudada pela Anpocs (Associação Nacional de Pós-Graduação e Pesquisa em Ciências Sociais). O que queremos mostrar nesse trabalho é a relação íntima entre homossexualismo e candomblé, que são discriminados. O candomblé deve possuir algo de positivo que atrai a comunidade pobre de homossexuais. Também tenta se mostrar que a nível cultural o trabalhador pobre tem uma nova opção sexual, de religião, um modo de ser. Dessa forma, fica constatada a necessidade de se liquidar com certos preconceitos de religião e de sexo. Temos que denunciar as várias discriminações existentes, até mesmo a discriminação cultural. Nesse sentido o candomblé perpassa tudo isso, pois é visto como religião inferior, de um grupo inferior, temos que acabar com isso. Os homossexuais cariocas absorvem muitos termos de candomblé e criam seu próprio código. A luta é contra a discriminação étnica, sexual e outras. Em 1985 desenvolveremos outra pesquisa também, sobre as lutas contemporâneas das mulheres negras, não só a nível urbano como rural. Por exemplo, nas frentes de trabalho em Minas Gerais. No meio urbano, as mulheres do Calabar. Vamos transformar isso em publicações de caráter didático.

---

* Se hoje em desuso, "homossexualismo" se trata de termo êmico largamente utilizado pelos intelectuais e ativistas, inclusive LGBT, nas décadas de 1970 e 1980. (N. O.)

A democracia racial: Uma militância

ENQUANTO A QUESTÃO NEGRA não for assumida pela sociedade brasileira como um todo, negros e brancos, e juntos refletirmos, avaliarmos, desenvolvermos uma práxis de conscientização da questão da discriminação racial neste país, vai ser muito difícil, no Brasil, se chegar ao ponto de efetivamente sermos uma democracia racial. No lastro do todo das questões que estão colocadas, o que se percebe é que estamos num país em que as classes dominantes, os donos do poder e os intelectuais a serviço dessas classes, de fato, não abrem mão. Eles não estão a fim de desenvolver um trabalho no sentido da construção de uma nacionalidade brasileira; nacionalidade esta que implicará efetivamente a incorporação da cultura negra. Quando se analisa José Bonifácio, patriarca da Independência, que luta pela abolição do tráfico negreiro, constata-se, por exemplo, que seu ideal de nação partia da perspectiva de uma nação homogênea, e a heterogeneidade, a diferença que estava tão presente, para ele era justamente o negro, a presença negra. Então não é por acaso que se vai constatar no século passado, por exemplo, esse tipo de projeto de construção de uma identidade nacional que recuperava o índio, recuperava miticamente. Os nomes da nobreza brasileira que se forma, de condes, de barões etc. a partir da Independência, de um modo geral nos remetem a nomes indígenas — nesse projeto dessa nação homogênea, atribui-se uma ancestralidade indígena, porque eles já haviam liquidado com os indígenas, todos, na costa brasileira. Já não havia ninguém para contar a história, ou alguns desses indígenas tinham sido expulsos para as regiões mais inóspitas do interior do país. E é um processo complexo a busca da legitimação de uma identidade a partir de uma ancestralidade indígena, justamente porque esse índio não está mais aí.

Nós ainda temos um grande trabalho pela frente no sentido de nos vermos como um país multiétnico, com uma diversidade de manifestações culturais e onde o lugar do negro em termos culturais é a grande fonte na qual

A democracia racial: Uma militância 311

toda uma produção artística oficial vai se inspirar. Tomando um exemplo que não é brasileiro: no rock inglês vemos qual é o solo de onde brotou esse rock, onde é que os rapazinhos brancos, por exemplo de Liverpool, como no caso dos Beatles, foram se abeberar numa música negra vinda da Jamaica. No caso brasileiro é a mesma coisa. O que se constata é que toda uma produção cultural se faz em cima da apropriação do trabalho de produção dessa cultura negra que é evidentemente marginalizada. Podemos perceber inclusive, no nível da linguagem, um tipo de classificação que domina essa ideologia dominante. Em termos de música popular temos a MPB e o samba, que formam dois conjuntos que são classificados separadamente. Música popular brasileira é uma coisa e samba já é outra, que tem outro espaço do qual o "crioléu" não pode sair. Portanto, todo um trabalho, nos mais diferentes níveis dessa realidade brasileira, tem que ser efetuado no sentido de sensibilização, de mobilização para a questão negra. No meu caso, fiz um tipo de escolha, que foi a militância de rua, participando de organizações negras, de seminários; na medida em que nós, os intelectuais negros orgânicos, somos tão poucos, realmente existe um grande leque de atividades para poder responder às exigências que nos são colocadas. E, ao mesmo tempo, existe uma militância, no nível do movimento (negro), que, a meu ver, é de uma grande importância de atuação nos meios não negros. Em nível da produção intelectual de um trabalho que desenvolvo numa universidade, uma militância que se revela extremamente gratificante inclusive, sob certos aspectos, embora muito doída porque é muito fácil você se fechar num canto e ficar discutindo internamente — isso não só em relação ao movimento negro, mas o movimento de mulheres etc. —, a grande questão é sair pra rua, ir se defrontar com o outro.

Participando do Conselho Nacional para a Defesa dos Direitos Femininos estamos novamente atuando num desafio. Nesses limites, do oficial e do marginal, nos interstícios, fica muito difícil. É evidente que com esses quinze anos de movimento negro, aqui alguns efeitos já percebemos, houve uma maturação política — estou me referindo aos meus companheiros de geração de há quinze anos atrás; e evidentemente há toda uma estratégia de trabalho que implica você estar atuando em níveis diferentes, em áreas diferentes, porque afinal de contas a sociedade brasileira mudou. A gente não pode fechar os olhos diante disso. Ela mudou, passou por um processo de transformação, o que tem se evidenciado não só em termos dos avanços, mas também dos grandes problemas de dívida, de desemprego etc., apontando para um processo de modernização da sociedade brasileira em função de uma mudança que ocorreu aí, e evidentemente a gente muda também. O importante é procurar estar atento aos processos que estão ocorrendo dentro dessa sociedade, não só em relação ao negro, ou em relação à mulher; você tem que estar atento a esse processo global e atuar no interior dele para poder efetivamente desenvolver estratégias de luta.

Em termos de movimento negro e no movimento de mulheres se fala muito em ser o sujeito da própria história; nesse sentido eu sou mais lacaniana, vamos ser os sujeitos do nosso próprio discurso. O resto vem por acréscimo. Não é fácil, só na prática é que vai se percebendo e construindo a identidade, porque o que está colocado em questão também é justamente uma identidade a ser construída, reconstruída, desconstruída, num processo dialético realmente muito rico.

Entrevista ao *Pasquim*

QUANDO SE FALA EM FEMINISMO e movimento negro o nome de Lélia Gonzalez é sempre lembrado. Sua vida é um exemplo de força de vontade, caráter e coerência. Fomos entrevistá-la no seu gostoso apartamento na ladeira de Santa Teresa, com uma vista deslumbrante do Rio, onde ela nos recebeu rodeada de livros, troféus de escola de samba (foi jurada no último desfile) e objetos de cultura negra. Esta mulher, a que a sociedade machista não conseguiu impor voto de silêncio (muito pelo contrário, é candidata às próximas eleições para a Assembleia Estadual), se mostra de corpo inteiro nesta entrevista.

MARA TERESA: Lélia, teu nome foi cogitado para o Ministério da Cultura. Eu gostaria de começar esta entrevista com você comentando esse fato.
LÉLIA GONZALEZ: Foi o seguinte: a Ruth Escobar estava trabalhando em Brasília para a formação do Conselho Nacional dos Direitos da Mulher e então ela indicou o meu nome para a pasta da Cultura por me considerar uma pessoa capacitada para o cargo. Isso inclusive gerou uma mobilização enorme, o pessoal da USP, da Unicamp, das escolas de samba, pais de santo; foi uma coisa que realmente me deixou em estado de graça, porque principalmente o pessoal de São Paulo reconheceu a minha luta, meu trabalho. Apesar de minha formação acadêmica, possuo uma grande ligação com as bases populares da sociedade brasileira. No Rio de Janeiro também houve o apoio da comunidade negra e o apoio de intelectuais, principalmente uma figura pela qual eu tenho um carinho imenso, que é um músico — Ricardo Tacuchian —, inclusive ele assinou a lista dizendo que aquele ato era uma simples questão de justiça; enfim, valeu, apesar de o Sarney não ter dado muita atenção...
JAGUAR: Prevaleceu a broa de milho.

MARA TERESA: E sobre a questão do Conselho Nacional dos Direitos da Mulher, você faz parte dele? Você foi convidada pelo presidente Sarney?
LÉLIA GONZALEZ: Não, a coisa se estruturou da seguinte maneira: houve uma série de conversações a esse respeito e a Ruth Escobar, indicada pelo presidente, pesquisou junto ao movimento de mulheres negras quem deveriam ser as indicadas, e nessa consulta dois nomes surgiram, o meu e o da Benedita; a partir daí, nós passamos a fazer parte do conselho.

MARA TERESA: E em que atividades esse conselho está trabalhando?
LÉLIA GONZALEZ: Nós temos várias áreas de atuação, vários temas que interessam à mulher, temas estes divididos em várias comissões. Há três bandeiras básicas do conselho, uma é relativa à violência, outra à Constituinte e outra ao problema das creches; embora nós tenhamos comissões de educação, cultura e outros assuntos, essas três são as fundamentais.

MARA TERESA: E sobre o caso da saída da Ruth Escobar? De que maneira ela foi encarada por vocês e por que isso ocorreu?
LÉLIA GONZALEZ: Em primeiro lugar, houve o aspecto formal da questão. O fato de ela ser candidata a deputada estadual por São Paulo a impedia de permanecer no cargo de presidente do conselho; isso inclusive vai impossibilitar muitas de serem escolhidas, porque várias de nós serão também candidatas, é o caso da Bené, é o meu caso...

MARA TERESA: Você vai ser candidata a quê?
LÉLIA GONZALEZ: Eu serei candidata a deputada estadual pelo PDT e a Rose Marie Muraro também, nós vamos fazer uma dobradinha pelo partido. Também houve uma coisa: segundo colocações da Rose, a Igreja só permitiria que ela se lançasse se ela se comprometesse com os direitos da mulher; por outro lado, o fato de termos vários candidatos negros à Constituinte nos levou a concluir que era necessário alguém na retaguarda que levasse não só a questão do negro, mas também a questão da mulher, dos homossexuais, das minorias, ou melhor, das maiorias silenciadas. Minha proposta é pela modernização da Assembleia Legislativa, maior contato com o interior do estado. Inclusive eu estou indo para o Rio Grande do Sul pra fazer uma conferência com as mulheres do PDT e o pessoal do movimento negro, também pra falar sobre

a atuação da mulher negra e ao mesmo tempo dar uma estudada em como funciona a Assembleia Legislativa do Rio Grande do Sul, porque, pelo que se sabe, é uma das melhores do Brasil.

MARA TERESA: Eu estive falando com a Tânia Carvalho, que é uma pessoa que trabalha na TV Pampa, TV Manchete, é uma grande jornalista — inclusive foi minha amiga de infância e adolescência. Ela falou uma coisa que muito me agradou e surpreendeu, ela disse que o movimento feminista, além de possuir uma boa base nos centros urbanos, também possui uma forte penetração no interior do Rio Grande do Sul. Há inclusive uma — Gerta — que irá até Brasília levar as reivindicações da mulher do campo. Houve também em Ivoti uma mobilização de duas mil mulheres no Dia Internacional da Mulher.

LÉLIA GONZALEZ: Eu soube também que, em matéria de estruturação do PDT no Sul, as mulheres trabalharam profundamente.

MARA TERESA: Uma grande militante lá é a mulher do Glênio Peres, a Lícia Peres, ela é uma batalhadora, uma grande mulher.

JAGUAR: Por que você mudou de partido?

LÉLIA GONZALEZ: Eu mudei de partido por uma razão simples. É conhecido de todos que o PT do Rio de Janeiro acabou ficando restrito a determinados setores, e que são majoritários no PT, e não realizam um trabalho efetivo na questão racial. Então, meu último sentimento em relação ao PT do Rio — eu quero frisar que só estou me referindo ao Rio de Janeiro, porque se eu estivesse em São Paulo eu não teria saído do partido — foi vê-los como uma vanguarda falando pra quatro paredes. O PDT no Rio possui um amplo respaldo popular, e dentro desse respaldo a questão racial é tratada com muito mais atenção. A razão fundamental foi essa, o próprio programa partidário. Diferentemente dos outros partidos, antes de entrar no programa propriamente dito ele declara suas prioridades, e veja que essas prioridades são a criança, o trabalhador, a mulher e o negro.

MARA TERESA: Eu gostaria de saber se o movimento feminista de São Paulo é realmente mais bem-estruturado que o do Rio.

LÉLIA GONZALEZ: Não, eu não diria assim. Na verdade, o que acontece em São Paulo é que você tem duas instituições muito importantes: de um lado um conselho de comunidade negra que foi criado pelo governo Montoro; de outro, vocês têm o conselho da situação feminina. A nível institucional, São Paulo realmente está um passo à frente do Rio.

MARA TERESA: O Rio de Janeiro parece ter uma população negra bem maior que a de São Paulo. A cultura carioca é bem mais ligada ao negro, inclusive. Como então você me explica o fato de São Paulo ter uma infraestrutura melhor que a daqui?
LÉLIA GONZALEZ: Isso é por uma razão bem simples: há uma tradição organizativa muito grande em São Paulo, inclusive em termos políticos, da comunidade negra. É importante não esquecermos que o nosso movimento negro surgiu como instituição em São Paulo — é o caso da Frente Negra Brasileira, que foi criada em setembro de 1931 e que teve um papel muito grande em termos de conscientização e mobilização das massas negras. Por outro lado, o interior de São Paulo tem uma visão política muito atuante; além disso, lá é o grande centro econômico do país. A questão do negro em 1982 foi extremamente relegada, ninguém conseguiu se eleger, com a exceção da Bené aqui no Rio. Mas o que se percebe é que houve um recuo muito grande dos setores mais organizados do movimento negro. O mesmo aconteceu com o movimento de mulheres também, porque, veja, em São Paulo só se elegeu a Ruth Escobar. A Bete Mendes, pelo PT, e a Irma não estavam tão ligadas ao movimento de mulheres, diferentemente de uma Irede Cardoso, que já há muito tempo vem lutando pelas questões da mulher. Eu atribuo esse fluxo ao fato de os políticos profissionais terem ocupado os espaços.

MARA TERESA: Algumas semanas atrás, num papo, levantaram uma questão com que eu não pude deixar de concordar. É o fato de que as mulheres também são muito manipuladas politicamente.
LÉLIA GONZALEZ: Esse tipo de preocupação nós temos tido muito atualmente. Afinal, nós somos mulheres direitas, mas não de direita. Nós estamos preocupadas com um tipo de manipulação que evidentemente está acontecendo, que é o caso do voto na mulher pelo simples fato de ser mulher. Outro caso também é, por exemplo, o voto no negro pelo simples fato de ser negro. Está

havendo um processo de direitização no mundo, a direita está se apropriando das propostas do movimento social e chega com seus representantes aí, é lógico que existem negros e mulheres que são manipulados pela direita. Já sabemos, por exemplo, que existem elementos da Unita tentando se contatar com elementos do movimento negro aqui no Brasil. Nós sabemos muito bem a importância do país em relação às jovens nações africanas e temos a consciência de que não podemos baixar a guarda.

MARA TERESA: A Ruth Escobar tem sofrido acusações bem sérias que lhe atingem a moral.
LÉLIA GONZALEZ: Mas isso é da direita mesmo. Eu não tenho dúvida, a mulher que levantou isso é de Minas Gerais e foi pros jornais dizendo que a Ruth é corrupta, que ela está se apropriando da grana do conselho, fazendo festinhas no Guarujá. É óbvio que isso é uma campanha que está vindo pela direita porque a Ruth é uma mulher lutadora.

MARA TERESA: Como você encara o fato de uma mulher atacar outra mulher dessa maneira, sabendo o que essa mulher representa e o que ela pode representar de útil a ela?
LÉLIA GONZALEZ: Tem uma coisa que às vezes eu afirmo e é muito enquadrado nesse caso: mulher a gente não nasce, a gente se torna. Tornar-se mulher é uma conquista muito dolorosa, muito sofrida, mas é muito compensadora numa série de aspectos.

JAGUAR: Atrás de toda grande mulher há sempre um pequeno homem. (*risos*) Queria saber de ti por que quando eu chamo alguns amigos meus negros de crioulo eles se sentem ofendidos.
LÉLIA GONZALEZ: Em termos de história do negro no Brasil, a gente vai constatar o seguinte: enquanto os africanos constituíam um segmento de grande resistência, por outro lado os crioulos, que eram os negros nascidos no Brasil, eram mais passivos. Eles eram os "negros de alma branca". A Revolta dos Malês, por exemplo, mostra como as rebeliões negras eram majoritariamente comandadas por africanos.

JAGUAR: E como o movimento negro está encarando as relações do Brasil com a África do Sul?

LÉLIA GONZALEZ: Nós teremos um grande evento, que vai ocorrer no dia 21 de março, que o movimento negro articulou com uma série de organizações progressistas da sociedade brasileira. Eu tenho certeza que será um grande evento. Nesse happening nós pediremos o rompimento das relações diplomáticas com a África do Sul e a nacionalização dos bens sul-africanos no Brasil. É uma proposta muito avançada, muito séria, muito ousada, vamos ver o tipo de recepção que teremos. Estamos também correndo listas e pretendemos conseguir 200 mil assinaturas para assim fazer o presidente Sarney se sensibilizar pela situação. Não serão somente negros que irão assinar essa lista, todos os setores progressistas estão nos dando apoio.

JAGUAR: O Brasil é um dos países que possui uma das posições mais brandas em relação à África do Sul.
LÉLIA GONZALEZ: Inclusive é uma ambiguidade em nossa política externa. Ao mesmo tempo que nós possuímos posições progressistas em muitas questões externas, atuamos dessa forma tão complacente com aquele regime racista.

MARA TERESA: Eu queria te perguntar uma coisa sobre o filme *Je vous salue, Marie*. Em primeiro lugar, o Brasil não possui religião oficial; o presidente proibiu o filme por "cortesia" ao clero. Eu soube, por um artigo do Sobral Pinto, que existe um item na Constituição que diz que uma atitude que seja considerada desrespeitosa a um credo pode ser proibida. Nós vemos filmes, muitas vezes até na televisão, que são um verdadeiro desrespeito aos cultos afro-brasileiros. Por que então não se utiliza a Constituição para coibir esses filmes que debocham dos cultos negros no país?
LÉLIA GONZALEZ: É o problema do conflito entre a cultura dominante e a cultura dominada. Tudo que vem da cultura dominada é universal, racional, brilhante etc. e tal. As religiões negras e indígenas são chamadas de "cultos". As línguas africanas não são consideradas línguas, mas sim "dialetos"; é óbvia a postura etnocêntrica, racista, que se apoia num evolucionismo linear e idiota que se entranhou no pensamento das classes dominantes brasileiras. É uma hipocrisia o que estão fazendo com esse filme. Muitos filmes que valorizam a violência são assistidos pelos nossos filhos e nada se faz a respeito.

MARA TERESA: Você disse que uma mulher se torna, não nasce. Como é que você se tornou Lélia Gonzalez?

LÉLIA GONZALEZ: Eu venho de uma família de baixa renda. Meu pai era ferroviário, minha mãe era uma índia domesticada, uma mulher extraordinária a quem eu devo muito e com uma percepção incrível. Eles tiveram dezoito filhos, eu sou a penúltima dessa família. Eu tive a vantagem de fazer parte da última leva, e um irmão meu foi jogar futebol e teve a sorte de conseguir ser contratado pelo Flamengo e cresceu no futebol carioca e no futebol nacional, e assim ele pôde trazer a família pro Rio de Janeiro.

JAGUAR: Qual era o nome dele?

LÉLIA GONZALEZ: Jaime de Almeida. Em 1942 ele trouxe a família pra cá, papai morreu... O exemplo do meu irmão me estimulou muito para o estudo e eu terminei cursando o nível superior, cursei antropologia e filosofia na graduação e fiz comunicação e antropologia na pós-graduação.

JAGUAR: Eu gostaria que você detalhasse um pouco isso, você falou como se fosse a coisa mais natural do mundo vir de uma família pobre e chegar aonde você chegou.

LÉLIA GONZALEZ: A única saída que eu encontrei para superar esses problemas foi ser a primeira aluna da sala. É aquela história, "ela é pretinha mas é inteligente".

MARA TERESA: E você trabalhava naquela época?

LÉLIA GONZALEZ: Quando criança, eu fui babá de filhinho de madame, você sabe que a criança negra começa a trabalhar muito cedo. Teve um diretor do Flamengo que queria que eu fosse pra casa dele ser uma empregadinha, daquelas que viram cria da casa. Eu reagi muito contra isso e então o pessoal terminou me trazendo de volta pra casa. Já em Belo Horizonte houve uma coisa que muito me marcou. Minha mãe trabalhou como ama de leite de uma família italiana onde a mãe de uma criança tinha morrido no parto, e essa família tinha uma menina que havia nascido na mesma época que eu. Nós fizemos amizade, e quando ela foi para o colégio os pais dessa minha amiguinha se ofereceram pra pagar a escola pra mim. Eu era muito aplicada nos estudos, e sempre era convidada pelas minhas amigas para estudar na casa delas; isso me fez muito independente da família; eu mesma me inscrevi na escola, fui à luta. Enquanto eu via as outras menininhas acompanhadas pelos adultos, eu fazia tudo sozinha, eu fico até emocionada de me lembrar desses momentos. Os meus professores sempre me deram muita força, inclusive um desses professores era o Nei Palmeira, que por acaso era presidente do Botafogo. Ele era meu professor de história no Pedro II.

JAGUAR: Foi nessa época que você entrou no movimento negro?
LÉLIA GONZALEZ: Não, eu me envolvi nos anos 70. Sobre essa questão do negro, inclusive, eu era vista como bichinho raro.

MARA TERESA: E como era o seu relacionamento?
LÉLIA GONZALEZ: Meu relacionamento era sempre uma coisa estranha. Quanto mais você se distancia de sua comunidade em termos ideológicos, mais inseguro você fica e mais você internaliza a questão da ideologia do branqueamento. Você termina criando mecanismos pra você se segurar, houve por exemplo uma fase na minha vida em que eu fiquei profundamente espiritualista. Era uma forma de rejeitar o meu próprio corpo. Essa questão do branqueamento bateu muito forte em mim, e eu sei que bate muito forte em muitos negros também. Há também o problema de que na escola a gente aprende aquelas baboseiras sobre os índios e os negros, na própria universidade o problema do negro não é tratado nos seus devidos termos. Esse processo de branqueamento só parou quando eu casei.

MARA TERESA: Eu gostaria de saber de sua parte afetiva, você namorou muito?
LÉLIA GONZALEZ: Meu primeiro namorado era negro, morava no subúrbio. Eu também tive um namorado branco. Mais tarde é que fui namorar de verdade, eu sempre fui muito tímida e era altamente reprimida. Ao mesmo tempo, eu tinha uma grande responsabilidade, a minha mãe me sacou muito cedo, foi nessa época que eu resolvi virar espírita, eu não aceitava essa história de padre ficar mandando na gente. Eu era muito católica, eu ia fazer confissão, mas eu me rebelei contra isso e virei espírita, e minha mãe era católica fervorosa e não aceitava de jeito nenhum, e eu resistia violentamente. A barra lá em casa só era aliviada pelo meu irmão.

JAGUAR: Você não tinha a menor privacidade, né?
LÉLIA GONZALEZ: Nada, de jeito nenhum. Um dia minha mãe chegou pra mim e perguntou o que eu estava estudando. Eu respondi que estava estudando ciências, biologia, reprodução. Aí ela olhou pra mim e então saiu, deu uma volta e depois me disse: "De hoje em diante, eu não tomo mais conta de você não". Ela me deu uma responsabilidade sobre mim mesma e isso refletiu em termos do meu crescimento intelectual; por outro lado, do ponto de vista afetivo entrou uma interiorização do racismo, eu não queria saber de homem perto de mim. Todos os meus colegas no colégio e na faculdade eram somente colegas, nada além disso. É claro que chegou um determinado momento em que eu conheci uma determinada pessoa e depois disso eu tive namorados, tudo bem... A pessoa que eu conheci e com a qual eu me casei era uma pessoa muito problemática, sabe. Nós fomos colegas de faculdade e então resolvemos nos casar, foi um casamento muito louco lá na minha casa. Ele estava brigado com a família e morava sozinho.

MARA TERESA: E a família gostou do casamento?
LÉLIA GONZALEZ: A família não sabia do casamento.

JAGUAR: Você já trabalhava na época?
LÉLIA GONZALEZ: Quando terminou meu primeiro curso, eu já tinha começado a trabalhar, a dar aula. Meu primeiro local de trabalho foi o Colégio Piedade e depois fiz concurso pro estado. Em seguida ao curso de história, eu fiz filosofia, lá eu conheci o Luiz Carlos. A gente se casou e então eu o convenci de reatar as relações com a família. A família me via como um caso dele. Quando eu disse que nós havíamos casado, passei a ser vista como safada, prostituta, sem-vergonha; a família a partir daí começou a fazer campanha contra mim, dizendo coisas como "Olha, eu vi a Lélia na faculdade conversando com um monte de homens". Ele encheu o saco e rompeu relações com a família de novo. As relações com a família dele eram muito complicadas, tão complicadas que ele acabou se matando.

MARA TERESA: Foi aí que você partiu pro movimento negro?
LÉLIA GONZALEZ: Eu parti pra minha negritude, pra minha condição de negra. Eu comecei a verificar que a grande ilusão da ideologia do bran-

queamento é o negro pensar que é diferente dos outros negros, você cria uma cortina ilusória. Depois dessa experiência traumática que eu tive com a família do Luiz Carlos e com o seu suicídio, houve o meu segundo casamento. Eu me casei com um mulato — pai branco e mãe negra —, como se diz na Bahia um tinta fraca. Ele tinha uma ideologia de classe, não gostava de preto... Nós ficamos juntos durante cinco anos, era engraçado porque, enquanto eu estava em busca de mim mesma, ele procurava fugir de si próprio; apesar de a gente se gostar muito, a nossa relação não estava combinando. A gente se separou e a minha cabeça dançou, afinal, eu fui casada com um cara branco, de origem espanhola, que dava todo apoio à questão racial, e quando eu caso com um cara de origem negra ele não tem essa solidariedade; eu procurava disfarçar esse lado. Eu fui parar no psicanalista.

MARA TERESA: E que tipo de psicanálise fizeste?
LÉLIA GONZALEZ: Eu comecei fazendo análise com Carlos Byington, que é junguiano. Eu comecei a frequentar candomblé. Meu lance na psicanálise foi muito interessante, a psicanálise me chamou a atenção sobre os meus próprios mecanismos de racionalização de esquecimento, de recalcamento etc. Foi inclusive a psicanálise que me ajudou nesse processo de descobrimento da minha negritude. Em 1974 eu passei a participar dos debates que ocorrem no Teatro Opinião, houve uma série de reuniões na minha casa também, e então a questão negra, numa perspectiva política, começou a me interessar. Até então, ela me interessava numa perspectiva culturalista. A partir de então eu começo a desenvolver um trabalho, em 1976 eu estava no Parque Lage fazendo exposições, debates. Em 1978, eu fui à Bahia dar um curso sobre os noventa anos da abolição, e posteriormente esse grupo se tornou o núcleo do MNU. Quando eu voltei, entrei para a Convergência Socialista, que era um movimento político que possuía preocupações com o negro. Durou pouco essa permanência na Convergência, em julho de 1978 eu estava nas ruas com o Movimento Negro Unificado. O MNU foi extraordinário, ele teve um papel importante de mobilização do negro, eu fui fundadora desse movimento, fiz todo o processo de criação, fiz parte da Comissão Executiva Nacional até 1982.

MARA TERESA: Você falou que foi católica, foi espírita e depois foi pro candomblé. Hoje em dia você se considera uma pessoa mística?

LÉLIA GONZALEZ: Não, eu estou muito ligada ao candomblé. Não é misticismo, é outro código cultural, misticismo é uma coisa muito ocidental. O candomblé é uma coisa muito mais ecológica, você faz comida, você faz oferenda, você vai pra floresta. Minha religiosidade está muito mais africanizada do que ocidentalizada. Agora, em termos das raízes culturais católicas, dou a maior força pra Teologia da Libertação.

MARA TERESA: Qual é o seu ponto de vista sobre o pacotão?
LÉLIA GONZALEZ: Foi uma medida extremamente corajosa, principalmente pelo fato de que isso está mobilizando a população. Aliás, a população deste país esteve sempre silenciada, faltava alguma coisa em termos de Nova República em termos de mobilização popular.

MARA TERESA: Tem uma questão pela qual muitas feministas estão lutando atualmente, é a questão do aborto. Como você se coloca nesse assunto?
LÉLIA GONZALEZ: O aborto é um aspecto apenas da questão do planejamento familiar; o aborto representa uma das últimas instâncias em termos de contracepção. O caso do aborto, evidentemente, está ligado aos setores mais carentes, que não estão devidamente informados sobre os métodos contraceptivos e coisa e tal. Me parece mais importante a questão do planejamento familiar do que a questão do aborto; eu abro aspas para essa expressão "planejamento familiar" porque ela está articulada com o problema do controle da natalidade, controle esse que é uma ideologia do primeiro mundo que é difundida para nós países pobres.

JAGUAR: Se houvesse "planejamento familiar", nós não estaríamos falando agora com a Lélia Gonzalez, a décima sétima de uma família pobre, negra...
LÉLIA GONZALEZ: Exatamente. Eu acho um dado importantíssimo que, em vez de lutar pela legalização do aborto, se deveria lutar pela sua descriminalização. Uma coisa que se podia criminalizar é o racismo, por exemplo.

MARA TERESA: Lélia, em certos lugares da África tem-se o costume de se praticar a extirpação do clitóris, para a mulher não ter desejo sexual, e o hábito de costurarem a vagina. Como é que isso é encarado pelo movimento negro?

LÉLIA GONZALEZ: O movimento negro não encara essa questão, nós estamos mais voltados para as mulheres negras do Brasil. Mas com relação à questão da África, eu gostaria de te responder como antropóloga, como alguém que já viu as mulheres africanas respondendo às mulheres do primeiro mundo. É importante a gente constatar o seguinte, a história da clitoridectomia está relacionada à história da circuncisão. A questão da clitoridectomia teve origem entre os dogons, que são um grupo que vive numa área que tem uma divindade andrógina. Então, quando as crianças nascem, eles dizem que tem de tirar do homem aquilo que é feminino, o prepúcio; e tem de tirar da mulher aquilo que é masculino, o clitóris. Com a chegada do islã na África houve um reforço dessa história da clitoridectomia. Essa interpretação de que se extrai o clitóris da mulher para ela não gozar é história de ocidental. São diferenças culturais que nós não podemos reduzir a nossa perspectiva, nós temos que entender quais são os valores que eles têm lá. Tem uma coisa também, essa história de que o prazer só se sente na genitália é um papo de ocidental, o prazer não se restringe ao orgasmo.

Entrevista ao *Jornal do MNU*

JORNAL DO MNU: Lélia, em que o movimento negro tem contribuído para a cidadania do negro brasileiro? Gostaríamos que você fizesse um balanço do movimento, dos anos 1970 até aqui.

LÉLIA GONZALEZ: Eu acho que a contribuição foi muito positiva, no sentido de que nós conseguimos sensibilizar a sociedade como um todo, levamos a questão negra para o conjunto da sociedade brasileira, especialmente na área do poder político e nas áreas relativas à questão cultural. E aí a nossa contribuição é muito mais nossa, digamos assim, produto dessa criatividade que marca a comunidade negra. Estou pensando em termos de Bahia, fundamentalmente, porque eu acho que a Bahia é um grande fulcro nesse sentido da emergência da identidade a partir do cultural. A Bahia, como diria o Gil, deu a régua e o compasso. E estou pensando, especificamente, nos afoxés e blocos afro pelo papel que eles têm tido de levar essa conscientização para dentro da comunidade negra, embora levem também para fora. Eu vejo como meus alunos brancos estão atentos para a questão da Bahia, dos blocos afro, do reggae. Eles vêm aqui aprender alguma coisa. Em termos da comunidade mesmo, acho que é necessário aprofundarmos muito. Aqui em Salvador a gente percebe como isso rola tranquilo. Uma tranquilidade que a gente sente até mesmo na postura física do negro na Bahia. Uma coisa muito interessante de a gente observar, e tem a ver com um mínimo de consciência de suas raízes, de suas origens culturais. Tanto que o pessoal diz que os negros da Bahia são bonitos. Quando as pessoas dizem isso, não percebem que elas estão se sensibilizando é com uma postura de alguém que sabe que ele é ele mesmo e não um outro, aquele outro determinado pelo poder branco. E nisso, efetivamente, os blocos afro tiveram uma contribuição assim extraordinariamente fundamental, a ponto de sensibilizarem grandes estrelas da música popular, que não podem deixar de falar nesses blocos afro. Inclusive a articulação do

Olodum com Paul Simon, muito interessante também porque levará mais adiante, como aconteceu com o reggae de Bob Marley. Me recordo uma vez que eu estava numa biboca do Senegal, uma birosquinha numa área periférica, e havia lá uma caixinha cheia de discos. O cara vendia tudo ali na loja, gato, sapato, não sei que mais... e Bob Marley. E você fica pensando até onde ele chegou e marcou. Nesse lado cultural aí acho que nós sempre fomos vitoriosos, a verdade é essa. Agora, no que diz respeito às questões político-ideológicas, a coisa é séria, a meu ver. O que a gente percebe é que o MNU futucou a comunidade negra no sentido de ela dizer também qual é a dela, podendo até nem concordar com o MNU. Hoje a gente verifica que pintou uma certa autonomia no que diz respeito a algumas entidades aí pelo Brasil, que articulam áreas de ação que não são, especificamente, aquelas que ficam numa política abstrata, genérica, mas áreas de ação no sentido concreto, dentro da comunidade, dentro das propostas e das exigências dessa comunidade. Para dar um exemplo interessante, me recordo do momento da Constituinte, em Brasília, quando eu atuava enquanto mulher negra dentro do movimento de mulheres, no Conselho Nacional. Havia uma passagem de informações, porque o movimento negro estava reunido lá para fazer suas propostas aos constituintes. E eu me recordo que, de repente, chegou uma mulher dizendo assim: "Olha, o movimento negro está reunido levantando uma questão incrível, a questão do crime inafiançável com relação à discriminação racial, a gente tem que trazer isso também para nós". Esse tipo de troca, de contribuição, que para mim era uma coisa abstrata que eu li nas histórias, por exemplo, do movimento de mulheres, do movimento negro e do movimento de homossexuais nos Estados Unidos. E eu verificava uma anterioridade do movimento negro na colocação de uma série de questões para o movimento feminista, que por sua vez passou para o movimento homossexual, e de repente você constata isso a partir de sua experiência concreta. Eu acho que isso significa um avanço do movimento negro, uma contribuição extremamente positiva. Quer dizer, nós deixamos de ser invisíveis, a verdade é essa. Não dá mais para se ficar escamoteando a questão das relações raciais no Brasil, pois nós estamos aí, de uma forma ou de outra.

JORNAL DO MNU: Nós estamos a dez anos do século XXI, com uma população negra em sua maioria analfabeta ou semianalfabeta, sem preparo profissional nenhum. Quais seriam as tarefas mais importantes do movimento negro para a próxima década, já de olho no século da automatização?

LÉLIA GONZALEZ: Na África, num desses congressos em que estive, essa questão pintou, levantada por um companheiro do movimento negro dos Estados Unidos. A grande questão levantada foi esta: "Nós estamos aqui falando do passado, de glórias ou de derrotas, mas como é que estamos nos colocando em termos de perspectivas, em termos de futuro? O ano 2000 está aí, o mundo se automatiza cada vez mais — e nós?". Exatamente a mesma questão que você está fazendo agora. Essa preocupação está no ar, e quem está pensando a questão do negro está pensando nela também. Então me parece que a questão passa por aí, nós temos que estabelecer tarefas dentro de um campo concreto e rapidinho desenvolver uma militância muito ativa junto às próprias comunidades negras espalhadas pelo Brasil. Porque não estamos mais naquele tempo (claro, quando for necessário, tudo bem) de só ficar fazendo manifestaçãozinha de rua, não. Temos que nos voltar para dentro do quilombo e nos organizarmos melhor no sentido de dar um instrumental para esses que vão chegar e vão continuar o nosso trabalho. Veja que isso é muito sério, em termos de nossa comunidade, essa ausência de instrumental que lhe possibilite se colocar em pé de igualdade com as populações não negras, que têm um acesso extraordinário à informação. Você percebe isso nas pequenas coisas, como esses videogames da vida. As nossas crianças nem sabem o que é isso, porque elas estão nas ruas, sem escola, vendendo balas. Me parece que a tarefa passa por aí, por essa visão prospectiva, pelo estabelecimento de campos nesse sentido aí. Hoje a militância se diversifica, e ela é obrigada a se diversificar em face dos terríveis problemas que nós temos pela frente. O pessoal da área de informática dá cursos para o pessoal que não conhece, senta e conversa, mostra como é que é. Assim você instrumentaliza, por exemplo, o pessoal que vai trabalhar na área de educação. Recordo-me de um papo com Darcy Ribeiro, ele dizendo justamente essa coisa. Eu estava defendendo a oralidade, a cultura oral. E ele dizia que achava válido o que eu estava dizendo, mas que não era suficiente. Porque se não souber ler, dança. É arrancado da chamada civilização, não tem espaço e vai ser aquele tipo de massa anônima que a gente vê nos romances de ficção científica, não é verdade? Acho que o movimento negro tem que pensar seriamente nessa questão. E veja que é uma de nossas grandes bandeiras, sempre levantamos a questão da educação. Agora acho que nós não a implementamos devidamente, a gente falava muito, mas não desenvolvemos trabalhos concretos nesse sentido. E temos que partir para isso urgentemente, ontem.

JORNAL DO MNU: A tarefa é muito grande, árdua e o sistema não está interessado. Como é que o movimento negro se articula, e com quem, para que esta tarefa mínima que é alfabetizar o povo se concretize? O fato de termos hoje governadores negros teria alguma influência, ainda que não tivessem sido eleitos por voto negro explícito?

LÉLIA GONZALEZ: A questão dos governadores negros é muito importante. Eles têm um mínimo de poder para desenvolver esse tipo de tarefa, não há dúvida. Eu acho que o movimento negro tem que estar junto desses caras, tem que pressionar. Eles não podem somente ficar lá dizendo: "Olha, sou o primeiro governador negro eleito". É importante que eles percebam a tarefa, a exigência ética que eles têm com relação a sua comunidade. E se é uma exigência ética tem que ser política também, porque as duas coisas se articulam.

JORNAL DO MNU: Existem hoje no país algumas centenas de entidades negras. Pulverizamos ideias por esse Brasil afora mas não conseguimos consolidar um programa mínimo, não só para o próprio movimento como para ser assumido por outros setores da sociedade. Como você avalia isso?

LÉLIA GONZALEZ: Nos faltou exatamente esse instrumento de trabalho, uma reflexão crítica muito profunda no sentido dessa articulação aí. Eu acho que nos falta, eu falo isso através de uma vivência e experiência pessoal, um sentido de solidariedade enquanto movimento. A gente verifica, e isso é uma questão da maior importância, que determinados quadros que poderiam estar à frente pela sua experiência, pelo que aprenderam durante anos de luta, poderíamos estar todos juntos, pensando e implementando. A gente percebe que existem algumas exigências éticas para dentro do movimento, e que o movimento negro ainda não tomou consciência delas. Eu acho isso. Essa coisa da solidariedade é fundamental. Falo de uma perspectiva ética, evidentemente, mas estou apontando para o político. É essa solidariedade que vai permitir que você não se envolva com as formas de cooptação que vêm de fora. Então a gente percebe que isso leva a essa falta de perspectiva de implementação de uma prática política e de um trabalho efetivo, concreto, visando esse futuro aí. A gente nota que determinados quadros, que são pessoas assim que têm uma competência, uma capacidade, se deixam levar pelas propostas de cooptação que vêm da parte do sistema. Então você se vê numa espécie de beco sem saída, porque de repente você está levando uma porrada aqui e eu não te ajudo, porque eu estou comprometida com a minha cooptação. Então eu me fecho para minha comunidade, para meus companheiros de movimento negro, porque eu estou muito comprometida com a minha proposta de cooptação, e muitas vezes achando que estou atuando enquanto militante. O que eu vejo é que os feitores continuam, só que se sofisticaram muito mais, e nós temos que estar atentos para isso. Em termos de movimento negro no Brasil, a nossa proposta não é a mesma do movimento negro dos Estados Unidos. Não é porque, em primeiro lugar, se nós somos maioria efetivamente, nós temos que lutar pelos nossos direitos, nós não temos que ficar no gueto, temos que partir para ocupar espaços na sociedade como um todo, não há dúvida. Nós temos as propostas mais democráticas. É da gente que têm que partir essas propostas de democracia, efetivamente. O sistema funciona justamente no sentido de alijar a maioria, basta você ver, por exemplo, o quadro da classe política: é a mesma coisa desde que o Brasil é Brasil. É o cara, daqui a pouco é o filho dele, daqui a pouco é o neto dele, o poder rola praticamente nas mesmas mãos e nós ficamos de fora, nós que somos o povo — o movimento negro cultural está cansado de mostrar que nós somos o povo, já provou isso tranquilamente pra todo mundo, só não vê quem é cego ou quem quer permanecer cego. O movimento negro, na sua vertente política, tem que pensar isso com muita seriedade. Em primeiro lugar, portanto, a proposta de gueto não tem nada a ver com a gente, embora haja a tentativa de nos guetizar. O sistema tenta nos guetizar, evidentemente, mas nós não podemos aceitar isso, porque ele próprio se coloca pra todo mundo como uma coisa aberta, que não existe aqui discriminação racial, que todos são iguais perante a lei. Mas vamos ter que provar isso mesmo, nós vamos brigar para provar que somos todos iguais perante a lei mesmo. A questão da democracia tem muito mais a ver conosco, que somos excluídos, do que com os caras que estão no poder, que não estão a fim, evidentemente. E aí entra a questão dos governadores negros, que terão que provar a que vieram, com relação a sua própria comunidade. Eu vejo os feitores do sistema como uma questão muito complicada, porque eles são muito sofisticados. Eles estão à frente de instituições poderosas e você tem que estar muito atento para ver até que ponto você está no jogo. Mas você percebe que muitos companheiros ganham o jogo, se aliam aos feitores (como aconteceu na nossa história, para que não se pense que os feitores agiam sozinhos. Eles tinham seus cúmplices também) e contribuem para essa dispersão, essa falta de perspectiva, para a falta disso que você colocou, um programa mínimo de ação. Eu me lembro da Zezé Motta, por exemplo. Ela fez uma tentativa em sua área de criar aquele catálogo de atores negros. E o que aconteceu? Qual foi o suporte, o apoio que o movimento negro deu para a Zezé Motta? Nenhum. O que a gente viu foi crítica, crítica, crítica. E ela não quer mais saber disso, quer viver no meio da comunidade artística etc. E o trabalho dela acaba se transformando em um trabalho isolado, e sozinho você não tem forças. É esse estilhaçamento em face das estratégias de cooptação do sistema, essa falta de resposta aos companheiros que estão numa linha de frente, na boca do sistema, quando os feitores da vida chegam e os atingem. Porque no momento em que neguinho me atinge, não está atingindo a uma pessoinha que é a Lélia, está atingindo uma mulher negra, é o movimento negro que está sendo atingido. E você constata que neguinho permanece num silêncio extraordinário, de cumplicidade com esse tipo de opressão, com esse tipo de discriminação, porque é uma discriminação que se veste de aliada do negro. E a coisa é perigosa por isso. O feitor de hoje é o grande aliado que chega e bate nas suas costas etc. E que de repente está vivendo às custas de nossa comunidade, se dizendo um grande aliado que faz e acontece. E aparentemente faz, mas faz para dentro do sistema, e o sistema diz: esse cara é legal.

JORNAL DO MNU: Você aproximaria aí os conselhos criados já em diversos estados?
LÉLIA GONZALEZ: Olha, com relação aos conselhos, nem tanto. É uma arma de dois gumes. Minha experiência é com o Conselho dos Direitos da Mulher, onde nós fomos parar num beco sem saída, porque o Conselho engoliu a gente. Mil propostas, todo mundo querendo trabalhar, fazer e acontecer, o maior entusiasmo. E, no entanto, bastou uma penada de um ministro da Justiça desses aí e acabou tudo. É isso que nós não podemos perder de vista. É claro que nós temos que ter as frentes de trabalho, e eu vejo o Conselho como uma frente de trabalho. Como tal, ela é provisória, absolutamente pro-

visória, e você não pode esperar grandes resultados dela. Frente de trabalho é isso: neguinho está com fome, desempregado? Vamos criar uma frente aqui, botar esse pessoal. São modos que o sistema cria para botar açúcar na boca da gente, porque não está abrindo no fundamental. E eu fico preocupada é com a disputa que se trava para participar dessas frentes. Aí neguinho mata a mãe do outro e de repente acabou-se a visão de comunidade, entra a visão individualista típica da cultura ocidental. Neguinho cai nas armadilhas do individualismo, briga com o outro, sacaneia, entrega o nome na praça para conseguir um carguinho idiota onde ele não tem a possibilidade de fazer grandes coisas.

JORNAL DO MNU: Fale um pouco sobre sua trajetória no movimento feminista.
LÉLIA GONZALEZ: No meio do movimento das mulheres brancas eu sou a criadora de caso, porque elas não conseguiram me cooptar. No interior do movimento havia um discurso estabelecido com relação às mulheres negras, um estereótipo. As mulheres negras são agressivas, são criadoras de caso, não dá para a gente dialogar com elas etc. E eu me enquadrei legal nessa perspectiva aí, porque para elas a mulher negra tinha que ser, antes de tudo, uma feminista de quatro costados, preocupada com as questões que elas estavam colocando. Agora, na própria fala, na postura, no gestual, você verificava que a questão racial era... Isso a gente já discutiu muito, e a experiência mais positiva que eu tive foi num encontro na Bolívia promovido pela Mudar (Mulheres por um Desenvolvimento Alternativo), uma entidade internacional que foi criada um pouco antes do encerramento da década da mulher em 1985. Foi ali, pela primeira vez, que eu encontrei um tipo de eco, uma maturidade por parte do movimento, no sentido de parar e refletir sobre as questões que a gente coloca enquanto mulher negra, a dimensão racial que está presente em tudo e você não pode fingir que ela não existe. Mas não há dúvida de que existe um setor do movimento de mulheres que está preocupado com a questão racial. O feminismo, como uma feminista inglesa colocava, não terá cumprido sua proposta de mudança dos valores antigos se ele não levar em conta a questão racial. O que eu percebo é que o nosso cultural nos dá elementos muito fortes no sentido da nossa organização enquanto mulheres negras. Uma história que rolou e gera uma grande luta interna com o homem negro, uma questão muito séria dentro do movimento negro, um ressentimento muito grande das

mulheres diz respeito à sexualidade, porque muitos homens negros preferem as mulheres brancas. Isso é verdade, não dá pra você ficar escondendo o sol com a peneira. Eles internalizaram o valor branco como supremo, como todos nós, só que a gente está tentando sair dessa. Até algumas lideranças dentro do movimento negro só transam com mulheres brancas e isso é uma forma de reprodução do esquema racista, sem sombra de dúvida. Dentro da proposta de feminismo que a gente está tentando colocar, me parece fundamental não perder de vista a relação homem negro/mulher negra. Não é só a gente se olhar enquanto mulher negra, mas nos vermos na relação com o homem negro, e ele com a gente. Porque tem que ser uma coisa dinâmica, sobretudo porque fazemos parte de uma comunidade que é discriminada pela dimensão racial. E me parece que as respostas de parte a parte, até o momento, não são satisfatórias. De um lado nós temos uma postura muito machista da parte do homem negro, e eu vejo que a sua procura da mulher branca passa por aí. Pela nossa experiência histórica juntos (homem negro/mulher negra) a gente se conhece muito bem, há toda uma cumplicidade no que diz respeito ao enfrentamento de uma série de questões. Mas no caso da mulher branca, ela não vivencia essa experiência da discriminação racial. Então acontece que, muitas vezes, os homens negros vão exercer seu machismo junto às mulheres brancas. De certa forma, o homem negro atualiza sua rivalidade com o homem branco na disputa da mulher branca. Ele tem, portanto, uma afirmação muito grande como macho e se acha então o rei da cocada branca. E a mulher negra fica jogada pra escanteio. O ressentimento surge por aí. Acontece que os dois são muito carentes, há uma profunda carência de parte a parte. Na medida em que, no interior do movimento, nós mulheres constatamos isso, a coisa assume uma dimensão tão forte que muitas vezes nos leva a assumir as mesmas posturas do movimento feminista branco. Nós não podemos reproduzir mecanicamente as propostas de um movimento feminista ocidental judaico-cristão etc.

JORNAL DO MNU: Quais são essas propostas?
LÉLIA GONZALEZ: A questão da sexualidade tem que ser discutida num nível mais amplo, e não no nível do orgasmo pura e simplesmente. Estou propondo um orgasmo muito maior, um prazer e uma felicidade muito maiores. É claro que a gente necessita ter conhecimento do próprio corpo, tudo bem.

Mas me parece que, nessa relação da mulher com a sua própria sexualidade, a gente pode cair em algumas armadilhas do tipo uma exaltação exagerada de nossa própria feminilidade, porque evidentemente eu não posso deixar de reconhecer que eu tenho um lado masculino também, como vocês têm um lado feminino. Na medida em que eu exagero a minha parte feminina, eu estou em desequilíbrio, embora não negue que uma das grandes coisas que aconteceram no mundo nos últimos anos foi o movimento de mulheres, quanto a isso não há dúvidas. Precisamos assumir uma posição mais equilibrada em termos dessa relação homem/mulher, porque eu não sou mulher sozinha, eu sou mulher com um homem, e é nessa relação que eu vou afirmar a minha mulheridade, numa relação de troca com o homem, senão a gente dança. E esses valores da cultura africana estão lá esquecidos no inconsciente da gente, e têm muito a contribuir no sentido do equilíbrio da relação homem/mulher. Se nós continuarmos muito ressentidas com nossos companheiros do movimento negro, se eles continuarem buscando uma relação de possessividade e de afirmação de seu machismo, nós, enquanto comunidade, estamos dançados, a esquizofrenia já se instalou aí, tranquilamente. E nós, mulheres negras, temos que ter uma visão muito crítica desse movimento feminista, porque não dá para ficar reproduzindo determinadas práticas.

JORNAL DO MNU: Quando falamos há pouco de ética e movimento negro, ficaram no ar algumas avaliações da militância que você poderia retomar agora para concluir.
LÉLIA GONZALEZ: A questão ética no interior do movimento negro e também uma outra questão que se encaixa aí, a da perspectiva histórica. Uma consciência histórica que de repente a gente perde na medida em que nos jogamos com tal intensidade para dentro do movimento, pensando como nossa contribuição é divina e maravilhosa (e aí entra a questão do narcisismo, que é preciso também exorcizar), a gente acha que vai resolver todas as questões numa vidinha que é a nossa vida. E acontece que o buraco é muito mais embaixo. Estávamos falando do que a gente pode fazer nos próximos dez anos em termos de comunidade negra, e veja as dificuldades que a gente tem. A perspectiva é a de que a gente abra alguns caminhos, e a gente tem que ter aí consciência da nossa temporalidade, ou seja, a gente vem e passa, vem e passa no sentido de passar mesmo, e passa também a nossa experiência para quem

está chegando. Aí é que me parece que os africanos podem nos ensinar muito. Precisamos ter a paciência revolucionária para verificarmos o seguinte: olha, sabe, não queira abraçar o mundo com pernas e braços porque não dá jeito, e a partir daí você tem a consciência histórica da temporalidade, do processo, o que vai te permitir ter muito mais tranquilidade no que diz respeito a tua inserção no movimento. Você adquire uma sabedoria. Você verifica sua temporalidade, seu tempo de inserção, o que você pode fazer, e tem a humildade de dizer: eu posso dar essa contribuição e darei com todo o carinho, mas eu não sou o único, não sou o salvador da pátria. Porque entra muito aí aquela visão centralista, eu diria até fascista, de quem se acha dono da verdade. Graças a essa visão distorcida da realidade, têm ocorrido lutas internas terríveis, cobranças absurdas. Você exige a perfeição do seu companheiro porque você a exige de você. Você acha que tudo tem que acontecer como um milagre divino, e você é o porta-voz dessas coisas divinas. E o que acontece muitas vezes é que você sacrifica sua existência pessoal em função do movimento, e temos verificado quantos companheiros se perderam no meio do caminho. Se perderam por falta de clareza política, evidentemente, mas também porque se jogaram de uma forma tal que, para eles, a construção de sua própria vida era um negócio tão secundário porque eles estavam apostando única e exclusivamente no movimento. E eu acho que não pode ser assim, não. Você tem que ter um equilíbrio. Eu vejo meu próprio caso, eu fui muito assim, é uma autocrítica o que eu estou fazendo também. Eu achava que tinha que estar em todas, me jogando loucamente, e meu projeto pessoal se perdeu muito, agora que eu estou catando os pedaços para poder seguir a minha existência enquanto pessoinha que sou. E a gente sai muito ferido e machucado dessa história toda. Porque, evidentemente, seu sonho é tão grandioso e a realidade é tão... que você sai machucado. Machucado não só porque você investiu demais nesse tipo de projeto, mas machucado também pelas porradas que os outros lhe dão, não há dúvidas. A questão da militância tem que ter esse sentido, e aí nós temos que aprender com os nossos antigos, os africanos, esse sentido da sabedoria, esse sentido de saber a hora em que você vai interferir e como você vai interferir, fora desse lance individualista. É importante distinguir o seguinte: projeto pessoal não quer dizer individualismo, não. É você se ver na sua dignidade de ser humano. Você enquanto pessoa tem que buscar crescer, desenvolver-se também. Agora, no movimento negro você não vai crescer se misturar isso. Se misturou, dançou. Você vira um fanático que ninguém aguenta, que ninguém suporta. Acho que isso é fundamental e vai lhe permitir essa reflexão, e ainda lhe permitir não cair na sedução da cooptação. Você desenvolve sua vida dignamente, seu projeto pessoal, e nesse jogo dialético com o movimento você vai ter a capacidade de vislumbrar o que está acontecendo em torno. Se você mergulhar no movimento, você se afoga — e depois? Depois vai acabar se suicidando, vai acabar um niilista danado: "Sai fora, não quero mais saber de movimento negro, acabaram comigo". Vai embora cuidar do seu projeto individual, e não pessoal, e não quer mais saber do movimento negro, é capaz até de trair o movimento. Então me parece que esse equilíbrio é fundamental. Você constrói sua vida pessoal, você tem a possibilidade de ser universal, humano, de entender o todo, de sentir esse todo dentro de você. Então você não se sectariza, radicaliza mas não sectariza. E para isso tem que estar muito atento. Senão vai ser a grande dançada. A gente cansa, a gente morre na praia.

Apêndice
A propósito de Lacan

A José Barbosa dos Santos

Quem me dera ser sonhada pela minha realidade.

DAL

Tentaremos caracterizar duas vozes que, embora ressoando diferentemente, apontam para o pensamento lacaniano. Duas vozes que, talvez por isso mesmo, têm despertado as acusações mais disparatadas, que nada (ou tudo) têm a ver com o que elas *dizem*. O tentar fazê-las calar ou, pelo menos, não deixar que sejam ouvidas parece-nos típico de uma espécie de discurso que, em sua infinitude fechada, não admite que se lhe apontem as limitações. Ele quer se impor como *a* verdade incontestável, "natural", eterna. Pertence ao grupo de discursos de tipo consciente, colocando-se como lugar-tenente da ordem, da normalidade, da clareza. Por conseguinte, só consegue entender a palavra como signo, jamais como nó de significação. Tudo bem...

1. Antônio Sérgio Mendonça é um jovem professor universitário (atualmente diretor do Instituto de Comunicação e Artes da Universidade Federal Fluminense — este é o seu último "pecado"), cujos cursos vimos acompanhando na pós-graduação da Escola de Comunicação da UFRJ: Narrativa e Cultura de Massa (primeiro semestre de 1974), Semiologia do Discurso — Uma Visão Estruturalista (segundo semestre de 1974), Análise Semiológica do Literário (primeiro semestre de 1975) e Semanálise (Introdução aos Conceitos de Jacques Lacan). Percebe-se, a partir da titulação desses cursos, o caminhar de "uma inteligência aguda e inquieta em busca de uma solução original para a pesquisa semiológica"[1] que, tendo passado pelo estudo acurado de Althusser, Lévi-Strauss, Derrida, Foucault, Kristeva (dentre os principais), acaba por desembocar no pensamento lacaniano. E, de curso para curso, verificamos um amadurecer e um aprofundar do pensamento de Antônio Sérgio Mendonça

em face do discurso de Lacan. A impressão que se tem é a de um encontro. Parece-nos que o pensamento lacaniano representou para Antônio Sérgio o encontro da estrada real em que seu próprio pensamento, num percurso cada vez mais seguro, iria se situar como que em seu "lugar natural". E essa nossa afirmação se fundamenta no fato de que seus cursos têm se apresentado como uma reflexão, em termos lacanianos, sobre os temas neles propostos.

Já no primeiro deles, a colocação básica aponta para a narrativa de massa enquanto articulada por uma ótica estruturante de exclusão do sujeito. Mediante uma abordagem de caráter epistemológico, Antônio Sérgio analisa a Palavra Social e sua eficácia enquanto expressão do ponto de vista da comunidade, da normalidade e da clareza, isto é, da Lei e da Ordem.

O segundo curso conduziu à discussão de diversos núcleos problemáticos que pontuam o percurso efetuado pela semiologia. Daí o fato de cada texto se configurar como a apresentação e não a solução dos problemas suscitados. Sua orientação básica, por conseguinte, visava ao encaminhamento das discussões e ao desenvolvimento da reflexão sobre a teoria dos discursos, sobre o estruturar da significação. E a primeira questão a ser colocada indaga da significação enquanto língua e enquanto linguagem: esta última conduzindo à problemática do inconsciente. Estas significações se colocam em termos de diferença e remetem ao conceito de elaboração secundária (origem da repressão e da censura), para a significação linguística, e aos processos primários de condensação e deslocamento, para a significação não linguística. Em consequência, torna-se necessária a discussão sobre o inconsciente "estruturado como uma linguagem", isto é, enquanto dotado de uma estrutura formal. E a categoria hegeliana de figura, tal como é apresentada na *Fenomenologia do espírito*, coloca-se como capacitada para explicar, no nível do sujeito, a linguagem do inconsciente. A partir daí, configuram-se várias questões que exigem uma articulação com os conceitos de conotação e denotação que, aprofundados, desembocam na reflexão sobre o metonímico e o metafórico. Nesse sentido, a crítica desenvolvida por Antônio Sérgio Mendonça à não distinção, por parte de Roman Jakobson, entre plano e função da linguagem nos pareceu decisiva. Isso porque, para aquele autor, a função poética pertence ao espaço linguístico; o que, consequentemente, implica o aprisionamento, na limitação do poético, mediante a submissão do significado simbólico ao significado linguístico. Se Jakobson não consegue estabelecer satisfatoriamente as categorias de metáfora e metonímia, é justamente por sua insuficiência quanto aos conceitos de plano e função da linguagem. Mas é justamente Lacan quem vai resolver o impasse criado por Jakobson, ao caracterizar o metafórico e o metonímico como discursos de transformação de cadeia sintagmática.

Daí a necessária distinção, de um lado, entre função de primeiro grau e função de segundo grau e, de outro lado, aquela entre plano denotativo e plano conotativo. Na função de primeiro grau (que se relaciona ao "registro do real, com sua estrutura de repetição, univocidade, simetria conjuntiva e reduplicação"),[2] dá-se a predominância do eixo sintagmático, o que implica a ênfase dada às relações de contiguidade e ao mecanismo de combinação. Se articularmos a função de primeiro grau com os planos acima referidos, teremos o denotativo quando nessa cadeia sintagmática, no nível das relações de motivação (entre significante e significado), a combinação predomina sobre a seleção, e o conotativo quando ocorre o contrário. Daí se depreendem as noções de denotação de primeiro grau (D^1) e conotação de primeiro grau (C^1). "A primeira refere-se ao sentido dos termos codificados numa língua corrente", enquanto a segunda remete a uma transgressão desse sentido, desde que "não rompa com seu princípio codificador básico, a ideia de contiguidade com a realidade empírica".[3] Já a função de segundo grau caracteriza-se por se realizar numa cadeia paradigmática, ou seja, naquela cujo princípio codificador é a substituição e cujas relações predominantes são determinadas pela similaridade. Enquanto a função de primeiro grau implica uma descrição linear, na predominância das relações de equilíbrio, a função de segundo grau implica uma relação transformacional. "Os efeitos de uma cadeia sintagmática caracterizam-se pelo predomínio da continuidade externa e conjunção interna dos elementos. No paradigma temos a relação de descontinuidade externa e disjunção interna."[4] Ao contrário do sintagma, onde ocorre uma univocidade de sentido, no paradigma ocorrem relações polissêmicas, isto é: uma abundância de significado que é alimentada pela abundância do significante. Se articularmos a função de segundo grau com os planos, teremos a denotação de segundo grau (D^2) quando houver a predominância da combinação sobre a seleção, e a conotação de segundo grau (C^2) quando se der o contrário. A denotação de segundo grau corresponde à metonímia, enquanto a metáfora corresponde à conotação de segundo grau. Esta a grande indicação de Lacan, a colocação do metonímico e do metafórico no nível da cadeia paradigmática.[5]

Quanto às articulações de metonímia-metáfora com deslocamento-condensação, gostaríamos de chamar atenção para o excelente artigo de Antônio Sérgio Mendonça, "Semanálise da obra oswaldiana", onde se constata como o autor, a partir de uma leitura fecunda de Lacan, com rara felicidade e muita segurança no nível das articulações conceituais, desenvolve e fundamenta sua crítica à categoria de palavra-direta enquanto definidora da antimetáfora oswaldiana.

Retomando a questão das funções da linguagem, é importante apontar para o fato de que a linguagem de primeiro grau, dadas as suas características, enfatiza o papel do código ao colocá-lo como substituto do sujeito enquanto significante, isto é, enquanto lugar e função fundamental para a significação. Com isso, de acordo com a denominação de Antônio Sérgio Mendonça, ela se põe como *estrutura de exclusão do sujeito*, ao passo que a linguagem de segundo grau, na medida em que nela o código é determinado pela inclusão do sujeito como função significante, situa-se como *estrutura de inclusão do sujeito*. Tal designação encontra seu fundamento no trabalho de Jacques-Alain Miller "Ação da estrutura". Essa distinção acaba por nos remeter à dificuldade que se coloca quando se pretende falar do estruturalismo sem levar em conta duas posturas que se diferenciam exatamente no que se refere à noção de estrutura. E é a partir de tal noção que se coloca o problema do sujeito. Lévi-Strauss opera com determinada categoria de estrutura que ainda permanece no espaço linguístico, apesar de seu trabalho ter reformulado e ampliado o modelo proveniente deste espaço. Todavia, sua noção de estrutura sofre dos mesmos limites do modelo linguístico na medida em que, também nela, está presente o problema da exclusão do sujeito. De acordo com essa postura, o acesso à linguagem-objeto se faz a partir de uma leitura sintagmática.

> Por ser do tipo sintagmático, as relações que nos são oferecidas só permitem a leitura dos elementos segundo uma ordem simétrica. O analista da linguagem decompõe, em relações superpostas, os mesmos elementos, até então sintagmaticamente compostos, e preenche os vazios oferecidos pela diferença de leitura com a motivação de relações que indicam a sintaxe de transformações entre estes mesmos elementos. Isso é feito a partir de uma verdadeira importação de um modelo lógico que, trazido de outra regionalidade, operacionaliza esta transformação e, com isso, manifesta como constituidor dos limites da mensagem (aqui não tomada como conteúdo particular de cada mito, mas como o

sentido que num corpus mitológico várias variantes possuem) a lógica material imanente, que permite a um falante articular um signo codificado. É justamente essa lógica que é revelada. O recorte superposto, executado pelo modelo, divide a narrativa nos dois planos, constituindo com a armadura o mínimo múltiplo comum da estrutura. A partir da barra, do traço diferencial produzido por esta, estabelecemos opositivamente os diversos códigos. A mensagem se atualiza como o sentido comum ao corpus existente, nos de-limites da articulação entre armadura e código. [...] A partir desse procedimento, percebemos que essas relações constituintes, que não se davam a ver, eram pressionadas pelo contexto, o que permitia a formulação do inconsciente pelo binômio lógica imanente & *contrainte* contextual. Se observarmos o papel do jaguar já nos mitos da América do Sul, veremos que, do ponto de vista das relações entre os elementos internos destes, ele era o único animal que não só não se submetia ao homem, como o devorava. O léxico é ofertado por ligação contextual, apenas invertido assimetricamente para que se pressionem contextualmente os elementos narrativos e, a partir da ação do modelo, se revele a lógica imanente à versão contextual, e que por isso mesmo o permita falar. Por isso, a estrutura, que está escondida pela realidade empírica, tem a ver não com uma reduplicação desta, mas com o modelo que a revela como a articulação entre armadura, código e mensagem que, dessa forma, não se tornam contraditórios com a re-leitura da relação sintagma & paradigma efetuada por Lévi-Strauss em *O cru e o cozido*. Logo, [a] Estrutura se passa ao nível inconsciente ou, dito de outra forma, é responsável pelo conhecimento teórico dessa lógica subjacente que nos permite falar, conquanto não nos coloquemos no engendramento da mensagem repetida. Ora, essa descrição é completa do ponto de vista de como o Outro, como língua constituidora da Lei, dá ele mesmo condições de reprodução interiorizada e normativa. Mas ao dizer que o inconsciente é o discurso do Outro, não se diz que esse inconsciente está no Outro, como a lógica que o permite articular-se duplamente como discurso. [...] O latente não é a lógica imanente do objeto do discurso linguístico, mas a // *manque*// em nome da qual se elabora a transformação dos lugares significantes desse marco lógico. Está claro no exemplo freudiano que a associação livre não repõe o sentido do latente. Mas necessita ter falada a sua ausência estruturante pelo discurso que não encontra o lugar para o sujeito alienado no lugar da falta na cena virtual. Ou seja, para constituir a atualização da problemática da Lei, necessita-se combiná-la com a relação estrutura & falta & economia e abundância do significante. Trata-se de uma estrutura que dê conta da exclusão de cena de um lugar de sujeito desta forma incluído, conquanto não atualizado.[6]

Pelo exposto, verifica-se como e por que Lévi-Strauss não dá conta do lugar reivindicado pelo sujeito ao esquecer a outra cena e ao não dizer do plano do desejo e da verdade. E a hipótese lacaniana mostra que as regras que explicam o significado reprimido não são as mesmas que explicam o significado simbólico. Em suma, as regras do processo primário indicam que o significante desse significado transgride os limites da ação formal da elaboração secundária. O sujeito é um lugar que falta no espaço do discurso linguístico...
Falamos de aprofundamento no início deste escrito. De fato, o que caracterizaria o curso seguinte seria o encaminhamento no sentido de acentuar o caráter decisivo da contribuição lacaniana para a leitura do discurso literário. Assim sendo, mediante a característica abordagem epistemológica efetua-se a análise das mais importantes leituras do literário ou do artístico em geral. O contextualismo sociológico, com as colocações de Lukács e Goldmann, assim como as tentativas de Macherey e Badiou enquanto retomadas críticas, numa perspectiva althusseriana, das teorias do reflexo. Representadas pelas concepções que apontam o poético como um desvio da forma (Cholovski, Jakobson), a "estética de desvio", na medida em que ainda depende do receptor, é designada como "um aristotelismo às avessas" e como situada "fora daquilo indicado pelo que lhe é ausente: uma leitura da ambiguidade como significação do silêncio". A posição assumida pela estética do desvio caracteriza os limites e o reducionismo da visão linguística. Também a reflexão heideggeriana sobre o poético não deixa de ser analisada; e o que se evidencia é que, pelo fato de suprimir o simbólico, essa reflexão mostra sua insuficiência quanto à categorização do sujeito. Após a retomada do papel da estrutura de exclusão do sujeito, o curso culminaria, no seu final, com a caracterização da interpretação literária segundo a estrutura de inclusão do sujeito. Este rapidíssimo esboço visa tão somente a apontar para a desconfiança e a recusa, por parte de Antônio Sérgio Mendonça, em face de qualquer metodologia linguística ou antropológica da análise literária, na medida em que as duas respectivas disciplinas se comprometem com a estrutura de exclusão do sujeito. E, no final do referido curso, ficaria lançada a questão: por que não categorizar, em termos de uma verticalidade, a estrutura de inclusão do sujeito uma vez que,

no decorrer dos três cursos, ela fora apresentada como a pedra de toque, a viga mestra de uma posição que decididamente se afirmava no sentido de não fazer concessões a qualquer tipo de pensamento que recalque a problemática do sujeito? A resposta, evidentemente, está no curso atualmente ministrado, cujo título despretensioso não revela o amadurecimento teórico desse jovem professor, adquirido no decorrer de "alguns anos de estudo", de reflexão sobre os textos lacanianos.

E graças à sua maturidade teórica, à sua habilidade no manejo dos conceitos lacanianos, Antônio Sérgio Mendonça seria procurado por um grupo de analistas de vanguarda (em face da tradição empirista, de base kleiniana, que caracteriza a postura da grande maioria de nossos terapeutas) para introduzi-los nesse pensamento que, apesar de todas as resistências, institucionais ou não, se impõe por sua maneira original e radical de se pôr.

2. M. D. Magno, desconstrutor da linearidade sintagmática, característica dos discursos da ordem e da clareza, se apresenta a nós como o poeta, criador de novas significações, transgressor, agressor, "ruído a interferir na ordem redundante, querendo ser informação, repetição botando diferença a cada tida vez". Em seus trabalhos teóricos — densos, complexos, ricos quanto à indicação de novas perspectivas, delineadas a partir da temática lacaniana — não deixam de estar presentes as ressonâncias do poético. Daí sua leitura exigir-nos um afastamento daquela preocupação típica de uma postura rígida quanto às suas exigências de "cientificidade", que nos remete a pressupostos positivistas, lembrando um cientificismo. Graças talvez à sua formação, os escritos de M. D. Magno ressaltam o modo elegante e rigoroso de um pensamento eminentemente topológico. Assim é que, a partir desse *Lugar*, esse pensamento se tem posto em aspecto de indagações, questionamentos, sugestões, proposições que culminam em trabalhos como "O Shifter e o Dichter" e "Gerúndio (Primeira ementa para uma antropologia do sujeito)". Vale notar que seus escritos não são, propriamente falando, lacanianos, posto que lacanianos são os escritos do próprio, mas que, em Lacan, encontraram emulação necessária para alçar voo próprio.

Assim é que, no primeiro dos escritos citados, partindo da crítica lacaniana ao conceito de *shifter de Jakobson (e magniana à dêixis de Benveniste)* mediante esquemas e a análise do *Chá muito louco de Alice*, o autor afirma que o "que Dormeuse denuncia é que o discurso é máscara como o é a pessoa, e que todos se alienam a ambos, e aí está a loucura essencial".[7] Dormeuse é então apontado como ocupando o lugar de quarta pessoa, "essa não-pessoa que no entanto permite as demais". Designando-a com a expressão ôme, "tomando do chulo, às vezes no jargão da crendice brasileira designando a inexistente pessoa a quem recorrer (umbanda, quimbanda, macumba)". E, mais adiante:

> É o ôme essa pessoa não-pessoa que vai melhor indicada no termo francês de *personne*: ao mesmo tempo pessoa, máscara e *ninguém*: quem põe o *ser aí*. Ôme é o zero, grau zero da personalidade, primeiro número na razão de Frege, quarta pessoa (por nosso ocultamento), primeira pessoa, em zero, por desvelamento.

E retomando os esquemas anteriormente assinalados, aponta "aquela circunferência como o *lugar do ôme*, lugar onde se instaura [...] a possibilitação de pessoa e de indivíduo". E prosseguindo na caracterização desse ôme, o autor, com rara felicidade, ao responder à questão "quem sou?", fá-lo através de Breton:

> Quem sou eu? Se por excesso me referia eu a um adágio: um *efeito* porque tudo isso não viria a ser questão de saber quem eu "habito"? [...] Esta última palavra me faz representar, por meu viver, o papel de um fantasma, evidentemente ela faz alusão ao fato de ter sido preciso que eu cessasse de ser para ser quem sou. (Grifo nosso)

Não é sem razão, aliás, que Lacan se relaciona tão de perto com os surrealistas.

Prosseguindo em sua investigação sobre o problema do sujeito, M. D. Magno aponta para a contribuição que nesse sentido é dada por Brecht e Artaud, em cuja mesma des-intenção poética percebemos a indicação para a lembrança do ôme.

> Queremos, em ambos, surpreender, é a vontade de um teatro que *se saiba* discurso *do sujeito* e não discurso de *um* sujeito [...]. Uma cena *presente* sim, mas que não se funda na instância de sua dêixis, porém na mostração de ôme heroicamente escapando à *sujeição* de enunciado e de enunciação — melhor: denunciando a dupla sujeição.

Apêndice: A propósito de Lacan 345

E em sua reflexão sobre o escrito lacaniano *Subversion du sujet et dialectique du désir*, o autor se pergunta da não satisfação a Lacan do esquema de Jakobson. E não só responde mostrando que no dito esquema "a posição do sujeito (do inconsciente) resta confusa", como propõe um outro esquema que resguarde os conceitos jakobsonianos de enunciado e de enunciação,

> de serventia linguística, mas onde o "existencial" que a relação desses conceitos promove também se compreende e se resguarda, assentando no sujeito de Lacan (Freud). Neste esquema se alega uma terceira instância — *sujeito da denúncia* a se posicionar no entre dois sujeitos [...] denunciando a barra que os separa, como de resto toda barra, sujeito *na* barra a constituir um *hífen-barra*

(quanto a este conceito magniano, leia-se em *Lugar* I seu escrito "O hífen na barra"). E que é que esse sujeito denuncia? A clivagem que se dá entre enunciado e enunciação e, sobretudo, *"a clivagem primeira do sujeito (Urspaltung)*, entre sua instância e sua manifestação, a barra na língua (*Refente*) — denúncia que os ditos sujeitos do enunciado e da enunciação não estão por inteiro no mesmo campo de sujeição (*Fente*)". Vejamos o esquema proposto:

SUJEITO DO ENUNCIADO (por ex., Eu, como sujeito da frase)
(*persona*)
SUJEITO DA DENÚNCIA (?)
(*ôme*)
SUJEITO DA ENUNCIAÇÃO (por ex., Eu como *shifter*)
(*ego*)

E é nesse momento que a leitura de seu escrito nos põe em face da plenitude criadora do pensamento de M. D. Magno: a proposição do *Dichter*,

> do termo alemão que traduz *poeta* (mas também de *dicht*, denso, cerrado, espesso, acrescentado da partícula *er* e que, fonicamente ladeado do termo posto por Jakobson para a categoria de *embreador*, o *shifter* do inglês, promete farta significação).

Mas o que vem a ser esse *Dichter* em sua nova postulação?

Digamos que *Dichter* é todo traço desse *sujeito da denúncia* que chamamos. Não se trata de nenhuma categoria meramente gramatical, ou verbal, mas *categoria de discurso, de manifestação* qualquer, presente toda vez que se lhe abre estádio, inconscientemente despontada, restando inconsciente muita vez.

Daí a necessidade de uma análise que procure isolar e indicar esses *Dichter*, talvez com certa imprecisão, mas que aponte

> a frequência de um elemento (partícula, ser) bastante estranho sim e felizmente, que pervade todo discurso e todo o discurso — e que nenhum campo do useiro saber (linguístico, semântico, semiológico, outro) consegue reduzir à *lógica forçada* de sua elaboração. (Grifo nosso)

E ao fazer referência a determinada passagem dos *Essais sur le Boudhisme Zen* de Suzuki, o autor mostra que a prática de Koan

> remete a esse encontro com o *sentido* como não-senso [...] dizer o *dizer* com neutralidade no próprio discurso, como denúncia, no discurso, da alienação que o discurso não pode mesmo deixar de sofrer e fazer sofrer [...]. O gesto de Ien é como "signo" não arbitrário que se põe: como *sintoma*? O sintoma é o *Dichter* por excelência. O sintoma é *neologismo* forçando dar entrada na linguagem à presença de *ôme* (ω).

Partindo de uma sugestão de Fernando Pessoa a respeito da arte de imitar a natureza em seus processos, M. D. Magno toma como exemplo uma consideração de Segre a respeito da diferença entre signo e sintoma para caracterizar a matéria "sígnica" da arte como intermediária entre ambos. Chamando-a de *ícone* (= *um quase-signo* intermediário entre signo e sintoma), Magno afirma que sua gênese, que se constitui como precursora e possibilitadora da gênese do signo (e da língua, portanto), está

> na representação (inscrição) do real mediante a máquina do vivo, em algum *representamen* natural "animalizado" (no sentido pessoano) por sua capacidade expressiva, convincente mesmo de vida própria. Assim o ícone é diretamente motivado, em diferença: pelas funções mesmas provindas do real e que vão se

inscrever (pela máquina psíquica) como representações a se repetir e, daí por diante, com o que o signo se torna arbitrário — arbitrariedade instalada pela repetição, desinvestimento do sintoma e sua consequente regulamentação.

Tais colocações acabam por nos remeter a outro artigo aqui referido, "Gerúndio", onde o autor procura desenvolver uma "'*connaissance aprochée*' dessa máquina gerante, que, de efeito, rendeu o que se chama *homem* (e que nós chamamos *ôme*)".[8]

Propondo uma *hermenêutica integral* capaz de uma abordagem do *poético*, de um levantamento da economia dos *Dichter* como indicadores da *denunciação* (essa "hermenêutica da des-integração" é proposta com o nome de Semasionomia), o autor afirma a possibilidade de recuperação do sintoma ao ser surpreendido em seu aparecimento, em sua articulação, assim como na "*racionalização* que o esconde, submetendo-o aparentemente [...] a uma imposição meramente linguística e de mal competente categorização".

Apontando os *Dichter* como responsáveis pelo próprio processo de iconização que permite ao poeta fundar o signo a partir do sintoma, assim como pelo processo de subversão mediante o qual o poeta se colocaria como destruidor do signo a fim de que se desse a vigência da linguagem originária, o autor, concluindo, reafirma a necessidade de categorização da entidade indicadora de *sentido* que denuncia o afastamento entre enunciado e enunciação e que se centra no sujeito enquanto singularidade. Daí, portanto, a necessidade de um método e de uma técnica para constituírem a Semasionomia enquanto teoria da plena significação. Em conversa com o autor, este nos explicou que a hermenêutica integral não tem a ver com a conhecida, mas é uma *hermenáutica*, isto é, o percurso do significante em seus efeitos enquanto posição do sujeito na deriva.

Pelo exposto, não podemos considerar M. D. Magno como um mero seguidor de Lacan. Nesse sentido, não podemos deixar de lembrar uma declaração sua a esse propósito: "Não sigo, mas quando *encontro* tento andar ao lado". Mas essa originalidade criadora que o caracteriza tem outras fontes de inspiração: suas leituras freudianas, que datam da adolescência, estas sim profundamente sonhadas. Sem esquecer aquelas de mesmo alcance, de mesmo fundamento: Joyce e Rosa. Como tais, modeladoras de um estilo, de um trabalho *na* linguagem. Que se leia *Aboque/Abaque*. É aí, nesse escrito, que se percebe, em termos de literariedade, como o autor se permite a reinvenção de textos, a partir de manifestações reais, de modo a apontar no trato da linguagem o brusco surgimento do desregrado, do patológico ou do simples efeito inconsciente — o que é também uma indicação reflexiva, como no texto científico, desses fenômenos irrealizantes da palavra.

E em "Gerúndio" o autor não se furta a apontar aqueles que o inspiraram naquele escrito: o pensamento de Freud (*Mais além do princípio do prazer*), o conceito de *integron* de Jacob (*La logique du vivant*), a ciência freudiana de Lacan, o "rigoroso delírio científico" de Lupasco (*Les trois matières, Nuevos aspectos del arte y de la ciencia, Du rêve, de la mathématique et de la mort, L'Énergie et la matière vivante, Du devenir logique et de l'affectivité*) e o pensar do poeta, aqui representado pelo delírio rigoroso de Michaux (*Les grandes éprouves de l'esprit, Connaissance par les gouffres, Misérable miracle, L'Infini turbulent* etc.).

Partindo da leitura dos trabalhos de M. D. Magno, quisemos, aqui, apontar para um pensamento que se coloca para além, isto é, para fora das discussões desenvolvidas no âmbito acanhado da instituição universitária. Pensamento rigoroso e rigorosamente voltado para ôme. Que não se preocupa com o fato de o seu dizer ser de caráter científico ou artístico, uma vez que tal disjunção não conduz ao fundamental e perde de vista o *"significando* desse 'oximoro' *o homem* partido no entre *significado-significante*". Nesse sentido, não é demais recorrer àquele que, número especial deste *Lugar* (também xingado vituperado denegrido por um dessaber que não o leu, mas "ouviu falar", ou que o leu sem o entender, e que não tem competência, evidentemente, para se colocar no nível em que ele está para, daí, responder-lhe), Jacques Lacan "ou o 'Portavoz'".[9]

> Costumam dizer que ela [a psicanálise] não é uma ciência propriamente dita, o que parece implicar por contraste que ela é simplesmente uma arte. É um erro, se por isso entendermos que ela é tão somente uma técnica, um método operacional, um conjunto de receitas. Mas não é um erro se empregarmos essa palavra, "arte", no sentido em que era empregada na Idade Média quando se falava das artes liberais — vocês conhecem a série que vai da astronomia à dialética, passando pela aritmética, a geometria, a música e a gramática. [...] No entanto, é certo que o que as caracteriza e as distingue das ciências que delas teriam se originado é que conservam em primeiro plano o que se pode chamar

uma relação fundamental com a medida do homem. Pois bem, a psicanálise talvez seja atualmente a única disciplina comparável a essas artes liberais, pelo que preserva dessa relação de medida do homem consigo mesmo — *relação interna, fechada sobre si mesma, inesgotável, cíclica, que o uso da fala comporta por excelência.* (Grifos nossos)[10]*

No momento, aguardamos a tese de M. D. Magno, cuja publicação certamente nos colocará em contato com uma abordagem original, criadora, da obra de Guimarães Rosa. Esse trabalho confirmará o que viemos de dizer de seu autor, na medida em que nele terá apontado aspectos que a crítica desenvolvida em torno de Rosa talvez não tenha sequer suspeitado.

---

* Tradução de Claudia Berliner em *O mito individual do neurótico* (Zahar, 2018, pp. 11-2). (N. E.)

Notas

PARTE I **Ensaios**

Cultura, etnicidade e trabalho: Efeitos linguísticos e políticos da exploração da mulher (pp. 25-44)

1. José Nun, "Superpopulação relativa, exército industrial de reserva e massa marginal".
2. Karl Marx, *Oeuvres*, v. I, p. 1205.
3. José Nun, op. cit., p. 122.
4. Ibid., pp. 124-5.
5. Ibid., p. 126 (grifos nossos).
6. Louis Althusser, *Lire le Capital*, v. II, p. 45.
7. José Nun, op. cit.
8. Carlos Hasenbalg, *Aspectos das relações raciais no Brasil*, p. 12.
9. Clóvis Moura, *O negro: de bom escravo a mau cidadão?*
10. Florestan Fernandes, *O negro no mundo dos brancos*; *A integração do negro na sociedade de classes*; Octávio Ianni, *As metamorfoses do escravo*.
11. Ver Carlos Hasenbalg, op. cit., "Desigualdades raciais no Brasil"; Thomas Skidmore, *Preto no branco*, pp. 56-60.
12. José Nun, op. cit.
13. Carlos Hasenbalg, *Aspectos das relações raciais no Brasil*, p. 50.
14. Abdias do Nascimento, *O genocídio do negro brasileiro: processo de um racismo mascarado*, p. 72.
15. Ver Vanilda Paiva, "Oliveira Vianna: nacionalismo ou racismo?", p. 135.
16. Louis Althusser, *Lire le Capital*, v. II, pp. 39-40.
17. Nicos Poulantzas, *A crise das ditaduras: Portugal, Grécia, Espanha*, pp. 30-1.
18. Carlos Hasenbalg, *Discriminação e desigualdades raciais no Brasil*, pp. 113-4.
19. José Nun, op. cit., p. 128.
20. Ver Carlos Hasenbalg, "Desigualdades raciais no Brasil", pp. 12ss.
21. Ibid., p. 14.
22. Ibid., p. 24.
23. Abdias do Nascimento, *O genocídio do negro brasileiro: processo de um racismo mascarado*, p. 95.

A juventude negra brasileira e a questão do desemprego (pp. 45-8)

1. Edmar Bacha e Mangabeira Unger, *Participação, salário e voto: um projeto de democracia para o Brasil*.

A mulher negra na sociedade brasileira: Uma abordagem político-econômica (pp. 49-64)

1. W. E. B. Du Bois, *The Black Folk*, pp. 132-3.
2. Décio Freitas, *Palmares: a guerra dos escravos*.
3. Ibid.
4. Louis Althusser, "A ideología", pp. 39-40.
5. Carlos Hasenbalg, *Discriminação e desigualdades raciais no Brasil*, pp. 113-4.
6. Nicos Poulantzas, *As classes sociais no capitalismo hoje*, pp. 30-1.
7. José Nun, "Superpopulação relativa, exército industrial de reserva e massa marginal".
8. Lélia Gonzalez, *Qual o lugar da mulher negra na força de trabalho?*
9. Id., *Cultura, etnicidade e trabalho: efeitos linguísticos e políticos da exploração da mulher*.
10. Ibid.
11. Leni Silverstein, *Mãe de todo mundo*.
12. Ibid., p. 24.

O apoio brasileiro à causa da Namíbia: Dificuldades e possibilidades (pp. 65-74)

1. Lélia Gonzalez e Carlos Hasenbalg, *Lugar de negro*.
2. *O Globo*, Rio de Janeiro, 9 jan. 1980.
3. Tereza Cristina Araujo Costa, Lucia Elena G. Oliveira e Lélia Gonzalez, *Mulher negra: uma proposta de articulação entre raça, classe e sexo*.
4. Lélia Gonzalez e Carlos Hasenbalg, op. cit.
5. Lélia Gonzalez, *Mulher negra e participação*.
6. Lélia Gonzalez e Carlos Hasenbalg, op. cit., p. 105.
7. George R. Andrews, *The Afro-Argentines of Buenos Aires: 1800-1900*.
8. Lélia Gonzalez, *Racism and its Effects in Brazilian Society*; Lélia Gonzalez e Carlos Hasenbalg, op. cit.
9. Lélia Gonzalez, "Racismo e sexismo na cultura brasileira"; *Mulher negra e participação*; Lélia Gonzalez e Carlos Hasenbalg, op. cit.
10. José Maria Nunes Pereira, "Relações Brasil-África: problemas e perspectivas", p. 222.
11. Elisa Larkin Nascimento, *Pan-africanismo na América do Sul: emergência de uma rebelião negra*, p. 158.

12. Jacques D'Adesky, "Brasil-África: convergência para uma cooperação privilegiada", p. 5.
13. Elisa Larkin Nascimento, op. cit.

Racismo e sexismo na cultura brasileira (pp. 75-93)

1. Lélia Gonzalez, *Cultura, etnicidade e trabalho: efeitos linguísticos e políticos da exploração da mulher.*
2. Lélia Gonzalez, *A mulher negra na sociedade brasileira.*
3. Jacques-Alain Miller, "Teoria da Alíngua", p. 17.
4. Lélia Gonzalez, *A juventude negra brasileira e a questão do desemprego.*
5. June E. Hahner, *A mulher no Brasil*, pp. 120-1.
6. Heleieth I. B. Saffioti, *A mulher na sociedade de classes: mito e realidade*, p. 165.
7. Ibid.
8. Caio Prado Jr., *Formação do Brasil Contemporâneo (Colônia)*, pp. 342-3.
9. Sigmund Freud, *Obras completas.*
10. Lélia Gonzalez, *A mulher negra na sociedade brasileira.*
11. Caio Prado Jr., *Formação do Brasil Contemporâneo (Colônia)*, p. 343.
12. Ibid.
13. Jacques Lacan, *O Seminário*, Livro 1.
14. Lélia Gonzalez, *A mulher negra na sociedade brasileira.*

Mulher negra (pp. 94-111)

1. Lélia Gonzalez, *A juventude negra brasileira e a questão do desemprego.*
2. Carlos Hasenbalg, *Discriminação e desigualdades raciais no Brasil.*
3. Zaira Ary Farias, *Domesticidade: "cativeiro" feminino?*, p. 46 (grifos da autora).
4. José Nun, "Superpopulação relativa, exército industrial de reserva e massa marginal".
5. Carlos Hasenbalg e Nelson Valle Silva, *Industrialização, emprego e estratificação social no Brasil.*
6. Ibid.
7. Rose Marie Muraro, *Sexualidade da mulher brasileira*, p. 14 (grifos nossos).
8. Carlos Hasenbalg e Nelson Valle Silva, op. cit., p. 40 (grifos nossos).
9. Lucia E. Oliveira, Rosa M. Porcaro e Teresa C. N. Araujo Costa, *O lugar do negro na força de trabalho.*
10. Carlos Hasenbalg e Nelson Valle Silva, op. cit.
11. Lélia Gonzalez e Carlos Hasenbalg, *Lugar de negro*, p. 105.
12. Hamilton Cardoso, "Movimentos negros é preciso ou Aspectos econômicos da opressão racial", p. 46.

13. Lélia Gonzalez, A mulher negra na sociedade brasileira.
14. Lucia E. Oliveira, Rosa M. Porcaro e Teresa C. N. Araujo Costa, op. cit.
15. Lélia Gonzalez, "Racismo e sexismo na cultura brasileira".
16. Salvador, 9-14 abr. 1984.
17. Lélia Gonzalez, "A mulher negra na sociedade brasileira: Uma abordagem político-econômica".
18. Jenny Bourne, "Towards an Anti-Racist Feminism".
19. Ana Maria Felippe Garcia, Mulher negra e mulher branca: o "trabalho" por uma luta comum, p. 5.

O Movimento Negro Unificado: Um novo estágio na mobilização política negra (pp. 112-26)

1. Lélia Gonzalez, Cultura, etnicidade e trabalho: efeitos linguísticos e políticos da exploração da mulher.
2. José Nun, "Superpopulação relativa, exército de reserva e massa marginal".
3. Celso Lafer, O sistema político brasileiro, p. 73.
4. Pierre-Michel Fontaine, "Transnational Relations and Racial Mobilization: Emerging Black Movements in Brazil".
5. Ibid.
6. Hamilton Bernardes Cardoso, "Afro-Latino América".
7. Pierre-Michel Fontaine, Models of Economic Development and System of Race Relations: The Brazilian Development Model and the Condition of Afro-Brazilians.

A categoria político-cultural de amefricanidade (pp. 127-38)

1. Lélia Gonzalez, "Racismo e sexismo na cultura brasileira"; "Por un feminismo afrolatinoamericano"; "Nanny: Pilar da amefricanidade"; "A Socio-Historic Study of South American Christianity: The Brazilian Case".
2. M. D. Magno, Améfrica Ladina: introdução a uma abertura.
3. Jean Laplanche e Jean-Bertrand Pontalis, Vocabulário da psicanálise.
4. Ver M. D. Magno, Améfrica Ladina: introdução a uma abertura.
5. Ibid.
6. Lélia Gonzalez, "Racismo e sexismo na cultura brasileira".
7. Martin Bernal, Black Athena.
8. Gérard Leclerc, Anthropologie et colonialisme.
9. Lélia Gonzalez, "Nanny: pilar da amefricanidade".
10. Wayne B. Chandler, "The Moor: Light of Europe's Dark Age".
11. Lélia Gonzalez, "Nanny: pilar da amefricanidade".
12. Roberto DaMatta, Relativizando: uma introdução à antropologia.

13. Lélia Gonzalez, "Nanny: pilar da amefricanidade".
14. Lélia Gonzalez, "Por un feminismo afrolatinoamericano".
15. Ver Lélia Gonzalez, "Nanny: pilar da amefricanidade".
16. Frantz Fanon, *Os condenados da Terra*; *Pele negra, máscaras brancas*.
17. Lélia Gonzalez, "A Socio-Historic Study of South American Christianity: The Brazilian Case".
18. Walter Rodney, *How Europe Underdeveloped Africa.*
19. Molefi K. Asante, *Afrocentricity*, p. 31.
20. Elisa Larkin Nascimento, *Pan-africanismo na América do Sul: emergência de uma rebelião negra*.
21. Ivan Van Sertima, *They Came Before Columbus: The African Presence in Ancient America*.

Por um feminismo afro-latino-americano (pp. 139-50)

1. Lélia Gonzalez, "Racismo e sexismo na cultura brasileira".
2. Virginia Vargas, *Feminismo y movimiento social de mujeres*.
3. David Edgar, "Reagen's Bidden Agenda".
4. Judith Astelarra, *El Feminismo como perspectiva y como práctica política*.
5. Wayne B. Chandler, "The Moor: Light of Europe's Dark Age".
6. Roberto DaMatta, *Relativizando: uma introdução à antropologia*.
7. George R. Andrews, *The Afro-Argentines of Buenos Aires: 1800-1900*.
8. Virginia Vargas, op. cit.
9. Lucia E. Oliveira, Rosa M. Porcaro e Teresa C. N. Araujo, "Efeitos da crise no mercado de trabalho urbano e a reprodução das desigualdades raciais".
10. Ibid.

Nanny: Pilar da amefricanidade (pp. 151-7)

1. Jean Laplanche e Jean-Bertrand Pontais, *Vocabulário da psicanálise*.
2. Ivan Van Sertima, *They Came Before Columbus: The African Presence in Ancient America*.
3. Lélia Gonzalez, "Por un feminismo afrolatinoamericano".
4. Wayne B. Chandler, "The Moor: Light of Europe's Dark Age".
5. Roberto DaMatta, *Relativizando: uma introdução à antropologia*.
6. Elisa Larkin Nascimento, *Pan-africanismo na América do Sul: emergência de uma rebelião negra*.
7. Lucille Mathurin Mair, *The Rebel Woman in British West Indies During Slavery*.
8. Kenneth Bilby e Filomina Chioma Steady, "Black Woman and Survival: A Maroon Case".
9. *Standard Dictionary of English Language — International Edition*.

A mulher negra no Brasil (pp. 158-70)

1. Rose Marie Muraro, *Sexualidade da mulher brasileira*, p. 14.
2. Carlos Hasenbalg e Nelson Valle Silva, *Industrialização, emprego e estratificação social no Brasil*, p. 40.
3. Ibid.
4. Lélia Gonzalez, "Racismo e sexismo na cultura brasileira"; *A mulher negra na sociedade brasileira*.
5. Hamilton Cardoso, "Movimentos negros é preciso ou Aspectos econômicos da opressão racial", p. 46.
6. Lélia Gonzalez, *A mulher negra na sociedade brasileira*.
7. Lucia E. Oliveira, Rosa M. Porcaro e Teresa C. N. Araujo Costa, *O lugar do negro na força de trabalho*.
8. Lélia Gonzalez, *A mulher negra na sociedade brasileira*.
9. Jenny Bourne, "Towards an Anti-Racist Feminism".
10. Lélia Gonzalez, "Racismo e sexismo na cultura brasileira".
11. Marshall Sahlins, *Cultura e razão prática*, p. 196.
12. O. Oluwafemi Ogunbiyi e Ilma Fátima de Jesus, *A mulata é a tal?*, p. 4 (grifo meu).
13. "Mulatas passam, indomáveis, na prova de fogo". *O Globo*, Rio de Janeiro, 10 jul. 1986. Segundo Caderno, p. 1.
14. Marilena Chaui, *Repressão sexual, essa nossa (des)conhecida*, p. 207.
15. Lélia Gonzalez, *Racism and its Effects in Brazilian Society*; Lélia Gonzalez e Carlos Hasenbalg, *Lugar de negro*.
16. Marilena Chaui, op. cit., p. 228.
17. Roberto DaMatta, *Relativizando: uma introdução à antropologia social*, p. 82 (grifo meu).

PARTE II **Intervenções**

Mulher negra: Um retrato (pp. 173-8)

1. Louis Althusser, "A ideología", pp. 39-40.
2. Nicos Poulantzas, *As classes sociais no capitalismo hoje*, pp. 30-1.
3. Carlos Hasenbalg, *Discriminação e desigualdades raciais no Brasil*, pp. 113-4.
4. José Nun, "Superpopulação relativa, exército industrial de reserva e massa marginal", p. 128.
5. Ver Carlos Hasenbalg, "Desigualdades raciais no Brasil", p. 12.
6. Ibid., p. 14.
7. Ibid., p. 24.

Racismo por omissão (pp. 220-1)

1. Lélia Gonzalez e Carlos Hasenbalg, *Lugar de negro*.

Apêndice: A propósito de Lacan (pp. 337-49)

1. Júlio Carvalho, "A semiologia no Brasil".
2. Antônio Sérgio Mendonça, *Teoria da literatura*, p. 192.
3. Id., "Semiologia do discurso", in: *Inter-relacionamento das ciências da linguagem*, p. 18.
4. Id., *Teoria da literatura*, p. 193.
5. Veja-se, em Jacques Lacan, *Las Formaciones del Inconsciente*, pp. 67 ss., a análise lacaniana a este respeito.
6. Antônio Sérgio Mendonça, "Por que ainda se deve falar de metonímia e metáfora".
7. M. D. Magno, "O Shifter e o Dichter". Como pretendemos desenvolver nossa abordagem fundamentando-nos sobretudo nesse escrito magniano, ressaltamos que, para nossa maior comodidade, as citações que estiverem simplesmente aspeadas sem remeterem a uma nota se referem a esse trabalho.
8. Id., "Gerúndio".
9. C. B. Clement, "Lacan ou o 'Portavoz'".
10. Jacques Lacan, "El mito individual del neurótico o 'Poesia y Verdad' en la neurosis".

Bibliografia

ALTHUSSER, Louis. "A ideología". In: *Teoria, práctica teórica y formación teórica. Ideologia y lucha ideológica.* Trad. de Enrique Román. *Casa de las Américas,* Havana, ano VI, n. 34, pp. 5-31, jan./fev. 1966.

_____. "Idéologie et appareils idéologiques d'État". In: _____. *Positions.* Paris: Éditions Sociales, 1976. pp. 67-125.

ALTHUSSER, Louis et al. *Lire le Capital.* v. II. Paris: Maspero, 1967.

ANDREWS, George R. *The Afro-Argentines of Buenos Aires: 1800-1900.* Madison: University of Wisconsin Press, 1980.

ARAUJO COSTA, Tereza Cristina; GARCIA DE OLIVEIRA, Lucia Elena; GONZALEZ, Lélia. *Mulher negra: uma proposta de articulação entre raça, classe e sexo.* Rio de Janeiro: Fundação Ford, 1983.

ASANTE, Molefi K. *Afrocentricity.* Trenton: Africa World Press, 1988.

ASTELARRA, Judith. *El feminismo como perspectiva y como práctica política.* Centro de la Mujer Peruana Flora Tristán, 1982.

AZEVEDO, Thales de. *Democracia racial: ideologia e realidade.* Petrópolis: Vozes, 1975.

BACHA, Edmar; UNGER, Mangabeira. *Participação, salário e voto: um projeto de democracia para o Brasil.* Rio de Janeiro: Paz e Terra, 1978.

BARBOSA, Waldemar de Almeida. *Negros e quilombos em Minas Gerais.* Belo Horizonte: [s.n.], 1972.

BASTIDE, Roger; FERNANDES, Florestan. *Relações raciais entre negros e brancos em São Paulo.* São Paulo: Anhembi, 1955.

_____. *Brancos e negros em São Paulo.* 2. ed. São Paulo: Companhia Editora Nacional, 1959.

BERNAL, Martin. *Black Athena.* New Brunswisck, NJ: Rutgers University Press, 1987.

BILBY, Kenneth; STEADY, Filomina Chioma. "Black Woman and Survival: A Maroon Case". In: STEADY, Filomina C. (Org.). *The Black Woman Cross-Culturally.* Cambridge: Schenkman, 1981.

BOJUNGA, Cláudio. "O brasileiro negro, 90 anos depois". *Encontros com a Civilização Brasileira,* Rio de Janeiro, n. 1, jul. 1978.

BOURDIEU, Pierre. *A economia das trocas simbólicas.* São Paulo: Perspectiva, 1974.

BOURDIEU, Pierre; PASSERON, Jean-Claude. *La Reproduction.* Paris: Minuit, 1970.

BOURNE, Jenny. "Towards an Anti-Racist Feminism". *Race & Class,* v. XXV, n. 1, verão 1983.

BRIGAGÃO, Clóvis. "As questões políticas na relação América Latina-África". *Estudos Afro-Asiáticos,* Rio de Janeiro: Cadernos Candido Mendes, n. 6/7, 1982.

CABRAL, Amilcar. *Return to the Source*. Nova York: Africa Information Service/PAIGC, 1973.

CAGAN, Leslie. "Something New Emerges: The Growth of a Socialist Feminism". In: CLUSTER, D. (Org.). *They Should Have Served that Cup of Cofee*. Boston: [s.n.], 1970.

CANDEIA; ISNARD. *Escola de samba: árvore que esqueceu a raiz*. Rio de Janeiro: Lidador/SEEC-RJ, 1978.

CARDOSO, Fernando Henrique. *O capitalismo e escravidão no Brasil meridional*. São Paulo: Difel, 1962.

_____. *Autoritarismo e democratização*. Rio de Janeiro: Paz e Terra, 1975.

CARDOSO, Fernando Henrique; IANNI, Octávio. *Cor e mobilidade social em Florianópolis*. São Paulo: Companhia Editora Nacional, 1960.

CARDOSO, Hamilton Bernardes. "Afro-Latino América". *Versus*, São Paulo, n. 33, jul./ago. 1978.

_____. "Movimentos negros é preciso ou Aspectos econômicos da opressão racial", *Afrodiaspora*, ano 2, n. 3, out./jan. 1983-4.

CHANDLER, Wayne B. "The Moor: Light of Europe's Dark Age". In: VAN SERTIMA, Ivan (Org.). *African Presence in Early Europe*. 3. ed. New Brunswisck, Oxford: Transaction Books, 1987.

CHAUI, Marilena. *Repressão sexual, essa nossa (des)conhecida*. São Paulo: Brasiliense, 1984.

D'ADESKY, Jacques. "Brasil-África: convergência para uma cooperação privilegiada". *Estudos Afro-Asiáticos*, Rio de Janeiro: Cadernos Candido Mendes, n. 4, 1980.

DAMATTA, Roberto. *Carnavais, malandros e heróis*. Rio de Janeiro: Zahar, 1979.

_____. *Relativizando: uma introdução à antropologia social*. 4. ed. Petrópolis: Vozes, 1984.

DEGLER, Carl N. *Neither Black nor White: Slavery and Race Relations in Brazil and the United States*. Nova York: Macmillan, 1971.

DU BOIS, W. E. B. *The Black Folk: Then and Now*. Nova York: Kraus-Thomson, 1975.

DZIDZIENYO, Anani. *The Position of Blacks in Brazilian Society*. Londres: Minority Rights Group, 1971.

EDGAR, David. "Reagen's Bidden Agenda". *Race & Class*, v. 22, n. 3, inverno 1981.

FANON, Frantz. *Escucha, blanco*. Barcelona: Nova Terra, 1970.

_____. *Os condenados da Terra*. 2. ed. Rio de Janeiro: Civilização Brasileira, 1979.

_____. *Pele negra, máscaras brancas*. Salvador: Fator, 1983. (Coleção Outra Gente).

FARIAS, Zaira Ary. *Domesticidade: "cativeiro" feminino?* Rio de Janeiro: Achiamé/CMB, 1983.

FERNANDES, Florestan. *A integração do negro na sociedade de classes*. São Paulo: Dominus, 1965.

_____. *O negro no mundo dos brancos*. São Paulo: Difel, 1972.

_____. *A integração do negro na sociedade de classes*. São Paulo: Ática, 1978.

FONTAINE, Pierre-Michel. *Models of Economic Development and System of Race Relations: The Brazilian Development Model and the Condition of Afro-Brazilians*. In: Encontro

Anual da Associação Nacional de Pós-Graduação e Pesquisas em Ciências Sociais, Belo Horizonte, 17 out. 1979. Mimeografado.

____. "Transnational Relations and Racial Mobilization: Emerging Black Movements in Brazil". In: STACK JR., John F. (Org.). *Ethnic Identities in a Transnational World*. Wesport, CT: Greenwood Press, 1980.

FREITAS, Décio. *Palmares: a guerra dos escravos*. Rio de Janeiro: Graal, 1978.

FREUD, Sigmund. *Obras completas*. Madri: Biblioteca Nueva, 1967.

FREYRE, Gilberto. *O mundo que o português criou*. Rio de Janeiro: José Olympio, 1940.

____. *Sobrados e mucambos*. Rio de Janeiro: José Olympio, 1951.

____. *Obra escolhida*. Rio de Janeiro: Nova Aguilar, 1977.

____. "O brasileiro como uma além-raça". *Folha de S.Paulo*, São Paulo, maio 1978.

GARCIA, Ana Maria Felippe. *Mulher negra e mulher branca: o "trabalho" por uma luta comum*. Rio de Janeiro, 1984. Mimeografado.

GONZALEZ, Lélia. *Qual o lugar da mulher negra na força de trabalho?* Rio de Janeiro: Instituto Universitário de Pesquisa do Estado do Rio de Janeiro (Iuperj), 1978. Mimeografado.

____. *Cultura, etnicidade e trabalho: efeitos linguísticos e políticos da exploração da mulher*. In: Annual Meeting of the Latin American Studies Association. Pittsburgh, 5-7 abr. 1979a. Mimeografado.

____. *A juventude negra brasileira e a questão do desemprego*. In: Annual Meeting of the African Heritage Studies Association. Pittsburgh, 26-29 abr. 1979b. Mimeografado.

____. *A mulher negra na sociedade brasileira*. In: Spring Symposium the Political Economy of the Black World. Los Angeles, 10-12 maio 1979c. Mimeografado.

____. *Racism and its Effects in Brazilian Society*. In: Conferência Mundial das Mulheres sobre Direitos Humanos e Missão. Veneza, 24-30 jun. 1979d. Mimeografado.

____. *The Unified Black Movement*. In: Symposium on Race and Class in Brazil: New Issues and Approaches. Center for Afro-American Studies, UCLA, Los Angeles, 28 fev./1 mar. 1980a. Mimeografado.

____. "A mulher negra na sociedade brasileira: Uma abordagem político-econômica". In: LUIZ, Madel (Org.). *Lugar da mulher: Estudos sobre a condição feminina na sociedade atual*. Rio de Janeiro: Graal, 1982. pp. 87-106. (Coleção Tendências).

____. "Racismo e sexismo na cultura brasileira". In: *Movimentos sociais urbanos, minorias étnicas e outros estudos*. Brasília: Anpocs, 1983. (Ciências Sociais Hoje, n. 2).

____. *Mulher negra e participação*. In: III Congresso Internacional da Associação Latino-Americana de Estudos Afro-Asiáticos — ALADAA, Rio de Janeiro, 1-5 ago. 1983.

____. *The Black Woman's Place in Brazilian Society*. In: 1985 and Beyond: A National Conference. African American Political Caucus/Morgan State University, Baltimore, 9-12 ago. 1984. Mimeografado.

____. "The Unified Black Movement: A New Stage in Black Political Mobilization". In: FONTAINE, Pierre-Michel (Org.). *Race, Class, and Power in Brazil*. Los Angeles: Universidade da Califórnia, Center for Afro-American Studies, 1985a. pp. 120-34.

GONZALEZ, Lélia. "The Black Woman Place in the Brazilian Society". *Afrodiáspora*, Rio de Janeiro, ano 3, n. 6-7, pp. 94-106, abr./dez. 1985b.

_____. "Por un feminismo afrolatinoamericano". *Isis Internacional — Mujeres por um desarollo alternativo*, Santiago, v. 9, pp. 133-41, jun. 1988a.

_____. "Nanny: pilar da amefricanidade". *Revista Humanidades*, Brasília: Ed. UnB, ano IV, n. 17, pp. 23-5, 1988b.

_____. "A Socio-Historic Study of South American Christianity: The Brazilian Case". In: First Pan-African Christian Churches Conference, International Theological Center. Atlanta, 17-23 jul. 1988c.

GONZALEZ, Lélia; HASENBALG, Carlos A. *Lugar de negro*. Rio de Janeiro: Marco Zero, 1982.

HAHNER, June E. *A mulher no Brasil*. Rio de Janeiro: Civilização Brasileira, 1978.

HASENBALG, Carlos A. *Aspectos das relações raciais no Brasil*. Rio de Janeiro: Universidade Federal Fluminense, 1976. Mimeografado.

_____. "Desigualdades raciais no Brasil". *Revista Dados*, n. 14, pp. 7-33, 1977.

_____. *Discriminação e desigualdades raciais no Brasil*. Rio de Janeiro: Graal, 1979.

_____. *Race and socieconomic inequalities in Brazil*. 1980. Mimeografado.

HASENBALG, Carlos A.; VALLE SILVA, Nelson. *Industrialização, emprego e estratificação social no Brasil*. Rio de Janeiro: Iuperj, 1984. (Série Estudos, 23).

IANNI, Octávio. *As metamorfoses do escravo*. São Paulo: Difel, 1962.

_____. *Raças e classe sociais no Brasil*. 2. ed. Rio de Janeiro: Civilização Brasileira, 1972.

_____. *Escravidão e racismo*. São Paulo: Hucitec, 1978.

LACAN, Jacques. *Écrits*. Paris: Seuil, 1966.

_____. *Las formaciones del inconsciente*. Buenos Aires: Nueva Vision, 1970.

_____. *Le Seminaire*, Livro XX. Paris: Seuil, 1972.

_____. *Télévision*. Paris: Seuil, 1974.

_____. *O Seminário*, Livro I. Rio de Janeiro: Zahar, 1979a.

_____. *O Seminário*, Livro XI. Rio de Janeiro: Zahar, 1979b.

LAFER, Celso. *O sistema político brasileiro*. São Paulo: Perspectiva, 1975.

LAPLANCHE, Jean; PONTALIS, Jean-Bertrand. *Vocabulário da psicanálise*. Santos: Livraria Martins Fontes, 1970.

LARKIN NASCIMENTO, Elisa. *Pan-africanismo na América do Sul: emergência de uma rebelião negra*. Petrópolis: Vozes, 1981.

LECLAIRE, Serge. *O corpo erógeno: uma introdução à teoria do complexo de Édipo*. Rio de Janeiro: [s.n], 1974.

LECLERC, Gérard. *Anthropologie et colonialisme*. Paris: Fayard, 1972.

LEOPOLDI, José Sávio. *Escola de samba, ritual e sociedade*. Petrópolis: Vozes, 1978.

MAGNO, M. D. *Améfrica Ladina: introdução a uma abertura*. Rio de Janeiro: Colégio Freudiano do Rio de Janeiro, 1981.

MARX, Karl. *Oeuvres*. v. I. Paris: Gallimard, 1965.

MATHURIN MAIR, Lucille. *The Rebel Woman in British West Indies During Slavery*. Kingston: African-Caribbean Publications, 1975.

MILLER, Jacques-Alain. "A Sutura". *Revista Lugar*, Rio de Janeiro, n. 4, 1974.

____. "Teoria da Alíngua". *Revista Lugar*, Rio de Janeiro, n. 8, 1976a.

____. "A máquina panóptica de Jeremy Bentham". *Revista Lugar*, Rio de Janeiro, n. 8, 1976b.

MOREIRA ALVES, Branca. *Ideologia e feminismo*. Petrópolis: Vozes, 1980.

MOREL, Edmar. *A Revolta da Chibata*. Rio de Janeiro: Graal, 1979.

MOTA, Carlos Guilherme. *Ideologia da cultura brasileira*. São Paulo: Ática, 1977.

MOURA, Clovis. *Rebelião da senzala*. Rio de Janeiro: Conquista, 1972.

____. *O negro: de bom escravo a mau cidadão?* Rio de Janeiro: Conquista, 1977.

MURARO, Rose Marie. *Sexualidade da mulher brasileira*. Petrópolis: Vozes, 1983.

NASCIMENTO, Abdias do. *O negro revoltado*. Rio de Janeiro: Edições GRD, 1968.

____. *O genocídio do negro brasileiro: processo de um racismo mascarado*. Rio de Janeiro: Paz e Terra, 1978.

____. *Mixture or Massacre? Essays on the Genocide of a Black People*. Buffalo, NY: Afrodiaspora, 1979.

____. *Sitiado em Lagos*. Rio de Janeiro: Nova Fronteira, 1981.

NUN, José. "Superpopulação relativa, exército industrial de reserva e massa marginal". In: PEREIRA, Luiz (Org.). *Populações "marginais"*. São Paulo: Duas Cidades, 1978. pp. 73-141.

NUNES PEREIRA, José Maria. "Relações Brasil-África: problemas e perspectivas". *Estudos Afro-Asiáticos*, Rio de Janeiro: Ed. Cadernos Candido Mendes, n. 6/7, 1982.

OGUNBIYI, O. Oluwafemi; JESUS, Ilma Fátima de. *A mulata é a tal?* São Paulo, 1984. Mimeografado.

OLIVEIRA, Lucia E. G.; PORCARO, Rosa Maria; ARAUJO COSTA, Teresa Cristina. *O "lugar do negro" na força de trabalho*. 1980. Mimeografado.

____. "Efeitos da crise no mercado de trabalho urbano e a reprodução das desigualdades raciais". *Estudos Afro-Asiáticos*, n. 14, 1987.

OLIVEIRA BARBOSA, Maria Helena. "Namíbia: imperativo da independência". *Estudos Afro-Asiáticos*, Rio de Janeiro: Ed. Cadernos Candido Mendes, n. 4, 1980.

PAIVA, Vanilda. "Oliveira Vianna: nacionalismo ou racismo?". *Encontros com a Civilização Brasileira*, Rio de Janeiro, n. 3, pp. 127-56, 1978.

POULANTZAS, Nicos. *A crise das ditaduras: Portugal, Grécia, Espanha*. Rio de Janeiro: Paz e Terra, 1976.

PRADO JR., Caio. *Formação do Brasil Contemporâneo (Colônia)*. São Paulo: Brasiliense, 1976.

QUEIROZ JR., Teófilo. *Preconceito de cor e a mulata na literatura brasileira*. São Paulo: Ática, 1975.

RAMOS, Alberto Guerreiro. "O problema do negro na sociedade brasileira". *Cadernos de Nosso Tempo*, n. 2, pp. 207-15, 1954.

RAMOS, Arthur. *O folclore negro do Brasil*. Rio de Janeiro: Casa do Estudante do Brasil, 1954.

RODNEY, Walter. *How Europe Underdeveloped Africa*. 2. ed. Washington, D.C.: Howard University Press, 1974.

RODRIGUES, José Honório. *Brasil e África: outro horizonte*. Rio de Janeiro: Civilização Brasileira, 1964.

ROUANET, Sérgio Paulo. *Imaginário e dominação*. Rio de Janeiro: Tempo Brasileiro, 1978.

SAFFIOTI, Heleieth I. B. *A mulher na sociedade de classes: mito e realidade*. Petrópolis: Vozes, 1976.

SAHLINS, Marshall. *Cultura e razão prática*. Rio de Janeiro: Zahar, 1979.

SIBONY, Daniel. *Le nom et le corps*. Paris: Seuil, 1974.

_____. *La haine du désir*. Paris: Bourgois, 1978a.

_____. *L'autre incastrable*. Paris: Seuil, 1978b.

SILVA, Nascimento J. *Sombra dos quilombos*. Goiânia: Barão de Itararé/Cultura Goiana, 1974.

SILVERSTEIN, Leni. *Mãe de todo mundo*. In: IV Semana do Negro na Universidade Fluminense, nov. 1978. Mimeografado.

SKIDMORE, Thomas. *Brasil: de Getúlio a Castelo*. Rio de Janeiro: Paz e Terra, 1976.

_____. *Preto no branco*. Rio de Janeiro: Paz e Terra, 1977.

SOUZA, Amauri de. "Raça e política no Brasil urbano". *Revista de Administração de Empresas*, v. 11, n. 4, pp. 61-70, dez. 1971.

STANDARD Dictionary of English Language — International edition. Nova York: Funk & Wagnalls, 1970.

VAN SERTIMA, Ivan. *They Came Before Columbus: The African Presence in Ancient America*. Nova York: Random House, 1976.

VARGAS, Virginia. *Feminismo y movimiento social de mujeres*. s. d. Mimeografado.

Fontes

PARTE I Ensaios

Cultura, etnicidade e trabalho: Efeitos linguísticos e políticos da exploração da mulher negra
Apresentado na Latin American Studies Association (Lasa). Em VIII National Meeting of The Latin American Studies Association, Pittsburgh, 5-7 abr. 1979. Mimeografado. Transcrição original cedida por Alex Ratts.

A juventude negra brasileira e a questão do desemprego
Apresentado no encontro anual da African Heritage Studies Association, com o título "Brazilian Black Youth and Unemployment". Em II Annual Meeting of The African Heritage Studies Association, Pittsburgh, 26-29 abr. 1979. Mimeografado.

A mulher negra na sociedade brasileira: Uma abordagem político-econômica
Apresentado no Spring Symposium The Political Economy of the Black World, organizado pelo Center for Afro-American Studies e realizado entre 10-12 maio 1979 na Universidade da Califórnia. Publicado originalmente em LUIZ, Madel (Org.). *Lugar da mulher: Estudos sobre a condição feminina na sociedade atual*. Rio de Janeiro: Graal, 1982. pp. 87-106. (Coleção Tendências).

O apoio brasileiro à causa da Namíbia: Dificuldades e possibilidades
Publicado originalmente em inglês, com o título "Brazilian Support of the Namibian Cause: Difficulties and Possibilities", em *Afrodiáspora*, São Paulo, ano 1, n. 2, pp. 24-33, maio/set. 1983. Traduzido para esta edição por Carlos Alberto Medeiros.

Racismo e sexismo na cultura brasileira
Publicado originalmente em SILVA, Luiz Antônio Machado et al. "Movimentos sociais urbanos, minorias étnicas e outros estudos". *Ciências sociais hoje*, Brasília: Anpocs, n. 2, pp. 223-44, 1983.

Mulher negra
Apresentado com o título "The Black Woman Place in the Brazilian Society" na 1985 and Beyond: A National Conference, organizada por African American Political Caucus e Morgan State University e realizada entre 9-12 ago. 1984, em Baltimore. Versão com modificações publicada originalmente em *Afrodiáspora*, Rio de Janeiro, ano 3, n. 6-7, pp. 94-106, abr./dez. 1985.

O Movimento Negro Unificado: Um novo estágio na mobilização política negra

Publicado originalmente em inglês, com o título "The Unified Black Movement: A New Stage in Black Political Mobilization", em FONTAINE, Pierre-Michel (Org.). *Race, Class, and Power in Brazil*. Los Angeles: Universidade da Califórnia, Center for Afro-American Studies, 1985. pp. 120-34. Traduzido para esta edição por Carlos Alberto Medeiros.

A categoria político-cultural de amefricanidade

Publicado originalmente em *Tempo Brasileiro*, Rio de Janeiro, n. 92-3, pp. 69-81, jan./jun. 1988.

Por um feminismo afro-latino-americano

Publicado originalmente em espanhol, com o título "Por un feminismo afrolatinoamericano", em *Isis Internacional — Mujeres por um desarollo alternativo*, Santiago, v. 9, pp. 133-41, jun. 1988. (Mujeres, crisis y movimiento: América Latina y el Caribe). Traduzido para esta edição por Catalina G. Zambrano.

Nanny: Pilar da amefricanidade

Publicado originalmente em *Humanidades*, Brasília, ano IV, v. 17, pp. 23-5, 1988. Transcrição original cedida por Alex Ratts.

A mulher negra no Brasil

Publicado originalmente em inglês, com o título "The Black Woman in Brazil", em MOORE, Carlos (Org.). *African Presence in the Americas*. Trenton: African World Press, 1995. pp. 313-28. Traduzido para esta edição por Barbara Cruz.

PARTE II Intervenções

Mulher negra: Um retrato

Publicado originalmente em *Lampião da Esquina*, Rio de Janeiro, ano I, n. 11, p. 12, abr. 1979.

Alô, alô, Velho Guerreiro! Aquele abraço!

Transcrição de carta pública, sem data, encontrada no Memorial Lélia Gonzalez, de Ana Maria Felippe. Texto provavelmente escrito entre 1979-81, período em que foi exibido o programa *Alerta Geral*, da TV Globo, citado pela autora.

A questão negra no Brasil

Publicado originalmente em *Cadernos trabalhistas*, São Paulo, pp. 60-6, 1981.

Pesquisa: Mulher negra

Publicado originalmente em *Mulherio*, São Paulo, ano I, n. 3, pp. 8-9, set./out. 1981.

Mulher negra, essa quilombola
Publicado originalmente em *Folha de S.Paulo*, São Paulo, 22 nov. 1981. Folhetim, p. 4.

Democracia racial? Nada disso!
Publicado originalmente em *Mulherio*, São Paulo, ano 1, n. 4, p. 3, nov./dez. 1981.

De Palmares às escolas de samba, tamos aí
Publicado originalmente em *Mulherio*, São Paulo, ano 2, n. 5, p. 3, jan./fev. 1982.

Taí Clementina, eterna menina
Publicado originalmente em *Folha de S.Paulo*, São Paulo, 21 fev. 1982. Folhetim, p. 5.

A esperança branca
Publicado originalmente em *Folha de S.Paulo*, São Paulo, 21 mar. 1982. Folhetim, p. 5.

Beleza negra, ou: Ora yê-yê-ô!
Publicado originalmente em *Mulherio*, São Paulo, ano 2, n. 6, p. 3, mar./abr. 1982.

E a trabalhadora negra, cumé que fica?
Publicado originalmente em *Mulherio*, São Paulo, ano 2, n. 7, p. 9, maio/jun. 1982.

Racismo por omissão
Publicado originalmente em *Folha de S.Paulo*, São Paulo, 13 ago. 1983. Opinião: Tendências e Debates, p. 3.

Homenagem a Luiz Gama e Abdias do Nascimento
Discurso na sessão solene em homenagem a Luiz Gama e Abdias do Nascimento na Assembleia Legislativa do Estado do Rio de janeiro, 24 ago. 1984. Publicado originalmente em NASCIMENTO, Elisa Larkin (Org.). *Dois negros libertários: Luiz Gama e Abdias do Nascimento*. Rio de Janeiro: Ipeafro, 1985. pp. 41-5.

História de vida e louvor (Uma homenagem a Zezé Motta)
Transcrição original encontrada no Memorial Lélia Gonzalez, de Ana Maria Felippe. Texto escrito possivelmente em meados de 1984.

Para as minorias, tudo como dantes...
Publicado originalmente em *Revista Lua Nova*, São Paulo, v. 1, n. 4, pp. 32-3, jan./mar. 1985.

A cidadania e a questão étnica
Participação na mesa-redonda "A cidadania e a questão étnica", parte do seminário A Construção da Cidadania. A transcrição integral do debate foi originalmente

publicada em TEIXEIRA, João Gabriel Lima Cruz (Coord.). *A construção da cidadania*. Brasília: Ed. UnB, 1986. pp. 129-84.

Odara Dudu: Beleza negra
Folheto de campanha de Lélia Gonzalez para deputada estadual pelo PDT/RJ, em 1986.

Discurso na Constituinte
Pronunciamentos na 7ª Reunião da Subcomissão dos Negros, Populações Indígenas, Pessoas Deficientes e Minorias realizada no Anexo II do Senado Federal, em 28 abr. 1987. Ata publicada originalmente em *Diário da Assembleia Nacional Constituinte*, ano I, suplemento 62, 20 maio 1987. Disponível em: < imagem.camara.gov.br/Imagem/d/pdf/sup62anc20mai1987.pdf#page=120>.

O terror nosso de cada dia
Publicado originalmente em *Raça e Classe*, Brasília, ano 1, n. 2, p. 8, ago./set. 1987.

As amefricanas do Brasil e sua militância
Publicado originalmente em *Maioria Falante*, Rio de Janeiro, v. 7, p. 5, maio/jun. 1988.

A importância da organização da mulher negra no processo de transformação social
Publicado originalmente em *Raça e Classe*, Brasília, ano 2, n. 5, p. 2, nov./dez. 1988.

Uma viagem à Martinica I
Publicado originalmente em *Jornal MNU*, [s.l.], n. 20, p. 5, out./nov./dez. 1991.

Uma viagem à Martinica II
Publicado originalmente em *Jornal MNU*, [s.l.], n. 21, p. 8, jan./fev./mar. 1992.

PARTE III Diálogos

Duas mulheres comprometidas em mudar o mundo
Matéria escrita por Paula Giddings, publicada originalmente em inglês, com o título "Two Women Committed to Change the World: Lélia Gonzalez and Musindo Mwinyipembe", em *Encore American & World Wide News*, Nova York, pp. 20-1, 4 jun. 1979. Traduzido para esta edição por Tunã Nascimento.

Entrevista a *Patrulhas ideológicas*
Entrevista concedida a Carlos Alberto M. Pereira e Heloisa Buarque de Hollanda, publicada em PEREIRA, Carlos Alberto M.; HOLLANDA, Heloisa Buarque de. *Patrulhas ideológicas*. São Paulo: Brasiliense, 1980. pp. 202-12.

A lei facilita a violência
Entrevista concedida a Liane dos Santos, publicada em *Auê: Jornal de Sexualidade*, Rio de Janeiro, 1981.

Entrevista ao jornal *Mulherio*: Lélia Gonzalez, candidata
a deputada federal pelo PT/RJ
Entrevista publicada originalmente em *Mulherio*, São Paulo, ano 2, n. 9, p. 5, set. /out. 1982.

O racismo no Brasil é profundamente disfarçado
Entrevista publicada originalmente em *The Brasilians*, [s.l.], ano II, n.124, p.7, jan. 1984.

Mito feminino na revolução malê
Entrevista publicada originalmente em *Afrobrasil*, Salvador, 27 mar./2 abr. 1985.

A democracia racial: Uma militância
Entrevista concedida ao *Informativo Seaf* (Sociedade de Estudos e Atividades Filosóficas) em 1985 e republicada em *Uapê: Revista de Cultura*, Rio de Janeiro, n. 2, pp. 15-9, 2000. Transcrição original encontrada no Memorial Lélia Gonzalez, de Ana Maria Felippe.

Entrevista ao *Pasquim*
Entrevista concedida a Mara Teresa e Jaguar, publicada em *O Pasquim*, Rio de Janeiro, ano 17, n. 871, pp. 8-10, 20-26 mar. 1986.

Entrevista ao *Jornal do MNU*
Entrevista concedida a Jônatas Conceição da Silva, publicada originalmente em *Jornal do MNU*, [s.l.], n. 19, pp. 8-9, maio/jun./jul. 1991.

Apêndice: A propósito de Lacan
Publicado originalmente em COLÉGIO FREUDIANO DO RIO DE JANEIRO (Org.). *Lacan L'Arc — Revista Lugar*, Rio de Janeiro: Ed. Rio, n. 7, pp. 160-72, 1975.

Nota biográfica

LÉLIA GONZALEZ nasceu no dia 1º de fevereiro de 1935 na capital de Minas Gerais, Belo Horizonte, e faleceu em 10 de julho de 1994, na cidade do Rio de Janeiro. Tradutora, professora, antropóloga, filósofa, feminista e militante antirracista, ela teve formação acadêmica diversa. Diplomou-se em geografia, história e filosofia, estudou psicanálise e realizou seus estudos pós-graduados em antropologia. Na vida profissional lecionou em escolas do ensino básico e médio e, posteriormente, tornou-se professora universitária em instituições públicas e privadas na capital fluminense, como a Universidade Estadual do Rio de Janeiro (Uerj) e a Pontifícia Universidade Católica (PUC-Rio).

Lélia Gonzalez foi intelectual paradigmática no Brasil no contexto das lutas contra a ditadura militar e pela democratização do Brasil. Fundou o Movimento Negro Unificado (MNU) e esteve na formação de partidos de oposição ao regime militar. Atuou nas mobilizações civis brasileiras contra o apartheid na África do Sul e fundou a organização Nzinga — Coletivo de Mulheres Negras. Ela também colaborou com deputados negros durante o processo constituinte (1986-8), além de ter integrado o primeiro Conselho Nacional dos Direitos da Mulher. Participou ainda de inúmeros encontros feministas e de mulheres negras no Brasil e em outras partes do mundo, muitos deles promovidos pelas Nações Unidas durante a Década da Mulher, na América do Sul, Caribe, Europa e África.

Na cultura, Gonzalez incentivou a produção literária prefaciando livros, deu assistência teórica e historiográfica para a dramaturgia negra carioca e assessorou o cineasta Cacá Diegues em seu filme *Quilombo*. Em meados dos anos 1970, colaborou com o Grêmio Recreativo de Arte Negra e com a escola de samba Quilombo ao lado do mestre Candeia. Tornou-se adepta do candomblé e grande incentivadora de artistas e de blocos afro, como o Ilê Aiyê e o Olodum, sendo figura central quando havia dúvidas, polêmicas e questionamento sobre o papel das expressões culturais no combate ao racismo.

A autora escreveu artigos para diversas revistas acadêmicas, colaborou na imprensa alternativa e em jornais de grande circulação nacional. Como pesquisadora, apresentou seus trabalhos em várias universidades norte-americanas e em congressos internacionais sobre a América Latina. Lélia Gonzalez participou da organização de três livros: *Lugar de negro*, escrito com o sociólogo argentino Carlos Hasenbalg, em 1982; *O lugar da mulher*, trabalho que partilhou com várias autoras feministas, também publicado em 1982; e, por fim, *Festas populares no Brasil*, lançado em 1987 e premiado na Alemanha. Seus artigos foram traduzidos para o inglês, francês e espanhol.

Uma cronologia de Lélia Gonzalez

1935: Nasce Lélia de Almeida, em Belo Horizonte, Minas Gerais.

1936: Surge a primeira associação das empregadas domésticas do Brasil, com a liderança de Laudelina de Campos Melo.

1937: A Frente Negra Brasileira (FNB) é extinta pelo governo Vargas.

1942: Aos sete anos, Lélia se muda com a família de Minas Gerais para o Rio de Janeiro.

1944: Fundação do Teatro Experimental do Negro (TEN) no Rio de Janeiro, sob a liderança de Abdias do Nascimento.

1945: É criada a Organização das Nações Unidas (ONU). | Pela primeira vez as mulheres votam para presidente no Brasil.

1946: Lélia inicia o ginásio na Escola Técnica Rivadavia Corrêa.

1949: Simone de Beauvoir publica o livro *O segundo sexo* na França.

1950: Surge, dentro do Teatro Experimental do Negro, o Conselho Nacional das Mulheres Negras. | A Unesco coordena um conjunto de pesquisas sobre a questão racial no Brasil com investigadores nacionais de diferentes partes do país.

1951: É fundado o Renascença Clube, espaço de sociabilidade negra que emerge contra o preconceito racial no Rio de Janeiro. | É promulgada a Lei nº 1.390/51, conhecida como Lei Afonso Arinos, que tornou a prática do preconceito de cor ou racial contravenção penal, sujeita a prisão ou pagamento de fiança.

1952: Frantz Fanon publica, na França, *Pele negra, máscaras brancas*.

1954: Lélia conclui o ensino científico no Colégio Pedro II.

1955: Sob a segregação no Sul dos Estados Unidos, Rosa Parks se nega a ceder o lugar para um passageiro branco no ônibus, fato marcante da luta pelos direitos civis.

1958-9: Lélia se torna bacharel em história e geografia pela Universidade Nacional da Guanabara, atual Uerj.

1962: Forma-se em filosofia, também na Universidade Nacional da Guanabara.

1964: Casa-se com Luiz Carlos Gonzalez, passando a se chamar Lélia Gonzalez. | Instaura-se o regime militar no Brasil. | Publicação do livro *A integração do negro na sociedade de classes*, de Florestan Fernandes. | A Lei dos Direitos Civis põe fim, institucionalmente, ao regime de segregação racial nos Estados Unidos.

1965: Luiz Carlos Gonzalez comete suicídio. | Malcom X é assassinado no Harlem, bairro negro de Nova York, nos Estados Unidos.

1966: Fundação do Partido dos Panteras Negras em Oakland, na Califórnia, Estados Unidos. | Lélia traduz *A ação*, primeiro volume da obra *Compêndio moderno de filosofia*, para a editora Freitas Bastos.

1968: O líder negro pacifista Martin Luther King é assassinado no Tennessee, Estados Unidos. | Em maio, um conjunto de protestos estudantis abala o poder e a cultura na França, espalhando-se para o mundo inteiro como um movimento de mudanças de valores.

1969: Heleieth Saffioti publica o livro *A mulher na sociedade de classes*. | Lélia se casa com o engenheiro Vicente Marota.

1971: É criado o Grupo Palmares no Rio Grande do Sul, cujos fundadores idealizaram a proposta de tornar o 20 de novembro o Dia Nacional da Consciência Negra.

1972: Começam a surgir no Brasil grupos da nova onda feminista. | Pela primeira vez, o nome Lélia de Almeida Gonzalez aparece nos registros do Departamento de Ordem Política e Social (Dops), órgão de repressão da ditadura.

1973: Inauguração do Centro de Estudos Afro-Asiáticos na Universidade Candido Mendes, no Rio de Janeiro.

1974: É fundado o bloco afro Ilê Aiyê em Salvador, Bahia.

1975: Criação do Instituto de Pesquisa das Culturas Negras (IPCN), patrocinado pela Fundação Ford. | Surge a escola de samba Quilombo sob a liderança do mestre Candeia, na qual Lélia participa ativamente. | É realizada a Conferência da ONU no México e declarada a Década da Mulher. | Começa a circular o jornal

Versus, cujo núcleo negro formará a coluna "Afro-Latino-América", fundamental para a construção do Movimento Negro Unificado (MNU). | É criado o Colégio Freudiano do Rio de Janeiro, no qual Lélia desenvolverá seus estudos sobre psicanálise com o professor M. D. Magno.

1976: Criação do Centro de Desenvolvimento da Mulher Brasileira. | Lélia ministra o curso de Cultura Negra na Escola de Artes Visuais do Parque Lage (RJ) e se integra ao Instituto de Pesquisa das Culturas Negras. | Separa-se de Vicente Marota. | Ocorre o Levante de Soweto, marcado por protestos em Joanesburgo, na África do Sul.

1977: Acontece o I Congresso de Cultura Negra das Américas, em Cali, na Colômbia. | Lélia traduz o livro *Freud e a psicanálise*, de Octave Mannoni, para a editora Rio.

1978: Ato inaugural do Movimento Unificado Contra a Discriminação Racial nas escadarias do Theatro Municipal de São Paulo, onde Lélia se faz presente.

1979: Surgem os primeiros coletivos autônomos de mulheres negras no Brasil. | É fundado o jornal LGBT *Lampião da esquina*, no qual publica o artigo "Mulher negra: um retrato". | Participa da Latin America Studies Association (Lasa), apresentando o paper "Cultura, etnicidade e trabalho: efeitos linguísticos e políticos da exploração da mulher negra", em Pittsburgh, Estados Unidos. | O pesquisador argentino Carlos Hasenbalg publica o livro *Discriminação e desigualdades raciais no Brasil*.

1980: É fundado o Partido dos Trabalhadores, de cujo Diretório Nacional faz parte.

1981: É criado em São Paulo o jornal *Mulherio*, com financiamento da Fundação Ford e sede na Fundação Carlos Chagas, de cujo conselho editorial Lélia faz parte. | Angela Davis publica o livro *Mulher, raça e classe* nos Estados Unidos.

1982: Eleições pluripartidárias no Brasil. Lélia se lança candidata a deputada pelo Partido dos Trabalhadores. Publica, com Carlos Hasenbalg, o livro *Lugar de negro*.

1983: Início da campanha pelas Diretas Já no Brasil. | Nasce o Nzinga — Coletivo de Mulheres Negras, no Rio de Janeiro, do qual Lélia é uma das fundadoras. | Escreve na *Folha de S.Paulo* o artigo "Racismo por omissão", no qual rompe com o Partido dos Trabalhadores. | Publica o artigo "Racismo e sexismo na cultura brasileira" na revista da Associação Nacional de Pós-Graduação e Pesquisa em

Ciências Sociais (Anpocs). | É realizado o I Encontro de Mulheres de Favela e Periferias, no Rio de Janeiro.

1985: Surge o *Nzinga Informativo*, jornal produzido pela Organização de Mulheres Negras do Rio de Janeiro. | Participa com Benedita da Silva, então vereadora eleita no Rio de Janeiro, da Conferência de Nairóbi, no Quênia. | Criação do Conselho Nacional dos Direitos da Mulher (CNDM), subordinado ao Ministério da Justiça, no qual é conselheira junto com Benedita da Silva. | É publicado em Los Angeles, nos Estados Unidos, o livro *Race, Class, and Power in Brazil*, no qual escreve um capítulo, intitulado "The Unified Black Movement: A New Stage in Black Political Mobilization".

1986: Eleições para deputados constituintes. Lança-se candidata pelo PDT.

1987: Leciona no Departamento de Sociologia e Política da PUC-Rio e assume a diretoria do Planetário da Gávea. Publica o livro *Festas populares no Brasil*, premiado na Feira de Leipzig, Alemanha.

1988: Centenário da abolição da escravidão no Brasil. | É promulgada a Constituição Federal. | Lélia publica o artigo "Por um feminismo afro-latino-americano" na revista *Isis Internacional*, do Chile. | Participa do I Encontro Nacional de Mulheres Negras em Valença, Rio de Janeiro. | Criação da Fundação Palmares, vinculada ao Ministério da Cultura.

1989: Ocorrem as primeiras eleições presidenciais livres depois da ditadura militar.

1990: Depois de 27 anos na prisão, Nelson Mandela conquista a liberdade.

1991: É realizado o II Encontro Nacional de Mulheres Negras em Salvador, Bahia.

1992: O 1º Encontro de Mulheres Negras da América Latina e do Caribe acontece na República Dominicana.

1994: Fernando Henrique Cardoso assume a Presidência da República no Brasil. | Fim do apartheid na África do Sul. | Lélia Gonzalez se torna chefe do Departamento de Sociologia e Política da PUC-Rio. Ela falece no Rio de Janeiro, vítima de um infarto do miocárdio.

Sobre as organizadoras

FLAVIA RIOS é professora do Departamento de Sociologia e Metodologia da Universidade Federal Fluminense (GSO/UFF), coordenadora do Núcleo de Estudos e Pesquisa Guerreiro Ramos, o Negra, e pesquisadora do Afro — Núcleo de Pesquisa sobre Raça, Gênero e Justiça Racial do Centro Brasileiro de Análise e Planejamento (Cebrap). Doutora pela Universidade de São Paulo, foi bolsista da Fundação de Amparo à Pesquisa do Estado de São Paulo (Fapesp) e Visiting Student Researcher Collaborator na Universidade de Princeton. É membro da Associação Nacional de Pós-graduação e Pesquisa em Ciências Sociais (Anpocs), da Latin American Association (Lasa) e da Sociedade Brasileira de Sociologia (SBS), onde atua na área de relações raciais. Tem pesquisado e publicado livros e artigos sobre movimentos sociais, protestos políticos, desigualdades e feminismos e intelectualidade negra. É coautora, com Alex Ratts, de *Lélia Gonzalez*, o primeiro livro já publicado sobre a trajetória de vida da autora.

MÁRCIA LIMA é professora do Departamento de Sociologia da Faculdade de Filosofia, Letras e Ciências Humanas da Universidade de São Paulo (FFLCH/USP) e pesquisadora sênior associada ao Centro Brasileiro de Análise e Planejamento (Cebrap), onde coordena o Afro — Núcleo de Pesquisa sobre Raça, Gênero e Justiça Racial. Fez pós-doutorado na Universidade Columbia e foi Visiting Fellow no Afro-Latin American Research Institute (Alari) do Hutchins Center for African and African American Studies, na Universidade Harvard. É membro da Sociedade Brasileira de Sociologia (SBS), da Latin American Studies Association (Lasa) e da Brazilian Studies Association (Brasa). Tem pesquisado e publicado nas áreas de desigualdades raciais, gênero, raça e ações afirmativas.

1ª EDIÇÃO [2020] 8 reimpressões

ESTA OBRA FOI COMPOSTA POR MARI TABOADA EM DANTE PRO E
IMPRESSA EM OFSETE PELA GRÁFICA SANTA MARTA SOBRE PAPEL PÓLEN
DA SUZANO S.A. PARA A EDITORA SCHWARCZ EM MAIO DE 2024

A marca FSC® é a garantia de que a madeira utilizada na fabricação do papel deste livro provém de florestas que foram gerenciadas de maneira ambientalmente correta, socialmente justa e economicamente viável, além de outras fontes de origem controlada.